O Caçador de Crocodilos

TERRI IRWIN

O Caçador de Crocodilos

A Emocionante Vida de um Homem Apaixonado por Animais

Tradução: Alzira L. V. Allegro

Editora Novo Conceito

Publicado sob acordo com a Simon & Schuster Spotlight Entertainment, um selo da Simon & Schuster

Editora: Bete Abreu
Assistentes Editoriais: Marília Mendes e Sonnini Ruiz
Produtor Gráfico: Samuel Leal
Tradução: Alzira L. V. Allegro
Revisão de Texto: Sheila Tonon Fabre e Josias Andrade
Editoração e Diagramação: Triall
Capa: Osmane Garcia Filho
Crédito da Imagem Capa: AAP Image/Tony Phillips

Dados Internacionais de Catalogação na Publicação (CIP)
(Câmara Brasileira do Livro, SP, Brasil)

Irwin, Terri
O caçador de crocodilos / Terri Irwin ; [tradução Alzira L. V. Allegro]. -- São Paulo : Novo Conceito Editora, 2008.

Título original: Steve and me.
ISBN 978-85-99560-41-9

1. Herpetologistas - Austrália - Biografia 2. Irwin, Steve, 1962-2006
3. Irwin, Terri, 1964- 4. Naturalistas - Austrália - Biografia I. Título.

08-06096 CDD-597.9092

Índices para catálogo sistemático:
1. Naturalistas australianos : Biografia 597.9092

Editora Novo Conceito

Rua Sansão Alves dos Santos, 102 – 2º and. – Cj. 21 – Brooklin Novo
04571-090 – São Paulo – SP
www.editoranovoconceito.com.br

Para nossos filhos, Bindi e Robert.
Guardem essas três coisas no coração: fé, porque ela move montanhas; esperança, porque ela nos mantém seguindo em frente, não importa o que aconteça; e amor, a mais importante das três. O amor nunca morre. Papai e eu os amaremos para sempre.

Não te ponhas contra mim
obrigando-me a deixar-te e a ir-me:
porque para onde quer que tu fores, irei eu;
e onde quer que tu ficares, ficarei eu também.
O teu povo será o meu povo,
e o teu Deus, o meu Deus.
A terra em que tu morreres,
nessa morrerei:
e ali terei o meu sepulcro.
Isto me faça o Senhor,
e ainda mais,
se outra coisa que a morte me separar de ti.

– Rute 1:16

Sumário

Prefácio

Sinto-me extremamente honrado com o convite para escrever algumas palavras a respeito de Steve, e é muito apropriado que o pedido tenha sido feito quando estava no barco de Steve, o *Croc One*, enquanto realizava pesquisa sobre crocodilos de estuário com uma equipe do Australia Zoo.

Enquanto escrevo este prefácio, estou sentado perto de uma fogueira, em um acampamento em uma região remota ao norte da Austrália. A fogueira é um ritual importante em minha vida; espero ansiosamente por ela todo ano, quando venho até aqui, mas ela também me faz lembrar o homem que tenho orgulho de chamar de meu amigo, colega e mentor. Nas primeiras horas da manhã, quando a fogueira é acesa, sou transportado de volta para os tempos em que Steve e eu nos sentávamos perto dela e observávamos o mundo ao nosso redor voltar à vida. Ele falava de tantas coisas: de seu amor por Terri, Bindi e Robert; de sua mãe e de seu pai; de seus planos para o Australia Zoo; da defesa dos animais selvagens. Porém, na maioria das vezes, falávamos da grande paixão que compartilhávamos: crocodilos. Falávamos por horas sem fim sobre crocodilos, não apenas sobre histórias de gente nociva e de animais especiais, mas da busca de uma maior compreensão do comportamento desses animais icônicos. Quando os primeiros raios do sol iluminavam a fogueira, nós interrompíamos nossas conversas e partíamos para nosso trabalho de pesquisa, que nos iria dizer ainda mais sobre nosso ícone.

Um encontro casual com Steve, cerca de cinco anos atrás, foi o início de uma sociedade de pesquisa emocionante e maravilhosa. Pouca gente sabia, mas Steve era uma força orientadora do projeto de pesquisa, monitorando os movimentos e o comportamento de crocodilos grandes usando satélite de última geração e telemetria acústica. Steve trouxe ao projeto de pesquisa seu profundo conhecimento de crocodilos, sua experiência mundialmente conhecida em capturá-los, seus muitos recursos e sua paixão por aprender mais a respeito desses extraordinários animais. Era muito estimulante trabalhar com Steve; ele acreditava firmemente que quanto mais informações pudesse ter sobre os crocodilos e compartilhar com o mundo, mais nós poderíamos compreendê-los, apreciá-los e protegê-los.

Embora não fosse formalmente qualificado como pesquisador, ele tinha muitas das qualidades de um grande cientista. Era movido por curiosidade e tinha uma infindável lista de perguntas. Sua sede de saber era insaciável, e isso foi ao encontro de seu entusiasmo e desejo de aprender sempre mais. Steve era um homem brilhante, com uma mente brilhante – uma mente que continuou a me fascinar com sua habilidade de pensar em tantas coisas ao mesmo tempo e de reter uma impressionante quantidade de conhecimento. Sua mente era vasta, não tinha limites, e tudo era temperado com sensibilidade e honestidade e esplendidamente colorido com sua paixão. É uma questão de dom alguém poder desafiar você e abrir sua mente para novas idéias. Steve fez isso por mim em várias ocasiões.

Ele foi meu professor e meu mentor em um campo onde eu achava que sabia mais do que ele. Pouco sabia eu do vasto conhecimento que ele tinha – um conhecimento adquirido por meio de experiência verdadeira. Como acontece com os melhores professores, ele ouvia muito e aprendia com todos ao seu redor, em sua busca de uma melhor compreensão da vida não só de crocodilos, mas de todo o mundo que o circundava. Steve era sempre uma surpresa para mim: eu ficava admirado em ver o quanto ele sabia, perguntava-me que pesquisa científica ele teria lido e me espantava com a sua habilidade de transmitir seus conhecimentos de uma maneira tão interessante e fácil.

Em reconhecimento a sua reputação e a sua dedicação à defesa do meio ambiente e à pesquisa, a Universidade de Queensland estava pronta para indicá-lo como professor adjunto, honraria concedida a poucos que fizeram uma contribuição significativa a sua área. Steve não chegou a saber disso. A carta da universidade chegou ao Australia Zoo enquanto estávamos em campo estudando os crocodilos, em agosto de 2006. Ele não viu a pilha de correspondência na qual estava essa carta. Sei que ele teria aceitado com muito orgulho esse reconhecimento de suas realizações, mas também suspeito que tivesse continuado humilde e dado o crédito àqueles ao seu redor, especialmente a Terri, sua mãe e seu pai, a Wes, John Stainton e à incrível equipe do Australia Zoo.

Em 2007, um ano depois, estamos aqui de volta ao norte da Austrália, dando continuidade à pesquisa em seu nome. Há um vazio enorme em nossas vidas, mas eu sinto Steve aqui, ao nosso redor. Um sinal disso é que o crocodilo de quase cinco metros, ao qual demos o nome de "Steve", continua aparecendo em nossos alçapões.

A amizade de Steve enriqueceu muito minha vida. Agora, sento-me ao redor do fogo com Terri, sua família e colegas do Australia Zoo, falando sobre crocodilos e levando adiante o legado que Steve deixou. Terri e Bob Irwin estão agora chefiando a equipe de recolha de crocodilos do Australia Zoo e Bindi está ajudando a prender os dispositivos de rastreamento nos animais; assim, a tradição continua.

Sinto sua falta. Todos sentimos. Mas posso me sentar ao pé do fogo, olhar para o carvão e ouvir sua voz, sempre intensa, sempre apaixonada, contando-nos histórias e estimulando-nos a fazer mais. O entusiasmo e a determinação que Steve compartilhou conosco estão vivos e se mantêm acesos.

Ele tocou muitas vidas. Sua memória não se apagará e este livro será uma das maneiras que temos para nos lembrar de nossas aventuras com o espírito indomitável de um marido, pai e filho apaixonado; um dedicado embaixador e defensor da vida selvagem; e um grande companheiro.

Professor Craig E. Franklin, Escola de Biologia Integrativa
Universidade de Queensland
Lakefield National Park
Agosto de 2007

CAPÍTULO UM

O Primeiro Encontro

O nome do zoológico era Queensland Reptile and Fauna Park (Parque de Répteis e Fauna de Queensland). Conforme eu atravessava a área do estacionamento, preparei-me para decepções. *Vou ver uma coleção de cobras, lagartos e outras pobres criaturas mantidas dentro de potes, vou sentir muita pena deles e vou-me embora.*

Era outubro de 1991. Eu era Terri Raines, uma garota de 27 anos, do Oregon, visitando a Austrália na duvidosa tentativa de encontrar um lar para pumas americanos resgatados. Um parque de répteis não se interessaria por um felino grande como um puma. Caminhando sob o agradável calor de primavera que emanava do parque, lá estava eu com pensamentos bem pessimistas. *Vai ser uma grande perda de tempo.* Porém, a perspectiva de ver novas espécies de vida selvagem me atraía.

Com alguns amigos, passei pela modesta entrada, apenas para me sentir espantada com o que encontrei do outro lado: os jardins mais lindos e mais bem cuidados que já havia visto. Ao meu redor, pavões, cangurus e *wallabies* se exibiam livremente; ao lado das passarelas, alinhavam-se palmeiras. O lugar mais parecia um pedacinho do paraíso na Terra.

Depois de comprar meu ingresso, notei que os cercados onde os répteis eram mantidos estavam absolutamente limpos – as cobras brilhavam. Eu mantinha animais resgatados em casa. Conhecia outros zoológicos e sabia do pesadelo que eles podem significar. Entretanto, não vi qualquer sinal de parasitas externos nesses animais, nenhum alimento apodrecendo nas jaulas, nada de fezes ou escamas de pele abandonadas em qualquer canto.

Diante disso, gostei do que vi. Fiz um tour pelo parque, aprendi bastante a respeito das cobras e alimentei os cangurus. O dia estava ensolarado, brilhante.

– Dentro de cinco minutos haverá uma demonstração no cercado dos crocodilos – anunciou uma voz no alto-falante. – Cinco minutos.

Pareceu-me interessante.

Vi os crocodilos antes de ver o homem. Havia uma linha completa de crocodilianos: lagartos, crocodilos de água doce e um de água salgada, bem grande. Dinossauros da era moderna, incríveis. Eu não sabia muito a respeito deles, mas sabia que existiam há milhões de anos e que continuavam os mesmos. Entre as criaturas mais antigas do planeta, eles eram uma mensagem de nosso passado, da aurora dos tempos.

Só depois é que o vi. Alto, robusto, 20 e poucos anos (parecia mais jovem do que era, e, na verdade, havia feito 29 naquele fevereiro); vestia camisa e shorts cáqui, descalço, cabelos loiros soltos, muitos fios arrepiados, sob um grande chapéu Akubra – o chapéu de abas australiano – e um relógio com pulseira preta no pulso esquerdo. Embora fosse grande e de porte atlético, tinha um ar gentil e amigável.

Juntei-me aos outros 15 ou 20 visitantes do parque e prestei atenção ao que ele dizia.

– Eles podem viver tanto quanto nós ou até mesmo mais – ele disse, caminhando de maneira despreocupada perto do lago de crocodilo de água salgada. – Eles conseguem prender a respiração debaixo d'água durante horas.

Em seguida, segurando um pedaço de carne, foi até a beira da lagoa. O crocodilo saltou da água e abocanhou a carne de suas mãos. – Esse macho é muito territorial – explicou ele – e as fêmeas ficam muito agressivas quando põem os ovos em um ninho. – Ele se ajoelhou ao lado do crocodilo. – As fêmeas de crocodilos são ótimas mães.

Cada centímetro daquele homem, cada movimento e cada palavra dele deixava transparecer sua paixão pelos crocodilianos, entre os quais ele caminhava. Não pude deixar de notar que em momento algum ele tentou chamar a atenção sobre si mesmo. Ele estava lá para que o público admirasse o crocodilo, não ele.

Reconheci sua paixão porque também eu sentia um pouco dela. Eu falava sobre pumas da mesma forma como aquele cuidador de zoológico falava de crocodilos. Quando fiquei sabendo que haveria um tour especial, com guias, ao Parque Ambiental de Crocodilos (Crocodile Environmental Park), fui a primeira da lista a disputar um bilhete. Eu precisava saber mais. Aquele homem demonstrava tanto entusiasmo, que me senti realmente ligada a ele, como se estivesse me encontrando com a minha alma gêmea.

Qual era o nome dele? Irwin. Steve Irwin.

Alguns dos tópicos sobre os quais Steve falou naquele dia eram novos e maravilhosos para mim. Aprendi bastante a respeito da vida romântica dos crocodilos. Há rituais em que os machos fazem a corte às fêmeas; eles são muito gentis conforme se movimentam para cima e para baixo ao lado da fêmea, aguardando até que ela se mostre receptiva. Nunca imaginei que essas criaturas parecidas com dinossauros pudessem ser amáveis, mas ele me explicou que os crocodilos eram amantes apaixonados e pareciam desenvolver afeição verdadeira um pelo outro.

Afeição um pelo outro, claro, mas não por Steve. Fiquei observando a água parada e escura, quando, de repente, emergiu um enorme crocodilo de água salgada – uma tonelada. Ele quase arrancou os botões da camisa de Steve quando Steve praticamente depositou um pedaço de carne dentro da sua boca. A reverberação das mandíbulas se fechando novamente parecia o ricochetear de um rifle.

Do ponto onde eu me encontrava – do outro lado da cerca – eu mal conseguia respirar. Não sei como Steve conseguia.

Havia outros tópicos mais familiares sobre os quais conversamos.

– Algumas vezes, ver um crocodilo em seu habitat natural, pode apavorar as pessoas – ele disse, caminhando entre as fileiras de crocodilos subadultos. – Mas se você seguir algumas regras simples, essas pequenas criaturas não representam qualquer perigo aos humanos.

Era uma situação que eu já havia enfrentado muitas vezes nos Estados Unidos com animais predadores. As pessoas usavam, por exemplo, a rampa de um barco. Elas vinham com o pescado e faziam os filés no próprio embarcadouro, lançando os ossos e os detritos do peixe na água. Nos Estados Unidos, isso poderia atrair ursos negros, criando um problema em potencial para os turistas. Na Austrália, a mesma prática colocava os crocodilos em contato com os humanos.

– Se recebemos um relatório sobre um crocodilo particularmente malcriado, que esteja perturbando as pessoas – Steve explicou –, eu saio com minha cadela, Sui, em um bote. Capturamos o crocodilo para evitar que o matem com um tiro.

Em seguida, ele explicou o que queria dizer com "capturar". Conforme ele falava, eu ia me sentindo cada vez mais cativada por ele, e o mesmo acontecia com os outros visitantes; talvez porque Steve estivesse contando em detalhes as ações mais incríveis das quais já havíamos ouvido falar, realizadas por um homem que viveu para contar a história.

– Se o crocodilo é jovem, mede cerca de dois metros ou menos do que isso – ele disse –, eu o pego com as mãos.

Com as mãos. Tive de capturar todos os tipos de animais selvagens no Oregon, mas nunca nada tão perigoso quanto um crocodilo de água salgada, medindo dois metros... na água... no escuro... com as mãos.

– Saímos à noite, com um holofote na intensidade de um milhão de velas, brilhando na água – ele disse. – Assim, consigo captar o brilho do olho do crocodilo. Seus olhos brilham com uma cor vermelha intensa, bem na superfície da água. Ele acha que está camuflado pela escuridão e não entende que meu holofote localiza exatamente onde ele se encontra.

Com o motor do bote desligado, trazendo-o sem fazer barulho cada vez mais perto do crocodilo, Steve finalmente fez sua jogada. Arrastou-se até a parte dianteira do barco e segurou o holofote até o último instante.

Em seguida pulou na água.

Agarrando o crocodilo pelo pescoço, ele prendeu a cauda do bicho entre as pernas e jogou seu corpo em volta da criatura, que se debatia violentamente. Quando estão na água, os crocodilos são extremamente fortes. Até mesmo um subadulto de dois metros poderia com facilidade arrastar Steve para debaixo d'água, rolando e lutando, tentando se livrar dele arrastando-se nas rochas e galhos no fundo do rio.

Mas Steve persistia. Ele sabia que poderia voltar à superfície para respirar, jogar o crocodilo dentro do bote e prendê-lo.

– Isso é bico! – ele disse.

Foi a história mais incrível que eu já havia ouvido. E Steve foi o homem mais incrível que eu já havia conhecido – apanhar crocodilos com as mãos para salvar a vida deles? Que coisa mais irreal! Tive uma sensação impressionante. Senti vontade de acender uma grande fogueira, sentar-me com Steve perto dela e ouvir suas histórias noite adentro, desejando que elas nunca terminassem. Mas o tour acabou, e senti que eu precisava falar com aquele homem.

Steve tinha um sorriso largo, fácil, e as maiores mãos que eu já havia visto. Pelo seu porte e sua maneira de andar, eu diria que ele estava acostumado a trabalho pesado. Notei uma série de pequenas cicatrizes no seu rosto e nos braços.

Ele se aproximou de mim com um belo sotaque australiano: – Bom dia, minha cara.

Opa! Pensei comigo. *Estou em apuros.*

Nunca, nunca mesmo, eu havia acreditado em amor à primeira vista. Porém, tive a mais incrível sensação de que fora o destino que me trouxera àquele pequeno parque de animais selvagens naquele dia.

Steve começou a conversar comigo como se já nos conhecêssemos por toda a vida. Eu o interrompi apenas para que minha amiga Lori tirasse uma foto de nós, e a partir do primeiro minuto em que encontrei Steve, fiquei fascinada por ele para sempre. Contei-lhe sobre os resgates de pumas que fazia no Oregon; ele me contou de seu trabalho com os crocodilos. O tour já havia terminado fazia muito tempo e o zoológico estava para fechar, mas nós continuamos nossa conversa.

Então, ouvi a buzina do carro de Lori no estacionamento. – Tenho de ir – eu disse a Steve e esbocei um sorriso meio sério. Senti que algo me ligava a ele, algo que nunca havia sentido antes, e eu estava para ir embora e nunca mais vê-lo.

– Por que você gosta tanto de pumas? – perguntou-me, caminhando comigo em direção ao portão de entrada do parque.

Tive de pensar por um instante. Havia muitas razões. – Acho que é porque eles podem realmente matar com a boca – eu disse. – Eles podem dominar um animal várias vezes maiores que eles, agarrá-lo pela mandíbula e matá-lo quebrando-lhe o pescoço.

Steve deu um sorriso largo. Eu ainda não tinha percebido como nós dois éramos tão parecidos.

– É por isso que gosto tanto dos crocodilos – ele disse. – Eles são os predadores mais poderosos que existem.

Predadores mais poderosos; isso significava que tanto pumas quanto crocodilos estavam no topo da cadeia alimentar. De lados opostos do mundo, aquele homem e eu partilhávamos, de alguma forma, o mesmo interesse, a mesma paixão.

Na entrada do zoológico, vi Lori e seus amigos dentro do carro, ansiosos para voltar para Brisbane.

– Telefone para o zoológico, se algum dia você voltar aqui – disse Steve. – Eu gostaria muito de vê-la novamente. – Será que ele também sentiu a mesma coisa que eu? No caminho de volta para Brisbane, fiquei calada, meditando. Não tinha a menor idéia de como faria, mas estava determinada a descobrir um jeito de vê-lo novamente. No fim da semana seguinte, Lori iria mergulhar com amigos; aproveitei a chance e liguei para Steve.

– O que você acha... será que posso ir até aí no final de semana? – perguntei-lhe.

– Claro. Vou cuidar de tudo – foi a resposta dele.

Meu coração saltava conforme eu dirigia pela costa novamente, alguns dias depois. Lá estava a pequena tabuleta já familiar e o modesto portão de entrada. E ali estava ele, grande como a vida – 1,80 m, ombros largos, sorriso enorme e um aperto de mão caloroso e acolhedor. Nosso primeiro contato físico verdadeiro.

– Bem... cá estou de volta – eu disse, um pouco constrangida.

– Sorte sobre você, amiga – disse Steve. Pensei comigo: *O que é que eu tenho sobre mim?*, estranhando aquela expressão australiana.

Imediatamente, conscientizei-me profundamente de que havia um obstáculo que eu teria de superar. Eu não tinha muita certeza do estado civil de Steve. Vi que ele não usava aliança. *Isso não quer dizer nada*, pensei comigo. Provavelmente ele não usa aliança por causa do tipo de trabalho que faz. Acho que ele imaginou o que ia pela minha cabeça naquele momento, quando comecei a lhe fazer perguntas sobre seus amigos e sua família.

Ele morava lá, no zoológico, com os pais e a irmã, Mandy, ele disse. Sua outra irmã, Joy, havia se casado e mudado.

Eu estava tentando descobrir um jeito de dizer: "Bem... então você tem uma namorada, certo?", quando subitamente ele tomou a dianteira e me perguntou:

– Você gostaria de conhecer minha namorada?

Ah! Senti-me afundando no chão. Fiquei arrasada, mas não deixei que ele notasse nada.

Levantei-me e com firmeza, sorri e disse: – Ah, sim! Eu adoraria.

– Sui – ele gritou. – Ei, Sui!

Surgindo de uma esquina, toda saltitante, apareceu Sui, sua "garota" – uma cadelinha malhada.

– Essa é a minha namorada – ele disse com um sorriso.

Muito bem, é isso aí, pensei comigo. *Agora não tem mais volta*.

Passamos um final de semana maravilhoso. Trabalhamos juntos no zoológico o dia inteiro, do nascer do sol até o anoitecer. Durante o dia todo limpamos tudo, varrendo, juntando folhas, recolhendo cada pedacinho de cocô de canguru, lavando cercados de crocodilos, mantendo as cobras limpas. Porém, o trabalho mais emocionante foi com os crocodilos.

Naquela primeira tarde, Steve me levou para ver os lagartos. Eles saíam das lagoas como meigos cachorrinhos – cachorrinhos com dentes grandes, afiados e olhos de sapo. Eu não sabia o que esperar deles, mas com Steve ao meu lado, senti-me confiante e segura. A próxima coisa que aconteceu foi que me vi alimentando os lagartos com grandes nacos de carne, como se tivesse feito isso durante toda a vida.

Naquela noite ele me acomodou no Glasshouse Mountains Motel, alguns quilômetros distante do zôo. Steve portou-se de maneira muito cavalheiresca. Conheci seus pais e jantei com toda a família. Tive também minha primeira experiência com o humor australiano. Naquela noite, no jantar, servi-me do que pensei que fosse uma taça de um gostoso suco. Toda a família Irwin estava lá, sentada, todos bem quietos e com uma expressão séria no rosto. Quando dei um grande gole, quase me sufoquei.

Foi então que conheci o cordial – bebida alcoólica estimulante, que é consumida misturada com água. Eu a havia despejado puríssima em meu copo. Demos todos boas risadas.

Na noite seguinte, Steve e eu fomos jantar em Caloundra, uma cidade vizinha. Ele me levou a um local turístico que oferecia serviço de bufê a preço único – um banquete de frutos do mar, minha comida favorita. Lotei meu prato com camarão, caranguejo, ostras e tudo o mais que eu adorava. Não percebi no momento, mas Steve estava um pouco preocupado comigo, achando que eu iria comer mais do que ele.

Enquanto eu comia, um pedacinho de caranguejo "voou" para a dobra de meu braço. Com destreza, pus a língua para fora e consegui abocanhá-lo e comê-lo. Foi então que me toquei: Steve me olhava fixamente. Ele me olhava de uma maneira tão afetuosa, que pensei: *Ele vai dizer alguma coisa maravilhosa.*

Então, ele inclinou-se para frente e disse com carinho: – Puxa! Você definitivamente está longe de se comportar como uma dama, não? – Caí na risada. Aparentemente, eu havia feito a coisa certa. Lembrei-me do conselho de meu pai: não interessa a situação; seja sempre você mesma. E realmente funcionou.

Quando saímos do restaurante, Steve disse:

– Sabe de uma coisa? Estou sentindo cheiro de pato.

Lá fora, realmente, havia um bando de lindos patos nadando para lá e para cá em uma lagoa.

– Steve, você é o homem do mato mais incrível que já conheci – eu disse.

Obviamente, aquele ponto turístico e aquela lagoa existiam havia anos e Steve já sabia a respeito dos patos por todo esse tempo.

– Estou sentindo cheiro de pato – era um truque do tipo Crocodilo Dundee que, não obstante, operava sua mágica nessa ingênua jovem americana.

E, de repente, o final de semana se foi. Steve me levou de volta para Brisbane. Nunca havia sentido o coração tão apertado. Quando nos despedimos, ele colocou os braços ao redor de meus ombros pela primeira vez e, naquele abraço, senti toda a sua força e o seu calor. Mas tudo havia chegado ao fim. Eu iria voltar para o meu lado do mundo. Não sabia se algum dia veria Steve novamente.

CAPÍTULO DOIS

Malina

"Filhotes de puma à venda." Essas palavras da seção de classificados do *Oregonian* – jornal influente no Oregon, meu estado natal – dançavam à minha frente. Era 1986; eu tinha 22 anos, morava sozinha e administrava um negócio de escolta de transporte de carga pesada que herdara de meu pai.

Virei a página, fechei o jornal e continuei minha rotina. Porém, aquelas palavras continuavam a tamborilar em minha cabeça; nada me fazia parar de pensar nelas.

Filhotes de puma, pensei. Estranho. *Como isso é possível ou lícito, se os pumas vivem livremente nas selvas do Oregon? Como é possível comprá-los e vendê-los como animais de estimação?*

Tentei afastar esses pensamentos da mente, mas não consegui. Finalmente, resolvi pegar o carro e verificar a situação *in loco*. O endereço indicava uma residência em Hillsboro, um pequeno subúrbio a oeste da cidade de Portland.

Assim que estacionei o carro, o proprietário surgiu à porta para me encontrar – fumante, magro como um palito, com óculos de aviador e cabelos bem ralos. Notei que mantinha muitos animais exóticos na propriedade: papagaios, macacos e, sobretudo, raças diferentes e raras de cavalos, variando em tamanho – de miniaturas de pôneis aos grandes cavalos de tração da raça Percheron.

– Gostaria de ver os filhotes de puma – eu disse.

– Só sobrou um – ele disse, conduzindo-me para a garagem, na parte de trás da casa. Uma pequena caixa própria para transportes de animais estava encostada em uma parede. Olhei lá dentro. Um filhote fêmea de puma me devolveu um olhar inexpressivo. Devia ter cerca de três meses e era só pele e osso, de tão magro. Os olhinhos estavam opacos e sem vida.

– Olá, fofura – cochichei. Ela mal levantou a cabecinha. Havia tentado tantas vezes sair da gaiola, que acabou perdendo grande parte da pele da testa.

– Que tipo de comida você tem dado a ela? – perguntei ao homem. Notei que as articulações dela estavam inchadas, sinal de raquitismo e resultado de dieta incorreta.

– Pescoço de galinha – disse o homem.

– Suponho que ela esteja comendo outras coisas também, não? – perguntei. O homem encolheu os ombros e abaixou os óculos de aviador para mais perto do nariz.

– Por quanto você a está vendendo?

– Mil e trezentos – veio a resposta fria.

Mil e trezentos dólares. Muito dinheiro para mim naquele momento. Balancei a cabeça pensativamente, como se estivesse analisando o preço.

– Bem ... obrigada por ter me deixado vê-la – eu disse.

Virei-me em direção à porta, mas fiquei tão tocada com a situação daquele pequeno puma, que senti necessidade de fazer alguma coisa. Eu era solteira, morava sozinha em uma casa de três quartos, no subúrbio. Que diabos iria eu fazer com um filhote de puma?

* * * *

Eugene, Oregon, é a "Cidade Esmeralda", majestosamente situada na ponta do Vale Willamette. É um lugar agradável, que convida para a vida ao ar livre, perfeito para uma jovem estudante como eu, líder de torcida da Eugene Christian School, que curtia um jogo de futebol e uma cavalgada. Minha mãe, Julia, era professora. Eu era a caçula da família e a última filha vivendo com os pais. Minha irmã Bonnie morou conosco até quando eu tinha seis semanas; então ela se casou e mudou. Conheci melhor minha irmã Tricia, pois ela só se casou quando eu tinha seis anos, mas na maior parte do tempo, enquanto eu crescia, era protegida e tratada como filha única.

Meu pai, Clarence, teve vários empregos durante minha infância em Eugene; o de caminhoneiro foi um deles. Também trabalhou como motorista de carros de escolta do transporte de carga pesada nas rodovias. Devido ao seu trabalho nas estradas, ele topava com muitos animais selvagens feridos ou órfãos e de tempos em tempos aparecia em casa com um. Eu gostava de ajudar as pobres criaturas que ele salvava.

Em uma ocasião, enquanto dirigia na estrada, meu pai viu uma fêmea de mergulhão que fora atingida por um carro. Seus filhotinhos estavam com ela e corriam freneticamente para lá e para cá ao lado da rodovia.

– Veja o que tenho aqui – ele disse quando chegou em casa naquela noite. Abriu a jaqueta para mostrar meia dúzia de pequenos patinhos. Estava transportando carga pesada e não conseguiu parar o caminhão na ida, quando os viu, mas na volta, estacionou no acostamento e pegou os poucos que encontrou.

– Acho que as corujas pegaram o resto – ele disse.

Fiquei extasiada. Os mergulhões têm um bico afiado, com a borda serrilhada, totalmente diferente do bico plano do pato silvestre. São caçadores de peixe, coisa em que não havíamos pensado na época. Eles também têm um "penteado" diferente: as penas no topo da cabeça caem para trás. Do alto dos meus oito anos, eu os achava lindos.

Porém, havia algo de errado. Tentávamos alimentá-los com grãos, mas eles não os aceitavam. Acabaram ficando doentes e apáticos. Meu pai sentia-se frustrado. Achava que havia salvado os filhotinhos apenas para vê-los morrer sob nossos cuidados.

Entretanto, depois que mamãe fez uma pesquisa sobre as criaturinhas, ela, finalmente, descobriu.

– Peixe – ela disse. – Eles comem peixe.

Atrás de nossa casa, havia um riacho, que chamávamos de brejo. Demos a ele o apelido de "Amazonas". Nosso "Amazonas" não tinha piranha, mas tinha barrigudinho e filhotinhos de truta, de cor cinza, medindo entre dois e cinco centímetros. Eu ajudava meu pai a pescar uma centena deles todos os dias e os patinhos os comiam com a maior satisfação. Também saía à noite com meu pai à caça de insetos rastejantes, gordinhos e suculentos, para servirem de suplemento alimentar para eles.

Era divertido ficar observando os pequenos patinhos silvestres abocanharem um dos insetos e o engolirem. Enquanto o patinho estava determinado a engolir o bichinho rastejante, o bichinho rastejante também estava determinado a não se deixar engolir. Ele se contorcia ferozmente, de maneira tal que o patinho tinha de também se contorcer todinho. Ele se contorcia, se debatia e a minhoca se agitava, ziguezagueava; finalmente, o patinho vencia a batalha e, satisfeito, sentava-se lá com uma bela refeição. Era muito divertido.

O pequeno bando de mergulhões era tão especial para mim, que não tínhamos outros bichinhos de estimação. Eles me conheciam, vinham até mim quando eu os chamava e se aconchegavam em mim com seus bicos pequeninos. Eu queria tê-los para sempre. Porém, tive de aprender uma importante lição sobre a vida selvagem. Meu pai usava meu quarto como exemplo.

– Olhe à sua volta – ele disse. Em meu quarto havia tudo o que eu amava – minha cama macia, meus brinquedos prediletos e janelas grandes e ensolaradas, por onde entrava muito sol. Eu adorava o meu quarto.

– Quero que você imagine uma coisa – disse meu pai. – Imagine se você não pudesse nunca mais sair deste quarto. Nós traríamos sua comida favorita e talvez você pudesse ter aqui uma TV e um rádio, mas, mesmo assim, não poderia jamais sair. Você se sentiria feliz?

Eu sabia aonde ele queria chegar. – Talvez por pouco tempo – respondi.

– Por pouco tempo – repetiu ele.

Levamos os patos de volta para seu habitat natural. Depois, pensei em como tudo aquilo fazia sentido para mim. Não importa o quão agradável um lugar possa ser; é preciso experimentar a vida e o mundo.

Não demoraria muito para eu aprender outra lição, que acabou sendo um ponto de transição em minha vida. Vi um cão vagando pelo estacionamento da escola, um vira-lata esquelético que, visivelmente, vivia sozinho havia algum tempo. No intervalo das aulas, eu e mais algumas outras crianças da escola dividíamos um pouco da nossa comida com ele. Quando as aulas recomeçaram, já havíamos feito amizade com o pobre coitado.

De repente, senti uma estranha responsabilidade em relação ao pobre cão desgarrado. Não achava suficiente apenas dar a ele algo para comer, dizendo que eu o tinha ajudado e depois ir embora. Precisava ter a certeza de que ele ficaria em um local seguro.

– Temos de fazer alguma coisa para ajudá-lo – eu disse à minha professora.

– Já chamamos o serviço de proteção de animais – explicou minha professora. Ela me garantiu que se os donos estivessem procurando pelo cão perdido, eles teriam ótimas chances de encontrá-lo por meio do serviço de proteção de animais.

Eu era teimosa. – Mas depois de algum tempo, se o cão não for procurado, eles vão sacrificá-lo, não é verdade?

Com relutância, minha professora balançou a cabeça afirmativamente. – Acho que sim.

– Mas isso não é correto.

Minha professora suspirou, dando-me aquele olhar do tipo "não tenho tempo para ficar discutindo essas coisas".

– Na verdade, não há outra escolha, Terri.

E a coisa ficou por aí. O que aconteceu com o cão perdido eu nunca soube. Mas com a determinação férrea de uma criança que quer reparar uma injustiça, decidi que quando crescesse, eu não iria mais ignorar um problema. Eu iria dar um jeito de resolvê-lo. Lembro-me desse episódio com muita clareza como um momento decisivo em minha vida.

Nem o cão nem os patinhos foram eventos de grande porte; foram apenas eventos sem muito significado na vida de uma garota que vivia a noroeste do Pacífico. Porém, eles formaram duas linhas vitais na construção da pessoa que sou hoje: *quando você for ajudar um animal, faça o melhor que puder para ter certeza de que não o está prejudicando ao mesmo tempo*, e *Nunca ignore um problema relacionado a um animal – resolva-o.*

Essas foram as lições de que me lembrei quando encontrei um puma macilento em uma gaiola de plástico.

Comecei entrando em contato com o Oregon Department of Fish and Wildlife (Departamento de Piscicultura e de Animais Selvagens do Oregon). – É legal manter um puma em cativeiro? – perguntei. Acabei descobrindo que era perfeitamente legal, desde que o animal tivesse nascido em cativeiro.

– Uma vez que já estão em cativeiro – disse a voz do outro lado da linha –, eles não estão sob a jurisdição do Fish and Wildlife Department (Departamento de Pesca e Animais Selvagens). Eles passam para a jurisdição do United States Department of Agriculture (Departamento de Agricultura dos Estados Unidos).

A estratégia preferida do burocrata: passe o problema adiante.

Liguei para o USDA e acabei descobrindo que havia um único funcionário lá, Dr. Overton, encarregado de toda a parte norte da Califórnia e dos 25.000 km^2 do estado do Oregon. Sua jurisdição incluía todo animal mantido em cativeiro – desde animais de circo e zoológicos à beira de estradas a aquários e até animais de quintal.

Descrevi para ele a situação do filhote de puma.

– A melhor coisa que podemos fazer por ele é emitir uma advertência e fazer uma inspeção daqui a alguns meses – o funcionário disse.

– Mas em poucos dias, ou seja, muito menos do que alguns meses, esse puma estará morto – eu disse.

– Sinto muito – disse o Dr. Overton. – Não tenho nenhuma opção melhor.

Senti-me muito mal por ele, e compartilhei de sua frustração por ter sido pressionado àquele ponto. A solução do problema estava além de nosso alcance e eu não tinha consciência disso. Lembrei-me do que minha professora havia dito sobre o cão desgarrado. Então, jurei que se não havia outras alternativas, *eu* seria a alternativa. Agora eu era adulta e tinha a chance de resolver aquela falha do sistema.

Peguei o carro, voltei para Hillsboro, pus o dinheiro na mesa e entrei na posse plena de um filhote fêmea de puma muito doente – de dar pena.

Conforme eu saía do estacionamento, o homem com óculos de aviador caminhava ao lado do carro, gritando seus conselhos. – Pode prendê-la no quintal como um cão. Pumas são bem legais com as crianças. Também não destroem as coisas dentro de casa. Você pode levá-la para dentro de casa da mesma maneira como faz com um animal de estimação.

Certo. Um novo animalzinho de estimação. Fiquei pensando a respeito disso enquanto viajava pelos 160 km que separam Portland de Eugene, com o bebê puma chorando de dar dó dentro de sua gaiola no banco traseiro.

Meu primeiríssimo problema era que eu já tinha um animal de estimação, uma cadela chamada Shasta, que eu adorava. Eu a havia ganhado três anos antes, durante um passeio pela praia nas proximidades do chalé de meus pais na costa do Oregon. Lá havia uma garotinha e sua mãe hippie, e elas tinham uma carroça cheia de filhotinhos de cachorro.

– São de graça ou custam dois dólares – disse a menina quando passei por ela.

Caí na risada. Não sei o que aconteceu comigo, mas dei a ela dois dólares por um filhote, uma mistura de Border collie, golden retriever e leão da Rodésia, marrom avermelhado. Eu estava bebendo um refrigerante chamado Shasta e adorava o Mount Shasta, o majestoso pico perto da divisa entre o Oregon e a Califórnia.

Shasta ficou muito assustada quando apareci na "sua" casa com um filhote de puma, mas depois de alguns dias ela se acalmou e as duas negociaram uma espécie de trégua.

E eu ainda tinha de lidar com um sentimento que me oprimia:

– E agora, o que é que vou fazer? – Acomodei o filhote de puma na garagem. Eu brincava com ela no quintal e rolava com ela dentro de casa. Depois de ser bem alimentada por alguns dias, ela começou a ter mais consciência de si mesma e imediatamente começou a agir como um puma, o que acabou sendo bom e ruim ao mesmo tempo.

Sua maior alegria e jogo favorito era se esconder até eu dar-lhe as costas. Então, ela saltava ferozmente sobre mim e me agarrava por trás de minhas pernas. Pumas são predadores muitíssimo sorrateiros. Essa versão em nível de filhote era um truque bem bonitinho, a menos que eu estivesse sentada, distraída.

Quando eu estava fazendo algum trabalho escrito, vendo TV ou em qualquer posição inclinada, ela surgia sorrateiramente, bem silenciosa, com suas patas grandes e macias no tapete. Não fazia o menor barulho. Dava um salto no ar e aterrissava em minhas costas, agarrando minha nuca com suas mandíbulas, fingindo que eu era um veado galheiro.

Com um grunhido gutural e os dentes cerrados, ela então me agarrava, recusando-se a me soltar. Todo o processo me deixava muito insegura. Eu nunca sabia quando ela iria pular sobre mim. Pensei na idéia do *Aviator-Man* de ter um puma como animal doméstico e de como ele pôs em perigo a vida de muitas pessoas. Algumas vezes, não importa o quanto você ame alguém, compartilhar o mesmo quarto não dá certo.

Comecei a fazer uma pesquisa mais completa e apropriada. Descobri que apesar do fato de que muitos animais selvagens faziam parte do comércio de animais de estimação, não havia qualquer regulamento oficial quanto a manter um puma em casa. Várias agências governamentais tinham opiniões diferentes. O Department of Fish and Wildlife decidiu que tinha jurisdição porque um puma era um animal nativo do Oregon. O USDA achava que tinha jurisdição porque eu tinha o animal em cativeiro. As autoridades encarregadas de animais no condado local também queriam se envolver no assunto. Cada um deles parecia querer saber mais do que o outro o que seria necessário. No fim, cheguei à conclusão de que seria melhor seguir as regras mais rígidas.

Eu tinha de construir um cercado de 35 m^2, com um piso de concreto de seis polegadas de espessura. A tela de arame galvanizado precisava ser malha cinco, para proteção contra ciclones. Contatei várias companhias de construção e descobri que, desde a Segunda Guerra Mundial, nenhuma tela daquele tipo havia sido feita.

Acabei construindo em meu quintal um mini Fort Knox – que custou cerca de 6.000 dólares. Comecei a equipá-lo. A toca era enorme, feita de madeira, presa ao chão, e com uma enorme cobertura de borracha. Coloquei lá uma grande mesa de piquenique. Ela gostou, pois era de madeira e com apenas dois pequenos saltos poderia pular e alcançar o topo. Depois, contratei outro empreiteiro para colocar um telhado sobre metade do cercado.

O dinheiro foi embora rapidamente. Descobri que alimentar aquele "animalzinho de estimação ideal" custava cerca de cinco dólares por dia e que quanto mais ela crescia, mais gostava da brincadeira do salto.

Felizmente, não precisei inventar um nome para ela, pois ela já tinha um nome bonito – Malina. Em vez de deixar que ela pulasse em minha cabeça quando tivesse vontade, procurei orientação sobre como disciplina-la. Eu a deixava brincar comigo até ela me beliscar ou me agarrar com suas grandes patas e tentar me dar uma boa mordida. Então, eu lhe dava uma bronca e tocava suavemente seu nariz. Passamos a nos conhecer uma à outra e Malina começou a me respeitar. Porém, logo ela começou a ficar muito possessiva com relação ao seu cercado e é aí que Shasta entra na história.

Shasta era uma assistente brilhante. Ela ia ao cercado de Malina e achava pequenos pedaços de carne que haviam sobrado do jantar. Malina não gostava muito disso, mas toda vez que tentava defender seu território, Shasta latia, rosnava e se preparava para atacar, colocando, assim, rapidamente o puma em seu lugar. Logo Malina percebeu que não era nenhum manda-chuva lá e seus problemas de comportamento se resolveram rapidamente.

Ela sentava-se passivamente num canto e parecia ligeiramente aborrecida quando Shasta ia a todos os cantos à procura de restos de comida. Dessa forma, Malina estava sempre sob controle, e a situação ficava muito mais tranqüila quando eu entrava em seu cercado para limpá-lo.

Malina aprendeu também que era divertido sair para passear de coleira. Eu a levava a toda parte. Pela manhã, íamos ao playground. As cercas das quadras de tênis eram bem altas; assim, eu podia deixá-la correr livremente. Usando uma guia de cerca de nove metros, eu a levava também à praia. Embora as praias do Oregon sejam normalmente bastante desertas, de vez em quando aparecia um catador em nosso caminho. Malina se arrastava pelo caminho até chegar o mais perto possível do estranho. Escondia-se no gramado da praia, aplainando as orelhas para os lados, fazendo lembrar um divertido "aeroplano-puma", e ficava absolutamente imóvel.

Passavam pessoas por lá, passeando, e nós trocávamos "olás"; elas jamais poderiam imaginar que a um metro delas havia um puma escondido, pronto para atacar.

Não demorou muito e eu passei a levar Malina a eventos educativos, que ensinavam pessoas a respeito de pumas. Ela ia comigo para escolas – desde escolas bem pequenas até universidades – e também a eventos comunitários. Ela adorava tudo isso! Ficava sentada em uma área isolada com corda, balançando a cauda, as pessoas observando-a. Fiquei muito triste quando, uma vez, uma classe cheia de crianças a viu e começou a gritar: "Olha o tigre!" ou "Olha o leopardo!" Parecia que ninguém sabia o que era um puma, mesmo considerando que primos selvagens de Malina viviam, literalmente, em nossos próprios quintais do Oregon.

Comecei a levar meu puma comigo a audiências em tribunais. Juntei-me a advogados ambientalistas e gente preocupada com a crueldade de certas práticas de caça a animais, tais como caça ao urso e caça a pumas, utilizando cães. Ao levar Malina ao tribunal, eu não apenas chamava a atenção da imprensa, como também colocava os caçadores cara a cara com o animal que eles tentavam perseguir. Em vez do demônio amedrontador que eles imaginavam ficar rosnando à espreita de seus filhos na escuridão da noite, eles agora viam um espírito nobre e bonito da vida selvagem. Malina mudou a mentalidade das pessoas. Eu vi isso acontecer.

Malina marcou o início de minha afinidade com mamíferos predadores. Depois de um estágio no Department of Fish and Wildlife, recebi um certificado de reabilitatora de animais selvagens. Eu havia encontrado meu verdadeiro propósito. Não sabia que dentro dos próximos meses, eu quase pagaria por ele com minha própria vida.

CAPÍTULO TRÊS

Resgate

Logo outros cercados começaram a brotar em meu quintal. Como reabilitadora de animais selvagens, resgatei raposas, linces, guaxinins e gambás. Várias espécies de animais caíram sob meus cuidados, mas parecia que meu talento especial era mesmo cuidar de mamíferos predadores – com exceção de lobos. Por alguma razão, nunca me interessei por lobos, mas isso não me impedia de tentar ajudá-los.

Fui chamada para resgatar uma fêmea de lobo cinzento, muito bonita, mas incrivelmente magra. Ela havia acabado de dar à luz uma ninhada de filhotes e os estava amamentando dentro de um trailer. De alguma forma, ela saíra do trailer e se separara de seus filhotes. Os proprietários não estavam em casa e ela ouvia os filhotes chorando lá dentro. Freneticamente, ela ia de um lado a outro do trailer, procurando um jeito de entrar. Usando a enorme pressão de sua mandíbula, ela acabou achatando todas as maçanetas, destruiu as telas das janelas e dilacerou as laterais do trailer tentando retornar para seus filhotes.

– Ela destruiu nossa casa e tem de sair daqui – contou o proprietário da loba.

Acomodei-a junto com seus filhotes dentro de um canil que eu tinha no quintal. Ela imediatamente decidiu que não queria ficar lá.

Agarrou a lateral da gaiola com as mandíbulas. Mesmo tendo o canil dois metros de largura e quatro metros de comprimento, além de um teto, ela começou a arrastá-lo até que descolou a gaiola parcialmente da base de concreto. Pesando cerca de 30 quilos, provavelmente a metade de seu peso normal, e em fase de aleitamento, a loba, ainda assim, estava demolindo o cercado. Eu não iria conseguir segurá-la.

Mas já estava escuro e eu não tinha muitas opções. Sabia que não poderia levá-la para a garagem, pois ela a iria destruir da mesma forma como havia destruído o trailer.

Pensei no único lugar de onde ela não poderia escapar – meu próprio Fort Knox.

Lobo e puma trocaram de lugar. Levei Malina para o canil e coloquei a loba com os filhotes no cercado de 35 m^2. Atraí a mãe loba para fora, oferecendo-lhe um pouco de comida, para poder examinar os filhotes. Com os olhinhos ainda fechados, os filhotinhos rosnavam ameaçadoramente quando me aproximei. Eles já me odiavam, até mesmo antes de me terem visto.

Malina não ficou muito entusiasmada com as mudanças. Não gostou de seu novo cercado, mas eu estava ocupada demais para perceber isso. Afinal de contas, seria apenas por alguns dias, até que eu levasse a loba e seus filhotes para um grupo de resgate especializado em lobos. Naquele final de semana, levei-os para a costa e os deixei sob os cuidados de mãos muito melhores do que as minhas.

Foi um longo dia. Voltei para casa à noite, quando já estava escuro e entrei logo para dar comida a Malina e para escová-la – a rotina de toda noite. Ela estava sentada em sua caixa dentro do pequeno cercado. Conforme eu a escovava, ela abaixou a cabeça à minha frente, como sempre fazia, pedindo que eu a esfregasse. Como parte do processo, Malina geralmente batia sua cabeça contra a minha. Sempre doía um pouco, mas era um sinal de afeto; bati também minha cabeça contra a dela.

Quando me virei para sair do cercado, sem qualquer aviso, Malina saltou sobre mim. De repente, senti suas patas superiores, musculosas, em volta de meus ombros. Era como se eu estivesse sendo agarrada por um homem bem forte. Ela me agarrou pela nuca de maneira que seus dentes superiores se cravaram no topo de minha cabeça, com os caninos inferiores presos sob a base de meu cérebro, na nuca.

Malina começou a morder e a pressão era intensa. Dava para sentir seus caninos perfurando o escalpo. Minha cabeça parecia que ia explodir. Suas patas abraçavam meus ombros, apertando-os com força. Eu não tinha como me livrar. Comecei a me balançar violentamente para trás com a escova na mão, batendo na cabeça dela. Ela nem se mexia. A pressão crescia tanto, que senti que alguma coisa iria acontecer.

– PARE! PARE! PARE! – gritava eu com todas as forças. Ela afrouxou o abraço por um momento e rapidamente me livrei dela. Em seguida, ela saltou para o chão do canil mas, imediatamente, deu outro salto, agora me agarrando de frente e mordendo meu peito. Consegui me livrar pela segunda vez e me encaminhei para a porta.

Malina assumiu novamente a posição de salto, com a cauda balançando e o traseiro para lá e para cá.

Conforme eu tentava de costas girar o ferrolho, senti a adrenalina subindo como uma onda em meus braços e atingindo as pontas dos dedos. Era uma situação delicada e eu não ousava dar-lhe as costas. Consegui girar o ferrolho, abrir a porta e batê-la atrás de mim, quando saí. Estava completamente sem forças. Senti náusea.

Fazendo um enorme barulho, Malina lançou-se à porta imediatamente depois que eu a fechara. Virou-se, dirigiu-me um olhar muito maldoso por sobre os ombros e voltou muito zangada para sua toca.

Naquela noite, aprendi algumas lições importantes. Primeiro, eu precisava tomar muito cuidado quando estivesse sozinha lidando com animais selvagens; segundo, nunca transfira um animal acostumado a viver em um determinado cercado para outro cercado menor; e por último, um animal selvagem é um animal selvagem. Não é possível domá-lo ou treiná-lo. Eu poderia trabalhar com eles e desenvolver algum nível de respeito mútuo, mas nunca poderia me esquecer de que eles eram selvagens.

Eu estava mais ou menos preparada para os aspectos físicos relativos ao resgate de animais selvagens. Nunca me esquivei de trabalho pesado. Meu pai sempre tivera diferentes empregos quando eu era criança – eu o respeitava por isso e usava sua ética de trabalho como exemplo. Ao mesmo tempo em que aceitava mais trabalho de resgate, eu administrava minha empresa de escolta de transporte de carga pesada, a Westates Flagman.

Quanto aos desafios físicos, eles não eram problema para mim; eu os enfrentava bem; porém, percebi que estava menos preparada para os desafios emocionais do trabalho de resgate que estava assumindo: a maneira como algumas pessoas lidam com animais selvagens escapa à compreensão humana.

Um puma caçado por cães sofre traumas inacreditáveis. Não acredito que consiga compreender o terror que isso pode significar, mas um amigo que trabalhou com mamíferos predadores e que também foi veterano do Vietnã me forneceu um bom quadro do que isso representa.

– Na guerra – ele me disse –, os vietcongues usavam cães para caçar os soldados americanos. – Era apavorante, dizia ele. Ele sabia que estava sendo caçado e sabia que não conseguiria escapar. Passou muito tempo correndo dentro de riachos, recuando, na tentativa de escapar dos cães implacáveis. Eram animais que rastreavam a presa potencial não apenas pela visão; guiavam-se pelo odor, ouviam e sentiam a sua presença.

Em vez de apenas odiar os caçadores, tentei aprender com eles. Eu ia a feiras de animais caçados e a eventos ao ar livre. Aprendi que uma mãe puma sobe na árvore quando um caçador se aproxima, deixando os filhotes à mercê dos cães. O medo que um puma tem de humanos é tão grande, que supera seu instinto de proteção dos filhotes. Ouvi histórias de partir o coração, mas, de qualquer forma, essas pessoas sabiam mais de pumas do que eu.

Ainda assim, quanto mais eu aprendia, mais determinada ficava em barrar os que cometiam essas crueldades com os animais selvagens. Eu ia até mesmo a audiências em tribunais para dar meu apoio e encorajar outros a fazerem a mesma coisa, especialmente quando se tratava de crimes verdadeiramente hediondos contra animais selvagens. Em um julgamento inesquecível, o juiz teve de mudar três vezes para um salão maior, porque éramos 300 pessoas assistindo ao julgamento.

Dois homens estavam sendo julgados: um usava uma camisa xadrez e o outro tinha a barba comprida, bem no estilo ZZ Top. Eles pareciam intimidados pela multidão que havia aparecido lá, embora Camisa Xadrez medisse mais de 1,80 m. Ele era o principal malfeitor, acusado de crueldade contra animais. Havia levado seu filho pequeno quando foi participar da matança de ursos, e por esse motivo estava sendo julgado.

A principal razão pela qual o estado conseguiu trazer essa gente aos tribunais é que os caçadores haviam feito um videotape gravando seus atos de crueldade. O soldado da polícia montada que confiscou o vídeo ficou tão chocado, que não teve nem condições de testemunhar à época do julgamento.

Eles mostraram o vídeo na sessão; compreendi, então, por que ZZ Top e Camisa Xadrez haviam acossado o filhote de urso. Para garantir a integridade da pele, eles tentaram matar o filhote perfurando-lhe os olhos.

Ver aquilo foi a coisa mais horripilante. O ursinho lutava pela vida, mas Camisa Xadrez continuava a enfiar a faca nos seus olhos, recuando conforme o animal se contorcia freneticamente; depois ele se aproximava novamente para mais um ataque com o punhal. O filhotinho gritava e, estranhamente, parecia que gritava "Mamãe!" sem parar. No tribunal, ZZ Top e Camisa Xadrez sentavam-se, impassíveis. O ursinho gritava: "Mamãe! Mamãe! Mamãe!" De meu lugar na galeria, vi quando um homem imenso, vestindo um uniforme da polícia, começou a chorar e saiu do salão. Ao final do vídeo, Camisa Xadrez trouxe seu filho de nove anos, que, com um olhar triunfante, se postou ao lado do ursinho morto.

– Não há dúvida nenhuma de que você merece a cadeia – disse o juiz ao réu, quando ele se levantou para receber a sentença. – Infelizmente, as prisões estão cheias de gente mais hedionda do que você: estupradores, assassinos e assaltantes à mão armada. Por isso, sua sentença será 3.000 horas de serviço comunitário.

Furiosa, aproximei-me do juiz após o julgamento, pois temia que o homem acabasse indo recolher lixo ao longo da rodovia como forma de punição.

– Quero que ele trabalhe para mim – eu disse, referindo-me a Camisa Xadrez. Disse ao juiz que cuidava de um centro de reabilitação de animais selvagens e poderia ter um voluntário para me ajudar.

No primeiro dia em que ele apareceu, me deu a impressão de que tinha medo de mim. Ele limpava as gaiolas, alimentava os animais e trabalhava muito. Gostava de "Bobby", o lince que estava sob meus cuidados. Disse-me que nunca tinha visto um tão grande. Se houvesse um concurso, ele poderia até ganhar um troféu.

Eu perguntava a ele tudo o que me passava pela cabeça: onde caçava, como caçava, por que caçava; se ele tinha algum outro padrão de camisa que não fosse xadrez. Minha sensação era a de que eu me encontrava diante da própria personificação do mal.

Durante alguns meses ele me ajudou; tinha algumas habilidades, entre elas a de carpintaria, e podia levantar cargas pesadas. Cumpriu sua cota de serviço comunitário. No final, eu não conseguia dizer se eu havia feito alguma diferença ou não. Entretanto, senti-me um pouco encorajada pelo que ele disse antes de ir embora.

– Sabe de uma coisa? – Camisa Xadrez disse. – Eu não sabia que pumas ronronam.

A montanha-russa emocional do trabalho de resgate nunca parecia ter um fim. Dei às minhas instalações o nome de "Cougar Country" ("Terra do Puma") para chamar a atenção sobre o foco de meu serviço, mas eu era sempre chamada para ajudar muitos animais diferentes – em clínicas veterinárias, no campo, em salas de aula e de tribunais. De alguma maneira, eu conseguia fazer tudo, além de administrar a Westates Flagman. Meu dia era de 48 horas.

O fato de que eu não tinha vida social ajudava. Lembro-me de um pobre amigo que me convidou para sair um dia. Concordei em me encontrar com ele para jantar. Quando eu estava me aprontando para sair, o telefone tocou.

– Um gambá foi atropelado por um carro – alguém do departamento de controle de animais disse do outro lado da linha. – Será que você poderia nos ajudar?

Sempre gostei de gambás. Como boa parte dos animais selvagens, eles são muito mal compreendidos. Os gambás da Virgínia são os únicos marsupiais norte-americanos. Eles geralmente têm a temperatura corpórea mais baixa do que a de outros animais; assim, são os animais que têm a menor probabilidade de contrair a raiva. Na verdade, entre os animais com os quais lido, eles são os que menos adoecem.

Aquela noite, ao atender à ligação, quando eu já estava pronta para meu grande encontro, não pensei duas vezes. Achava que poderia pegar o animal e ainda teria tempo para o jantar. Porém, quando levei o gambá ferido para casa e o examinei, percebi que ele havia sido atropelado pelo carro dois ou três dias antes; seu corpo estava cheio de larvas.

Simplesmente não daria para eu sair e ter uma noite maravilhosa – não com um marsupial sob meus cuidados, infestado de larvas. Peguei minhas pinças e comecei a retirar as larvas, uma a uma. O gambá cooperou, mas como o processo foi longo, ficou evidente que eu não conseguiria sair para o jantar.

Liguei para o camarada. – Veja bem, a situação é esta – eu disse. – Estou cuidando de um gambá que foi atropelado por um carro. Simplesmente não vou conseguir chegar a tempo para nosso jantar. O que você sugere?

Depois de uma longa pausa do outro lado da linha, ele falou:

– E se eu fosse aí e ajudasse você?

Ótimo! Ajuda era sempre bom. Meia hora depois, lá estava ele, elegante e cheirando a colônia.

Quando viu o que estava acontecendo, o que o projeto envolvia, ele empalideceu; não demonstrou muito interesse em ajudar. Depois de algum tempo, eu não sabia se continuava cuidando do bichinho ou se medicava meu pobre companheiro, cujo rosto agora estava ficando um pouco esverdeado. Ele pediu desculpas, saiu noite afora e nunca mais ouvi falar dele.

A vida era gratificante, mas muito agitada. Depois de um dia especialmente turbulento, recebi uma chamada telefônica inesperada.

– Estou viajando para a Austrália; vou mergulhar no Great Barrier Reef (Grande Recife de Corais) – disse minha amiga Lori em setembro de 1991. – Por que você não vem comigo? Acho que iríamos nos divertir muito.

Meu primeiro impulso foi agradecer o convite. Nunca me interessei por mergulho. Não conseguia me livrar da sensação de que não era natural respirar debaixo d'água.

– Sei que você irá se divertir muito – eu disse a Lori –, mas mergulhar realmente não é minha praia.

Lori era persistente. – Ah, sim! Sei que vou me divertir muito – ela disse –, mas você também iria se divertir. Você *está precisando* se divertir.

Muitas coisas estavam contra essa viagem. Pensei nos ursos torturados, nos racuns doentes, no infindável desfile de animais feridos e maltratados que chegavam para meus cuidados. Meu quintal estava cheio de animais resgatados, que precisavam de assistência e atenção 24 horas por dia, todos os dias. E eu sabia que o sucesso de meu negócio envolvia minha presença lá todo santo dia. Eu adorava a vida que levava, mas talvez Lori tivesse razão. Eu andava trabalhando sem parar, de sol a sol, e até um pouco mais.

– Tenho uma amiga lá – continuou Lori, tentando me convencer. – Teremos alguém que conhece o país para nos acompanhar.

Eu já havia ido à Austrália uma vez, quando tinha 20 e poucos anos; viajando pela costa de Sydney até Brisbane, conheci tudo nessas cidades e no caminho entre elas: um concerto Mostly Mozart, no Sydney Opera House, um cemitério lindo e antigo, vombatídeos domésticos e cangurus domesticados, a espuma e o mar na Ilha Great Keppel. Foi o lugar mais lindo que eu já havia visitado. Apaixonei-me pela vida selvagem, pelos lugares selvagens e pelas pessoas simpáticas e receptivas.

E havia os pumas. Lá no fundo da minha mente, eu achava que poderia combinar minha paixão por trabalho de resgate com minha paixão pela Austrália. Pumas sempre haviam sido o foco de meu interesse, a razão pela qual eu havia aberto a trilha que estava percorrendo.

O Cougar Country estava admitindo pumas de toda parte: quando eles eram criados como animais de estimação e depois eram descartados, quando cresciam e ficavam muito perigosos, e quando ficavam órfãos por causa dos caçadores. Eu sozinha não conseguia mantê-los. Precisava de instalações adequadas para abrigá-los. Totalmente ingênua quanto aos regulamentos de importação e quarentena, entretanto, pensei que certamente poderia haver na Austrália algumas oportunidades para gente que desenvolvia trabalho educacional com animais selvagens, que poderiam eventualmente abrigar um puma.

Visitar a Austrália novamente, pensei comigo, não parece má idéia. Como poderia eu saber, àquela época, que minha decisão resultaria, pouco tempo depois, em um encontro casual com o homem que iria mudar minha vida?

CAPÍTULO QUATRO

O Rio Burdekin

Depois de encontrar Steve pela primeira vez no calor de Queensland, cheguei de volta ao ameno Oregon, no outono de 1991. Malina e Cougar Country estavam me aguardando e, rapidamente, retomei minha velha rotina. Entretanto, o mundo havia mudado. *Eu* havia mudado.

Uma semana se passou, depois duas. Na terceira, eu tinha a certeza de que nunca mais ouviria falar de meu herói australiano. Não havia um único dia em que, quando eu acordava, ele não era meu primeiro pensamento, e era o último, quando eu ia dormir. Era quase como se ele não fosse real; como se tudo o que havia acontecido tivesse sido apenas um sonho.

Depois de quatro semanas esperando uma ligação da Austrália, acabei me convencendo de que isso não iria acontecer. Eu não iria ligar para ele; não fazia sentido. Eu não tinha nem dinheiro e nem tempo para dar um pulinho na Austrália novamente. Se Steve quisesse falar comigo, ele haveria de encontrar uma maneira.

Eu sentia muita saudade dele.

Em meados de novembro daquele ano, o telefone tocou, às 10 horas da noite. Chamadas àquela hora, naquela época, faziam meu coração saltar, porque eu sempre pensava que pudesse ser Steve. Não era. Era uma mulher que encontrara um gatinho que havia caído no bueiro e estava preso debaixo de uma grade muito pesada. Será que eu poderia ir até lá?

Eu estava cansada; era tarde da noite. Outra ligação frustrante – não era Steve. – Pegue um pedaço de pano comprido, alguma coisa como um lençol – eu disse, cansada. – Faça nós espaçados e abaixe-o até o alcance do gatinho. Veja o que acontece. Se funcionar, o gatinho vai começar a subir pelo lençol e chegará até você.

A mulher prometeu tentar. Tomei uma ducha rápida e fui para a cama, caindo em um sono profundo, cheio de sonhos.

O telefone tocou e acordei assustada. Também dessa vez não era Steve, mas a minha amiga que cuidava do gatinho.

– Deu tudo certo! – ela disse, feliz. – Está tudo bem com a gata!

Com os olhos meio embaçados, olhei para o relógio – já era quase meia-noite. Fechei os olhos e me deixei levar de volta à Austrália, ao seu sol quente, suas noites tropicais e os enormes morcegos cortando o céu todo decorado de estrelas.

Mais uma vez, o som estridente do telefone me fez saltar da cama. Ah! Não! De novo? E agora, o que ela queria? Relutante, atendi.

– Muito bom dia, amiga – disse a voz do outro lado da linha. – Aqui fala Stevo, da Austrália. Tudo bem com você?

Bem... para início de conversa, fiquei sem respirar por alguns minutos. – Tudo bem – gaguejei. Felizmente, eu não precisava falar, pois Steve começou imediatamente a contar o que andava acontecendo no zoológico.

– O calor está aumentando e os crocodilos logo estarão pondo ovos – ele disse; eu mal conseguia ouvi-lo, pois meu coração batia muito forte.

– Consegui tirar um tempinho livre antes da temporada de verão – ele disse.

Ainda sem fôlego, esperei pelo que pareceu um longo segundo.

– Estou indo para o Oregon dentro de dez dias – ele disse. – Adoraria encontrar-me com você.

Yes!!! Aquela notícia me derrubou. Dez dias. Então seria... dia de Ação de Graças.

– Steve – eu disse –, você conhece o feriado americano chamado Ação de Graças?

– É claro que sim! – ele disse entusiasmado, mas era óbvio que não conhecia.

– Nós costumamos nos reunir em família – expliquei. – Comemos até não poder mais e depois saímos para passear ou assistir a jogos de futebol – futebol americano, sabe, não o rúgbi profissional de vocês, australianos.

Eu mal consegui balbuciar. – Você quer vir passar o Dia de Ação de Graças com minha família?

Acho que Steve nem notou que eu estava com a língua travada. – Eu gostaria muito – respondeu. – Seria o máximo.

– Ótimo – eu disse.

– Ótimo – ele disse.

– Então, aguardo todos os detalhes – horário do vôo, tudo – eu disse.

– Pode deixar – ele prometeu e desligou. Da mesma maneira como, de repente, ele surgiu ao telefone, de repente também, ele se foi.

Sentei-me à beira da cama por um longo tempo naquela noite, tentando me convencer de que não tinha sido um sonho. Steve havia realmente ligado e agora estava vindo me ver.

Iria ser fabuloso.

Finalmente chegou o Dia de Ação de Graças. Lembro-me de que estava me sentindo muito orgulhosa de apresentar meu amigo australiano à minha família. Tínhamos acabado de comer um banquete épico à base de ovos condimentados, peru e tortas, muito molho de carne, molho de oxicoco, batata-doce, pãezinhos macios com muita manteiga. Fizemos um intervalo antes de chegar a sobremesa; os homens foram para a sala de estar para assistir ao jogo de futebol. Mas Steve voltou para a cozinha, onde eu estava ajudando a lavar os pratos e a limpar tudo. Ele se preocupou em conversar com cada uma das minhas irmãs e minha mãe, conhecendo, assim, toda a família.

Achei que ele foi muito atencioso, porque instintivamente eu sabia que isso não era fácil para ele. Ele era um pouco tímido e estava totalmente fora de seu habitat. Nunca havia visitado os Estados Unidos antes e nem levado tão a sério um encontro com uma garota. Havíamos ficado juntos apenas alguns dias, mas nós dois parecíamos saber que a visita dele era mais do que apenas um encontro casual. Ficarmos juntos parecia mais obra do destino.

Passeamos por toda parte. Sugeri a ele o grande tour, o melhor que existe no noroeste do Pacífico, que é simplesmente espetacular. Tudo girava ao redor da vida selvagem. Fizemos caminhadas pela Coast Range, além do chalé de praia de meus pais, para ver ursos negros, viajamos para o leste do Oregon para ver o veado galheiro, coiotes e o antílope do Oregon, animais que Steve não conhecia.

Ele esquiou no Monte Bachelor. Como eu não gostava muito de esquiar, aproveitei para procurar animais selvagens, enquanto ele se divertia nas encostas. Quando o encontrei na guarita, mais tarde, tive de cortar o barato de uma loira de pernas compridas, que estava determinada a ensinar Steve como usar um telefone público nos Estados Unidos. Aquele não era o tipo de vida selvagem que eu gostaria que ele conhecesse.

Voltamos para Eugene e eu mostrei-lhe a clínica veterinária de emergência, onde eu trabalhava meio período. Ele se mostrou particularmente interessado em um porco-espinho ferido, que estava perdendo espinhos. Com seu entusiasmo de sempre, em vez de ficar apenas olhando, Steve espetou um espinho no seu próprio braço.

– O que você está fazendo? – perguntei o óbvio.

– Eu só queria ver como é que a gente se sente – ele me disse.

– Então me diga; como você se sente?

– É... Dói de verdade – ele disse. E parecia muito impressionado. Não consegui conter o riso. Ele sentia as farpas do espinho penetrarem em sua pele; retirá-lo, rasgando a pele, foi uma experiência e tanto.

Então, depressa demais, o tempo se foi. Senti aquela dorzinha já conhecida, aquele aperto no peito. Depois de ter conhecido Steve, eu sentia o mesmo aperto sempre que nos despedíamos um do outro. Era uma dor muito real, uma dor que eu nunca havia sentido antes.

– Preciso vê-lo novamente – eu disse. Pela primeira vez, fui bem franca com relação ao que sentia por ele. Como ele já estava indo embora, eu já estava fazendo planos para visitá-lo outra vez na Austrália.

No início de janeiro de 1992, saí da caixa de gelo do Oregon para o calor tropical de Cairns. Conforme saí do avião para pegar o vôo de conexão para Brisbane, senti dificuldade de respirar de tão quente e úmido que estava o ar.

Minha mente trabalhava de maneira estranha. *Está quente demais aqui*, pensei comigo. *Eu jamais conseguiria viver aqui.* Logo me recompus. Ei! Calma! *O que foi que eu disse? Por que haveria essa opção – morar aqui? Só vim aqui para visitar esse cara.* Mas aquele momento em Cairns foi a primeira vez que eu realmente pensei em deixar minha vida no Oregon para trás e começar uma nova vida, com Steve, na Austrália.

Chegando a Brisbane, tive novamente uma sensação gostosa como se estivesse chegando em casa. Parecia que eu era a única passageira ansiosa por descer do avião. Todos os outros se comportavam como se estivessem debaixo d'água. Desembarquei. Lá estava Steve, de novo vestido em sua roupa cáqui. Foi muito bom vê-lo novamente, vestindo aquelas roupas frescas, já familiares, enquanto eu tinha saído toda encapotada do Oregon para me proteger do frio que fazia lá.

Abraçamo-nos e tive a sensação de que éramos uma única pessoa. Separados, não éramos inteiros, mas juntos, éramos completos novamente.

Imediatamente nos perdemos em bate-papo. Os crocodilos estavam no ninho, disse Steve. O calor estava insuportável; era a época ideal do ano para os répteis. A época de que Steve mais gostava.

No início, ficamos perto de casa. Steve preferiu me acomodar na propriedade dos Irwin, dentro do zoológico, em vez de me deixar no pequeno hotel da rodovia. Fomos correndo para lá. Vinte e quatro horas depois que desci do avião em Brisbane, Steve já estava me mostrando como atacar ninhos de crocodilos para recuperar os ovos e impedir que eles morressem lá dentro.

Ele me mostrou como alimentar cobras peçonhentas que estavam com calor e carregadas de veneno, como entrar no território dos casuares e retirar o balde de comida sem levar um chute e ser dividido em dois. Steve conseguia retirar com muita leveza uma serpente de seu cercado e limpá-la delicadamente. Se eu fosse fazer a mesma coisa, tentaria pegar uma da mesma maneira que ele, mas seria imediatamente picada três vezes antes de descobrir o que havia me picado.

Bem devagar comecei a conhecer o time todo, que mais parecia uma grande família estendida, e os incríveis pais de Steve. Eles haviam fundado o zoológico quase 25 anos antes. Bob, o pai de Steve, ainda cuidava das contas. A mãe dele cuidava do quiosque de alimentação; fazia sanduíches deliciosos e a torta de framboesa mais incrível do planeta. Wes, o melhor amigo de Steve, era seu braço direito no zoológico.

Por mais que eu gostasse da idéia, não ficaríamos no zoológico por muito tempo. Eu iria passar por uma experiência que mudaria toda a minha vida: Steve Irwin nos rincões da Austrália.

Nosso destino era o rio Burdekin, no litoral, 1.200 km ao norte de Brisbane. O Burdekin é um rio mágico, dependente da estação das chuvas, que provoca inundações de proporções épicas. O nível pluviométrico na área é totalmente imprevisível e dependente de ciclones. O Burdekin era o habitat mais próximo do zoológico para os grandes crocodilos de água salgada; portanto, foi para lá que partimos.

Os açudes eram planejados, explicou-me Steve. O rio não era lá muito conhecido, e não se sabia muito a respeito de sua população de crocodilos. Ele queria subir o rio e fazer uma pesquisa sobre os crocodilos – ver onde faziam os ninhos e calcular as chances de sucesso de chocagem de seus ovos.

Meu primeiro problema surgiu antes mesmo de partirmos. Sui, a cadelinha de Steve, iria conosco e ela percebeu que eu iria tomar o seu lugar ao lado de Steve, no banco da frente do caminhão.

– Chega para lá, Sui – eu disse. Sui virou-se e me fuzilou com o olhar, exatamente como uma mulher enciumada. Caí na risada. Ela era tão encantadora e olhava para Steve com tanto enlevo, alegria e paixão, que tive de perdoá-la por me odiar.

Eu não havia sido muito útil nos preparativos para a viagem. Estava acostumada na América, onde havia sempre por perto uma mercearia, um posto de gasolina, ou outro tipo de comércio vendendo alguma coisa de que necessitasse. Bem diferente era o agreste australiano: em algumas regiões, o Burdekin era perigosamente remoto e foi justamente para lá que partimos.

Steve teve de cuidar do combustível, da água, da comida, dos pneus sobressalentes, do barco, do motor e das partes extras. Carregou a picape. Pôs lá dentro várias trouxas, mas nenhuma barraca. Iríamos dormir sob as estrelas. Ao partirmos, ficou claro para mim que essa seria uma viagem de 16 horas – e iríamos nos revezar ao volante.

– Lembre-se de uma coisa – disse Steve ao sentar-se no banco do motorista. – Quando vir um rodotrem se aproximar, saia imediatamente da estrada.

– Ok – eu disse. – Mas primeiro preciso que você me explique o que é um "rodotrem". – Logo fiquei sabendo que são aqueles caminhões enormes que viajam por longas distâncias no interior do país.

– Ok! – eu disse. – Dirigir na faixa da esquerda e tomar cuidado com rodotrens. Mensagem captada. – Steve subiu na parte traseira, debaixo do toldo cobertura, e se acomodou lá, sobre uma das trouxas. Não fiquei com medo de adormecer enquanto dirigia; estava nervosa demais para sentir sono. Quanto mais eu avançava em direção ao norte, percebia que menores as estradas se tornavam. De vez em quando surgia um carro ou outro. Notei os faróis de uma picape, que vinha em sentido contrário. Pensei comigo: *Talvez eu possa treinar sair da estrada*. Errei no cálculo da velocidade do veículo que se aproximava, pisei no freio mais abruptamente do que pretendia e fui parar no acostamento de cascalho.

A corrente de ar da caminhonete atingiu nossa picape produzindo um ruído semelhante ao de um avião supersônico – era uma besta imensa, com um pára-choque gigantesco soldado na frente e um trailer triplo atrás. O rodotrem passou voando por nós a 120 km por hora; em momento algum teve a velocidade reduzida. Entendi, então, que se eu não tivesse ido para o acostamento, muito provavelmente teria sido aniquilada da face da Terra. Imaginei um pequeno parágrafo inserido lá no pé de página do *Eugene Register-Guard*, o jornal de minha cidade: "Mulher do Oregon bate as botas na Austrália". Os rodotrens eram os donos da estrada, mas eu sobrevivera ao meu primeiro teste. Eu sobrevivera! Então eu podia dar conta do recado!

Ainda não era hora de dizer aquilo.

Na manhã seguinte, foi a vez de Steve assumir o volante, conforme tomamos o caminho do rio Burdekin. A pequena estrada de terra, de pista única, terminava lá – mas tínhamos de viajar por mais duas ou três horas com tração nas quatro rodas. Pilotamos por desfiladeiros esculpidos pelas constantes inundações provocadas por ciclones, algumas vezes equilibrando-nos em três rodas apenas.

– Dependure-se na janela, por favor – gritou Steve conforme manobrávamos pela beira de um declive de cerca de 12 metros. – Preciso que você ajude a servir de contrapeso para o caminhão.

Você só pode estar brincando, pensei comigo. Mas lá estava eu, pendurada ao lado do pára-choque enquanto Steve ia costurando pela pista toda erodida.

Conforme sacolejávamos lá dentro em direção ao interior remoto, Steve me contava a respeito dos aborígines da região. Apontou para um pequeno monte isolado, onde colonizadores europeus haviam massacrado grande parte da população de nativos na era vitoriana. A paisagem estava viva para ele, não apenas com a história humana, mas com a complexa inter-relação de plantas, animais e meio ambiente. Ele apontou para enormes pés de eucalipto, de 150 anos, habitats para morcegos insetívoros, papagaios e gambás.

Depois de horas dirigindo por um terreno muito trepidante, chegamos ao Burdekin, um lindo rio, que abria caminho por entre árvores do chá. A paisagem era estonteante. Montamos acampamento – quero dizer, Steve o fez – na confluência do rio, onde enormes rochas escuras submergiam no meio da água.

Tentei ajudar, mas senti-me completamente inútil. Ele desempacotou o barco e o motor, amarrou-o e ancorou-o no rio; abriu as trouxas e organizou em fileiras os contêineres de combustível, água e comida.

Em seguida, começou a prender as lonas impermeabilizadas. Que talento tinha Steve para organizar um acampamento! Já havia feito isso inúmeras vezes antes, sozinho, mês após mês, tendo apenas Sui por companhia. Eu o observava amarrando as cordas, dando nós, esticando a lona como se estivesse se preparando para um ciclone. Estava quente, mais de 38ºC, mas parecia que Steve nem notava.

Sui achou um local raso à beira do rio e imediatamente se jogou lá dentro. Notei que Steve deu uma olhada para ela como se estivesse calculando as chances de ela ser abocanhada por um crocodilo. Crocodilos são o supra-sumo dos predadores camuflados e geralmente atacam da beira do rio.

Para Steve, nunca havia tempo para ficar de papo para o ar. Não havia tempo para sentar e relaxar. No minuto seguinte já estávamos partindo. Agarramos Sui, pulamos no barco e começamos a subir o rio. Patos brancos do Burdekin se assustaram quando viram o barco a sua frente, os círculos negros de seu pescoço ficavam à mostra quando eles passavam voando sobre nossas cabeças. Com as asas totalmente abertas, os cormorões secavam as penas nas rochas do meio do rio. Tudo parecia mágico e intacto; era como se fôssemos os primeiros seres a visitar aquele local.

Steve conhecia a área como a palma de sua mão. Como participante do Programa de Administração de Crocodilos da Costa Leste (East Coast Crocodile Management Program), na década de 1980, ele havia sido encarregado de remover crocodilos que ofereciam problemas. Sempre havia gente querendo freqüentar as águas dos crocodilos, e, inevitavelmente, eles eram sempre os perdedores.

Os crocodilos ajudavam a manter o equilíbrio ecológico, o que significava que onde quer que eles estivessem, havia muita pesca. Era aí que surgia o conflito. Parecia que os pescadores não gostavam muito de dividir seu lugar favorito com um crocodilo. Durante toda a década, Steve capturou e transferiu muitos crocodilos do rio Burdekin para outros locais. Até no Queensland Reptile and Fauna Park, ele tinha alguns que havia resgatado do rio.

Os crocodilos do Burdekin eram especiais e fisicamente diferentes de outros crocodilos de água salgada: um pouco mais lisos e com uma aerodinâmica mais aperfeiçoada. Muitos tinham apenas quatro placas nucais, o osteoderma do pescoço, enquanto a maioria das outras espécies de água salgada tinha seis. Conforme navegávamos rio acima, Steve ia me mostrando as marcas e pegadas deixadas pelos répteis quando tomavam sol na margem do rio. Quanto mais subíamos, mais marcas indicativas encontrávamos de que eles andavam rastejando por lá.

Steve explicou a hierarquia social dos crocodilos. Cada grupo tem seu próprio território: as fêmeas habitam uma área específica para poderem ter seus ninhos, e havia os machos grandes de água salgada. Os crocodilos subadultos viviam à margem e ficavam longe dos grandes crocodilos dominantes. Havia também as "áreas de creche", onde os bebês-crocodilos cresciam, caçando pequenos insetos, peixes, sapos ou filhotes de pássaros.

Voltamos ao nosso acampamento. Steve parecia mais calmo, agora que já havia subido o rio, havia se localizado e revisitado locais que lhe eram familiares. Seguindo rio abaixo, a partir do acampamento, pulamos de uma rocha exposta à outra, chegando bem no meio do rio. Eu não tinha a menor idéia do que aconteceria em seguida. Ainda não tinha muita certeza do que crocodilos eram capazes. Só sabia que eles não conseguiam voar; exceto isso, nada mais. Confiei em Steve.

Quando nos sentamos juntos em uma pedra no meio do rio, sombras cruzaram as águas e o sol ficou mais baixo. Olhamos um para o outro e falamos de coisas de que gostávamos. Percebi que não haveria volta: eu estava apaixonada por ele. Quando o sol se pôs, fizemos o caminho de volta pulando pelas rochas antes que a noite caísse por completo.

– A noite é dos crocodilos – Steve disse. – É preciso sair da água antes que eles entrem em ação e comecem a caçar.

De volta ao acampamento, Steve começou a preparar o jantar. Perguntei-lhe se precisava de ajuda. Fez um sinal negativo. – Eu a convidei para a viagem; você é minha hóspede – ele disse.

Sentei-me com um copo de limonada e fiquei observando o rio, conforme ele mudava com a chegada da noite, e senti o cheiro gostoso de cebola e de carne fritando. Morcegos frugívoros passavam sobre minha cabeça, fazendo um suave ruído com as asas. No começo eram apenas alguns, mas logo eram dezenas, centenas deles, cruzando as copas de cajeputes e murtas. Sob a última luz do dia, eles pareciam surreais, fantasmagóricos e lindos, deslizando pelo céu escuro.

Sentia-me agradavelmente cansada, mas quanto mais tempo ficávamos naquele lugar remoto, mais energia Steve parecia adquirir. Eu notaria isso repetidas vezes com o passar dos anos. Aquele era seu lugar – o lugar onde ele parecia viver com mais plenitude.

Terminamos o jantar e Steve colocou os pratos na bacia de água.

– Muito bem... – disse. Vamos deixá-los aqui de molho e voltamos mais tarde para lavá-los.

Pulamos no barco e voltamos para o rio. Era a hora preferida de Steve. Eu não tinha entendido muito bem o que ele andara fazendo na primeira viagem que havíamos feito aquela tarde. Ele havia memorizado onde havia visto as marcas deixadas pelos crocodilos. Enquanto durante o dia não havíamos visto um único crocodilo, quase que imediatamente após entrarmos na água, Steve iluminou o negrume com a lanterna e revelou o olho vermelho dos crocodilos.

Enquanto navegávamos ociosamente rio acima, as órbitas vermelhas piscavam e desapareciam, pois os crocodilos submergiam quando nos aproximávamos. De repente, comecei a me sentir terrivelmente exposta naquele pequeno bote. As árvores melaleucas que durante o dia pareciam espetaculares, agora pendiam de maneira sinistra sobre as águas, conforme suas folhas mergulhavam e se abriam nas águas escuras. Os peixes também surgiram. No escuro, tudo fazia mais ruído.

À medida que Steve deslizava ao longo das margens, entre os galhos pendentes das árvores, de vez em quando os fios dourados de uma teia de aranha grudavam em meu cabelo, cobriam minha cabeça, o barco e a lanterna como uma rede espessa, amarela, pegajosa. Steve só pensava nos crocodilos.

Alguns permitiam que nos aproximássemos deles. Steve conseguia avaliar o comprimento total do crocodilo, baseando-se pelo tamanho da cabeça. Meu coração saltava e eu tentava fazer tudo do jeito certo. Ele me ensinou a segurar a lanterna bem debaixo do queixo, para poder olhar diretamente por cima do facho de luz e captar o brilho do olho dos crocodilos. Eu estava cansada, mas a adrenalina circulava potente em minhas veias.

– Olhe, olhe, olhe! – sussurrou Steve agitado. Ali está outro. – Havia algo estranho com relação àquele crocodilo – apenas um único olho refletido. Talvez o outro tenha sido perfurado por uma bala, insinuou Steve.

– Esse é bem grande – murmurou ele. – Talvez uns cinco metros.

Chegamos mais perto. O motor tossiu e subitamente parou. Steve inclinou-se em direção à parte traseira do bote e, com a água batendo nos ombros, retirou as algas ao redor da hélice.

O solitário olho vermelho piscou. O crocodilo havia submergido. *Mas submergido onde?*, pensei comigo. Finalmente, Steve se livrou das algas e puxou o cordão de ignição, mas o motor se recusava a funcionar.

Estou no meio de lugar algum. É noite. Estou rodeada por crocodilos. O motor do bote não quer funcionar. Steve está lá atrás e será agarrado e engolido por Olho Único. E eu vou ficar sozinha.

Porém, depois de algumas gentis estratégias de persuasão (algumas verbais, não propriamente tão gentis), ele, finalmente, conseguiu acionar o motor. Quando chegamos de volta ao acampamento, ainda fazia bastante calor – acima de 30°C. Os insetos que haviam sido atraídos pela luz de minha lanterna haviam se colado às minhas costas com o suor que escorria.

– Que tal uma tina rápida? – disse Steve. Era o termo australiano para banho. De alguma maneira, as palavras “banho” e “crocodilo” se recusavam a chegar a um acordo em minha mente.

Entretanto, lá fomos nós para dentro do Burdekin, de shorts, descalços, abrindo caminho entre pedras, galhos e carrapichos até alcançarmos as rochas lisas do rio. Steve pulou na água. Eu tomei mais cuidado. Quando entrei em uma parte mais profunda, ele bloqueou meu caminho, postando-se a minha frente.

– O que você está fazendo?

Ele riu. – Peguei o último crocodilo macho grande bem aqui no ano passado, mas não tenho muita certeza se um outro não apareceu e tomou o lugar dele.

– Então – eu disse –, você quer ter certeza disso ficando entre mim e o resto do rio.

– Exatamente, minha cara – respondeu ele.

Pensei: *Será que esse cara existe mesmo?* A maioria dos homens pensa que está fazendo um grande favor a uma garota, abrindo uma porta para ela, e ali estava Steve se colocando entre mim e um crocodilo.

Consegui evitar que um crocodilo me engolisse no Burdekin. Consegui não ser esmagada por um rodotrem na viagem de volta ao zoológico. Minha estada de um mês na Austrália estava chegando ao fim. A dor ainda não havia chegado, mas eu já podia senti-la a caminho.

Quando voltamos do cerrado, fomos direto para o serviço no zoológico. Atrás da casa dos Irwin havia uma enorme árvore, que havia sido atingida por um raio alguns anos antes e um emaranhado de galhos secos ameaçava cair sobre a casa. Steve achou melhor derrubar a árvore já morta.

Tentei dar uma mãozinha. A mãe de Steve nem quis olhar quando ele subiu na árvore sem qualquer equipamento de proteção; apenas o chapéu e uma serra. A árvore media cerca de 18 metros. Steve parecia um pontinho lá em cima, balançando entre os galhos com a agilidade de um orangotango, enquanto manejava a serra.

Então chegou a minha vez. Depois de podar todos os galhos, faltava derrubar o enorme tronco. Steve desceu, amarrou uma extremidade da corda à altura de dois terços da árvore e a outra extremidade ao pára-choque da picape.

Minha tarefa seria dirigir a picape. – Você vai ter de puxá-la na direção certa – ele disse, cortando o ar com a palma da mão. Estudou o ângulo da árvore e calculou onde ela poderia cair.

Ele cortou a base da árvore. Quando a serra rosnou, Steve gritou: "Agora!" Engatei marcha à ré, tirei o pé da embreagem e fui para trás tanto quanto foi possível a um ângulo de 45 graus. Com um gemido e um enorme barulho, a árvore veio ao chão.

Comemoramos, gritando e pulando. Steve cortou os galhos secos em tamanhos mais ou menos iguais e eu os empilhei. O serviço nos tomou um dia inteiro. No final da tarde, minhas costas doíam de tanto empilhar madeira. Quando a sombra da noite começou a cair sobre o pátio, Steve disse quatro palavras que não eram nada típicas dele:

– Vamos fazer uma pausa.

Perguntei a mim mesma o que viria em seguida. Pegamos um drinque fresquinho e sentamos debaixo de uma grande figueira no pátio. Estávamos os dois cobertos de flocos de madeira, folhas e cascas. O cabelo de Steve estava todo desarrumado, faltavam alguns botões em sua camisa, seu shorts estava rasgado. Mesmo assim, eu o achava o homem mais lindo do mundo.

– Nos próximos três dias não quero nem pensar em andar – eu disse, rindo.

Steve virou-se para mim. Por alguns segundos ficou calado.

– E aí, quer se casar?

Assim, despreocupado, bem prosaico. Quase derrubei o copo que estava segurando. Havia alguns ramos secos em minha cabeça e terra em um dos lados de meu rosto. Eu havia tirado o chapéu e sentia os cabelos pegajosos.

Meu primeiro pensamento foi: devo estar com um aspecto horrível. O segundo, terceiro e quarto foram listas de todas as desculpas do mundo de por que eu não me casaria com Steve Irwin.

Eu não tinha como deixar meu emprego, minha casa, meu trabalho com os animais selvagens, minha família, meus amigos, meus bichinhos de estimação – tudo aquilo que exigia tanto meus cuidados lá no Oregon.

Ele nunca parecia preocupado – e simplesmente agüentou firme meu olhar.

Conforme tudo isso passava pela minha cabeça, uma vozinha de algum lugar acima de mim falou.

– Sim. Eu adoraria.

Essas três palavras mudaram minha vida para sempre.

CAPÍTULO CINCO

O Caçador de Crocodilos

— E agora, o que faremos? – Steve perguntou alguns dias depois de nosso casamento. – Vamos viajar para a lua-de-mel que planejamos, ou você quer caçar crocodilos?

Eu ainda me sentia zonza com a cerimônia, a festa e o fato de que poderia agora usar duas palavras, "meu marido", e sentir que elas realmente significavam alguma coisa verdadeira. Os quatro meses entre 2 de fevereiro de 1992 – o dia em que Steve me pediu em casamento – e o nosso casamento em 4 de junho haviam sido um período nebuloso para mim.

A mãe de Steve organizou uma festa de noivado para a família e amigos de Queensland, e percebi entre eles um tema muito comum: – Nunca imaginamos que Steve fosse se casar. – Todos diziam isso – parentes, velhos amigos e colegas de escola. Eu apenas sorria e acenava com a cabeça, mas minha resposta íntima era: *Bem, temos isso em comum*. E mais: *Espere até eu voltar para casa e dizer a todos que estou de mudança para a Austrália*.

Eu sabia o que teria de explicar. Ficar com Steve, administrar o zoológico e ajudar os crocodilos era exatamente a coisa certa a ser feita. Do fundo do meu coração, eu sabia que esse era o caminho que eu deveria trilhar. Meus amigos americanos – os mais íntimos – entendiam perfeitamente. Confiei minha vida a Steve, pois eu o amava loucamente.

Um dos primeiros desafios era como levar o maior número possível de amigos australianos e membros da família de Steve para o casamento nos Estados Unidos. Ninguém tinha muito dinheiro. No fim das contas, 11 pessoas fizeram a viagem e a cerimônia foi realizada na grande igreja metodista que minha avó freqüentava.

Na verdade, foi mais do que um casamento; foi uma despedida de todos aqueles que eu conhecia. Convidei todo mundo, mesmo gente que não era muito íntima. Convidei até meu dentista. O grupo inteiro de reabilitadores de animais selvagens também compareceu – 400 pessoas no total.

A cerimônia começou às 8 horas da noite, seguida de um café com bolo. Usei o mesmo vestido que Bonnie, minha irmã mais velha, havia usado em seu casamento 27 anos antes e que minha outra irmã, Tricia, usara também em seu casamento seis anos depois de Bonnie. O bolo tinha cobertura branca, mas era decorado com flores naturais em vez de flores feitas com açúcar de confeiteiro.

Steve havia escolhido uma aliança bem simples, de 18 quilates, exatamente como eu queria. Ele não tinha aliança. Iríamos tomar uma emprestada para a cerimônia, mas não conseguíamos encontrar ninguém que tivesse os dedos grandes como os dele. No fim, a aliança de casamento de meu pai acabou servindo e foi ela que usamos. Lyn, a mãe de Steve, me deu uma ferradura de seda para eu usar no pulso – um símbolo de boa sorte.

No dia de nosso casamento, 4 de junho de 1992, fazia oito meses que Steve e eu havíamos nos encontrado pela primeira vez. Quando chegou a hora do voto solene, que o ministro começou a ler, percebi que Steve estava nervoso. Seu smoking parecia que o estava estrangulando. Para um homem acostumado a trabalhar nos trópicos, ele certamente parecia estar sentindo calor. A igreja tinha ar-condicionado, mas havia gotas de suor nas extremidades dos dedos dele. *Pobre Steve*, pensei. Ele nunca havia enfrentado tanta gente antes.

– A situação mais assustadora que já vivi – diria Steve depois da cerimônia. E isso partiu de um homem acostumado a lutar com crocodilos!

Quando o ministro convidou o noivo para beijar a noiva, senti toda a energia, a paixão e o amor de Steve, e tive a certeza de que estávamos fazendo a coisa certa.

Depois, exatamente quando estávamos prontos para partir para uma rápida lua-de-mel no belo noroeste do Pacífico, chegou uma ligação da Austrália. Era de John Stainton, amigo de Steve; ele ficara sabendo que um enorme crocodilo andava freqüentando áreas bem próximas da civilização, e alguém sem boa pontaria estava tentando atingi-lo.

– É bem grande, Steve, talvez uns cinco metros – disse John ao telefone. – Peço desculpas por ligar agora, mas ele será morto se não for transferido para outro local.

John era um dos diretores de premiados documentários australianos. Ele e Steve haviam se encontrado no final da década de 1980, quando Steve ajudou John a filmar comerciais que precisavam de animais de zoológico, como um lagarto ou uma tartaruga. Mas a amizade deles só se consolidou em 1990, quando uma companhia de cerveja australiana contratou John para filmar uma seqüência complicada envolvendo um crocodilo.

Ele, então, chamou Steve. "Eles querem que um cara jogue uma lata de cerveja gelada para outro cara, mas um crocodilo surge da água e agarra a latinha. O cara, então, agarra a cerveja bem na frente da mandíbula do crocodilo. Você acha isso viável?"

– Claro, cara, sem problema – disse Steve com sua confiança de sempre. – Só tem uma coisa: tem de ser a minha mão na frente do crocodilo.

John concordou. Viajou até o zoológico para filmar o comercial. Era a primeira vez que ele via Steve em seu próprio território e ficou muito impressionado. Ficou mais impressionado ainda quando a filmagem com o crocodilo saiu impecável.

Monty, o crocodilo de água salgada, estava parcialmente submerso em sua lagoa. Um ator pegou uma latinha de cerveja do isopor e lançou-a na direção de Steve. Como a mão de Steve estava acima da cabeça de Monty, o crocodilo saltou em reação à oferta de alimento. No filme, parecia que o crocodilo ia abocanhar a lata – que Steve pegou bem na frente de sua mandíbula. John ficou muito impressionado. Ao ir embora, depois de terminar o comercial, ele ganhou de Steve uma coletânea de fitas VHS.

Eram videotapes que o próprio Steve havia feito. Na filmagem, bem básica, Steve escorava a câmera em uma árvore, ou a firmava na lama e, sem ajuda de ninguém, filmava a si mesmo, capturando crocodilos.

John assistiu aos tapes quando voltou para Brisbane. Disse-me mais tarde que o que ele havia visto era inacreditável. – Foram três horas de filmes fascinantes e eu assisti a tudo, do começo ao fim, duas vezes – lembrou-se ele. – Bem próprio de Steve. A câmera o adorou.

Ele ligou para seus contatos na televisão e explicou que tinha material de primeira. Os programadores não podiam usar o original VHS de Steve, mas um deles teve uma idéia melhor. Deu a John sinal verde para filmar seu próprio documentário sobre Steve.

Foi por isso que John Stainton ligou para o Oregon na véspera de nossa lua-de-mel.

– Sei que não é o melhor momento para eu ligar, cara – disse John –, mas poderíamos juntar uma equipe e fazer um documentário mostrando você resgatando esse crocodilo.

Steve virou-se para mim. Lua-de-mel ou crocodilo? Para ele, não seria muito difícil escolher. E para mim? Seria?

– Vamos embora – respondi.

* * * *

Duas semanas depois de termos dito "Sim", Steve e eu estávamos em um complexo fluvial chamado Cattle Creek, perto de Ingham, a mais de 1.000 km ao norte da costa australiana de Brisbane. John Stainton levou um técnico de som e um cameraman. E o melhor amigo de Steve, Wes, também foi.

O enorme crocodilo de água salgada de Cattle Creek estava correndo grande risco. Assim que chegamos, descobrimos embalagens de cartuchos e outras evidências de que haviam atirado nele das praias do rio. Steve trabalhou rio acima e rio abaixo em seu bote, localizando as áreas que o crocodilo andava freqüentando, registrando mentalmente as marcas deixadas por ele e procurando o lugar ideal para montar a armadilha.

Parecia que poucos dias atrás eu estava no Oregon. O que estava eu fazendo ali? Eu estava ali resgatando crocodilos com meu marido, e uma equipe de filmagem estava documentando cada passo que dávamos. Recém-casada, caçador de crocodilo, diretor cinematográfico: três descrições de emprego absolutamente novas – tudo me atingindo de uma só vez.

E, ainda por cima, cozinheiro. No final do estafante primeiro dia, nós seis – Steve, eu, Wes, John e sua equipe de duas pessoas – nos reunimos, exaustos, ao redor do fogo. Levantei o olhar e vi cinco pares de olhos me fitando. Espere um minuto! Ah! entendi! Sou a única mulher aqui. Então, quem deve preparar o jantar sou eu.

A "cozinha" do acampamento consistia de uma coleção de utensílios estranhos, alienígenas, tais como uma tostadeira tipicamente australiana e um fogão portátil. Eu não tinha a menor idéia de como usar nada daquilo. Steve veio em meu socorro. Preparou sanduíches no forno e fez um cozido no fogão. Acabamos concluindo que daria mais certo se ele fosse o chef e eu sua assistente.

Do rio surgiam nuvens de mosquitos. De vez em quando iguanas vinham passear no acampamento. Eu estava picando legumes naquela primeira noite, quando apareceu um grande lagarto monitor.

– Pegue-o – disse Steve. Parei o que estava fazendo e peguei o lagarto. John e seu time entraram em ação. Então, eu disse à câmera tudo o que sabia a respeito dos lagartos monitores.

– Lagartos monitores são ótimos para escalar árvores. Eles chegam a medir dois metros, mas esse carinha aqui parece ter cerca de um metro e meio. – Falei sobre a sua dieta e sua natureza predatória. Enquanto isso, a estrela do show movia sua língua bifurcada para dentro e para fora. Depois de algum tempo de filmagem, coloquei o enorme lagarto no chão e Steve inclinou a cabeça para a câmera e encerrou as filmagens.

– E eles também têm presas iguais às de um tubarão-tigre, minha cara – ele disse com satisfação. – Eles podem fazer picadinho de você!

– Muito obrigada pela informação! – eu disse, rindo, depois que John parou de filmar. – Devia ter me dito isso antes que eu pegasse a infame criatura no colo!

Eu me encontrava em um admirável mundo novo. À noite, ouvia os sons dos morcegos frugívoros atacando as árvores. Ouvia também o grunhido distante e estranho dos coalas conforme eles entoavam seus gritos de acasalamento. Porcos selvagens passavam bem atrás da barraca. Aventurar-me para fora dela no meio da noite para usar o mato como toilete foi uma experiência e tanto.

Steve ficava completamente à vontade diante de uma câmera. John só teve de dar a ele um único conselho importante.

– Stevo – orientou John –, há três pessoas neste documentário. Há você, Terri e a câmera. Trate a câmera exatamente como se fosse uma outra pessoa.

A energia e o entusiasmo de Steve entraram em ação. Ele relaxou completamente e conseguiu ser apenas ele – o que foi válido para toda a sua carreira.

Aquela não foi apenas uma viagem para a produção de um filme; foi também nossa lua-de-mel. Algumas vezes, Steve fugia da equipe e íamos para um rio afluente, onde ficávamos sozinhos. Víamos os pirilampos surgirem na escuridão. Eu nunca havia visto pirilampos no Oregon. Os pequenos e mágicos insetos brilhavam por todo lado – nos arbustos e no ar. Quanto mais escuro ficava, mais brilhante se tornava a luz que eles emitiam.

Eu estava visitando um reino de fadas.

A maior parte do tempo, entretanto, era de trabalho. As marés eram tão grandes, que sair na maré alta significava uma tranqüila viagem rio abaixo. No final da tarde, com a maré baixa e depois de um dia inteiro montando alçapões, verificando alçapões e procurando crocodilos, voltávamos para o acampamento. De repente, não cabíamos todos no barco.

Steve e eu fomos os primeiros a sair. Quando manobramos, John Stainton e a sempre valiosa câmera dentro do barco, rio acima, caminhamos cuidadosamente sobre um fundo rochoso. Com freqüência, topávamos com cavidades e tínhamos de nos pendurar ao lado do bote, torcendo para que não houvesse nenhum crocodilo a nossa espera lá embaixo. Quando voltamos ao acampamento, John saiu do bote com dificuldade para se movimentar, pois estava até os joelhos coberto de lama do mangue – não era exatamente sua paixão, mas honra seja feita, ele nunca se queixou.

Para capturar crocodilos com sucesso, era preciso usar carne como isca. Era aqui que entrava Sui, reunindo porcos. Os javalis não são nativos da Austrália; foram introduzidos no país quando os europeus lá chegaram pela primeira vez. Eles arrancam vegetação nativa e atacam ninhos de crocodilos de água doce, alimentando-se de qualquer coisa – de plantas a tartarugas.

Steve capturava os javalis e os mantinha em currais improvisados até que precisasse deles. Com o passar dos anos, ele e Sui tornaramse a equipe suprema de captores desses porcos selvagens. Era impressionante observar todo o processo. Já que não havia como armazenar grandes quantidades de carne fresca, nas primeiras horas do dia saíamos para alguns canaviais da região à caça de javalis.

Os canaviais eram perigosos. Neles, as taipans, classificadas como a terceira espécie de cobra mais peçonhenta do mundo, perseguiam os ratos. Como íamos lá com a intenção de capturar javalis, era impossível vasculhar o terreno procurando as cobras; então, fazíamos o que podíamos nos movendo com rapidez.

No início, nos movíamos furtivamente pelo mato. Steve fazia sinal para mim apontando para seu nariz, o que indicava que estava sentindo cheiro de javali. Aspirando o ar, eu sentia um odor forte, almiscarado. Logo víamos pegadas e ouvíamos o ruído deles roçando nos arbustos. Sui ficava completamente fora de si. Dançava e pulava sem parar. Esse era o seu jeito.

Steve falou baixinho: – Vá lá para a frente, Sui. – Ela disparou e desapareceu no canavial cerrado. Logo ele foi atrás dela. De repente, comecei a ouvir ruídos de coisas colidindo a minha volta. Percebi que agora os porcos haviam se duplicado. Steve gritava alguma coisa, mas eu não conseguia entendê-lo.

Um grande javali passou bem a minha frente. Sui e Steve surgiram rapidamente por trás. O enorme porco selvagem decidiu que havia chegado a hora de voltar e brigar. Sui começou a ganir para ele, dançando bem em frente de seu nariz. As presas dele se projetaram para fora, revelando ângulos desemparelhados. Ele tentou atacar Sui, que se movimentava como um pugilista no ringue, avançando e recuando, manobrando com destreza o porco de forma que ele não pudesse correr e ela não caísse naquelas presas assassinas.

Steve pulou imediatamente sobre o javali. Agarrou-o pelas patas traseiras, levantou-o como se levantasse um carrinho de mão e rolou-o para um lado. Sui extravasou toda a sua alegria, correndo para lá e para cá tresloucadamente. O javali que Steve capturara com tanta rapidez com certeza pesava mais do que ele próprio.

– Venha até aqui! Rápido! – ele disse.

Pensei comigo: *Nem pensar que vou conseguir segurar esse porco*! Em vez disso, Steve me orientou a pegar Sui. Missão cumprida.

Todo santo dia, Steve inspecionava os alçapões montados para capturar o crocodilo grandalhão. Agora, tratava-se de um jogo de espera.

O ecossistema de Cattle Creek fervilhava com vida. Era o local preferido de pescadores, porque onde há crocodilos, há uma sadia população de peixes. Os crocodilos administram um sistema fluvial, livrando-se de tudo o que não deve estar lá: animais frágeis, doentes, velhos – ou jovens. Os crocodilos os apanham primeiro. A lampreia, que havia sido levada para Cattle Creek, por exemplo, nada muito mais devagar do que o nativo barramunda; portanto, ela seria comida primeiro.

Havia abundância de vida selvagem para ser filmada: pítons aquáticas, cobras peçonhentas, os mais variados e lindos pássaros, coalas, gambás e todos os tipos de lagartos. Mas o crocodilo grandalhão continuava esquivo.

Finalmente nós o localizamos. Entretanto, alguma coisa deu errado. Conforme nos aproximamos, ele não submergiu. Ficamos horrorizados ao ver que os caçadores haviam nos derrotado – ele havia sido atingido com um tiro. Parecia que havia sido morto algum tempo atrás. Os crocodilos geralmente demoram bastante para morrer. Eles têm a incrível habilidade de bloquear o suprimento de sangue para a parte ferida do corpo. O crocodilo grande havia se recolhido e ido para o fundo do rio, para, finalmente, sucumbir aos seus ferimentos. Era enorme, medindo cerca de cinco metros de comprimento – gordo e em boa forma.

Steve ficou fora de si; sentia-se como se tivesse perdido um ente querido. Filmamos o crocodilo e conversamos sobre o que havia acontecido. Porém, no final, Steve simplesmente teve de se afastar. Quando fui até ele, havia lágrimas em seus olhos. Ele tinha uma afeição especial por crocodilos e gostava de cada um deles individualmente. Era bem provável que aquele tivesse 50 anos, que tivesse suas fêmeas, uma família e uma história como rei daquele rio. Para Steve, sua morte fora algo concreto e pessoal, como se ele tivesse perdido um amigo. Isso acendeu sua fúria contra o caçador que matara um animal tão magnífico.

Steve sabia que naquela área havia outro crocodilo que também corria perigo. – Se o salvarmos – ele disse com determinação –, pode sobrar alguma coisa boa desta viagem.

Ele não desistia. Naquela noite, cruzamos Cattle Creek novamente para filmar os locais onde havíamos colocado os alçapões. Parecia que aonde quer que fôssemos, Steve tinha o estranho dom de ser um ímã da vida selvagem. Viajando rio abaixo no barco, ele localizou uma grande píton no galho pendente de uma árvore.

Filmamos conforme Steve se segurava ao tronco da árvore onde estava a cobra, mantendo o barco parado. Ele falou sobre a cobra e disse que ela poderia estar na árvore para caçar morcegos frugívoros. De repente o galho se partiu e cobra e galhos caíram em cheio dentro do barco.

Todos se assustaram. Eu estava de pé e caí de costas no rio.

Chapinhar na água só iria atrair a atenção de um crocodilo; então, deixei-me afundar e depois, vagarosamente, voltei à superfície e vi que o barco havia se distanciado com a correnteza. Lembro-me de que olhei para a água escura e vi a lanterna ficar cada vez menor. *Não entre em pânico*, disse para mim mesma, sabendo que estávamos bem diante de uma armadilha para crocodilos, preparada com iscas. Eu tentava andar sem espirrar água ou fazer qualquer ruído ou movimento que pudesse atrair um crocodilo. Sentia as batidas fortes de meu coração. Até respirar era difícil. Eu simplesmente lutava contra o pânico.

Steve e a equipe de filmagem brigavam com a cobra e o galho. O motor do barco havia parado. Freneticamente, Steve tentava fazê-lo funcionar. Eu o ouvia gritando palavrões na escuridão. O membro da equipe que segurava a lanterna dividia sua atenção entre se certificar de que estava tudo bem comigo e ajudar Steve. O barco continuava a se distanciar cada vez mais rio abaixo.

Fique o mais imóvel possível, eu disse para mim mesma. Meus dentes estavam cerrados pensando na pressão da enorme mandíbula do crocodilo fechando-se em volta de minha perna.

De repente, ouvi o ruído do motor de volta à vida. Steve virou a direção do barco e acelerou. Assim que chegou até mim, puxou-me de volta para dentro do barco. Senti um pouco de náusea. Fiquei deitada lá por uns instantes, mas o drama ainda não havia terminado.

Nosso cameraman tinha pavor de cobras, e a píton ainda estava no fundo do barco. Steve levantou-a com as mãos. A cobra resolveu mostrar que não estava gostando nada daquilo. Deu um giro, agarrou Steve no antebraço e começou a picá-lo – uma picada, depois outra, depois outra.

Revendo o filme agora, todo o martírio parece até bastante divertido.

– Ah! Ah! Ah – grita uma voz masculina. Até daria para pensar que era Steve, pois fora ele que havia sido picado, mas, na verdade, era John Stainton. Ele grita em sinal de solidariedade toda vez que a cobra enterra as presas no braço de Steve.

Parece que Steve está sendo terrivelmente ferido quando, na verdade, as minúsculas alfinetadas das centenas de dentes da cobra eram apenas ferimentos bem pequenos. Embora as presas penetrem fundo na carne e provoquem sangramento imediato, não houve cicatriz permanente, não houve veneno e nenhuma infecção.

– Tudo bem com você, baby? – perguntou-me Steve. Disse-lhe que sim. Trêmula, mas inteira. Estava tudo bem com Steve, tudo bem com a cobra, e até o cameraman parecia ter se acalmado. Devolvemos a cobra à árvore.

– Seria melhor voltarmos ao acampamento – disse Steve, com uma falsa expressão de seriedade. – Graças a você, provavelmente não iremos capturar aquele crocodilo esta noite. Você deve tê-lo apavorado, caindo na água daquele jeito.

Aquela noite, deitada, exausta, em meu saco de dormir, encharcada de água salgada e lama, um único pensamento passou pela minha cabeça repetidamente. Graças a Deus Steve estava lá. Onde quer que eu me encontrasse na mais remota região da Austrália, o que quer que eu estivesse fazendo, decidi que Steve teria de estar ao meu lado. Eu achava que, contanto que ele estivesse lá, acontecesse o que acontecesse, eu sabia que tudo iria acabar bem.

Não era apenas que eu sabia que Steve iria me proteger e que seu conhecimento do agreste era tão profundo; eu estava começando a sentir alguma coisa que nós dois passaríamos a sentir e discutir seriamente. Quando estávamos juntos, nada de ruim iria acontecer. Separados, poderíamos nos tornar vulneráveis. Era difícil explicar, mas era como se o universo nos tivesse juntado e agora éramos apenas um. Seja lá o que for isso, essa era a sensação que tínhamos.

Na manhã seguinte, eu ficaria sabendo que naquele momento em que estivera à deriva em águas de crocodilo, eu tivera muita sorte por ter Steve ao meu lado.

Steve se levantou antes de mim e foi examinar o alçapão. O fogo já estava acesso quando me arrastei de meu saco de dormir. Enquanto tomava minha xícara de chá, revivi os eventos da noite anterior.

Ouvi o ronco do motor do barco e percebi que Steve estava voltando; então, levantei-me e corri para a margem do rio para encontrá-lo.

– Pegamos um – ele disse, quase sem fôlego. – Finalmente, um deles caiu no alçapão, minha cara!

– Talvez eu o tenha atraído quando espirrei água para todo lado – eu disse com um sorrisinho meio irônico. Ele caiu na risada. Depois, virou-se e gritou para os outros caras: – Ei, gente! Vamos lá! – Todos no acampamento entraram imediatamente em ação. A equipe de filmagem apanhou o equipamento e fomos resgatar o crocodilo antes que a bala de um caçador pudesse reivindicar algum direito sobre ele.

Eu não sabia o que esperar de tudo aquilo. Já conhecia histórias de Steve capturando crocodilos. Havia visto fotos e alguns de seus filmes. Steve havia me mostrado os cercados de crocodilos no zoológico.

Essa era, porém, uma situação que eu nunca havia vivido; era no ambiente natural.

Conforme nos aproximamos do alçapão, ao ouvir o ruído do motor, o crocodilo ficou muito agitado. Na fraca luz da manhã que ainda começava, tudo o que eu conseguia enxergar era a rede se movendo violentamente para lá e para cá, um grande crocodilo cor de lama preso lá dentro. Era um animal magnífico. Não tão grande como o anterior, mas era um dinossauro bem grumoso e muito áspero.

Steve havia amarrado o alçapão a uma árvore. O crocodilo ficou preso lá dentro, já que a abertura se fechou quando a armadilha foi acionada. Ele precisava estabilizar o alçapão e, ao mesmo tempo, evitar aquelas mandíbulas.

Fiquei observando-o trabalhar. Ele fez vários nós em uma rápida sucessão. Quando sentiu segurança, pensou na equipe de filmagem e em mim. Explicou-me o que iríamos fazer em seguida. O objetivo era retirar o crocodilo da armadilha. Era necessário que ele se desvencilhasse completamente da armadilha para poder ser removido para um novo local.

A rede de malha entrelaçada estava enroscada nos dentes e nas garras do animal. Tivemos de desemaranhá-la cuidadosamente. Conforme nos aproximamos dele, minha adrenalina disparou. Eu sentia as pontas dos dedos formigarem e a boca ficou seca.

Steve posicionou a equipe de filmagem de maneira que ela tivesse a melhor perspectiva, sem correr o risco de ser atacada. Em seguida, ele se virou para mim.

– Muito bem – disse. – Agora você pula sobre a cabeça dele e eu retiro a rede.

Eu... Como é que é? Com certeza, não entendi o que ele disse.

– Muito bem – gritou Steve. – Agora!

Então pulei sobre a cabeça do crocodilo.

Deitei-me lá tão reta quanto possível e lancei os braços ao redor da cabeça dele. O crocodilo lutou muito. Conforme ele girava – eu em cima dele –, segurei firme para garantir minha vida, na esperança de que aqueles dentes não encontrassem meus braços. Finalmente, consegui prender sua cabeça.

Steve começou pela enorme cauda do animal, recolhendo a malha da traineira. A cauda representa metade do comprimento de um crocodilo. Steve fez uma pata escorregar para fora da rede, depois a outra. Empurrou a rede mais para cima, agora trabalhando diretamente debaixo de onde eu estava.

Escorreguei de um lado para outro, sempre com os braços em volta da cabeça do crocodilo, para que ele não se virasse e atingisse Steve. Enquanto trabalhávamos, o suor gotejava de meu rosto, assim como todo o repelente que eu passara no corpo. Virei um banquete para os mosquitos, mas nem percebi.

Meu coração saltava. O crocodilo relaxou, mas então senti que ele estava tenso como um cavalo pronto para dar o pinote e pressenti que, em seguida, meu mundo iria explodir com o selvagem espernear da criatura tentando se livrar de mim. Segurei-me o mais firme que pude.

Comprimi minhas bochechas contra o topo da cabeça dele e vi bem de perto a blindagem que ele tem na cabeça, além dos depósitos de cálcio no topo do crânio. O crocodilo respirava e eu sentia seu hálito quente, inodoro, soprando em meu rosto, levantando minha franja. Sentia-me tão especial, que fechava os olhos a cada respiração dele. Eu estava começando a entender a conexão espiritual de Steve com aqueles répteis dos tempos remotos.

De vez em quando, o crocodilo emitia um ronco gutural. Muito embora suas mandíbulas estivessem parcialmente fechadas pelas malhas da rede, era assustador ficar tão próxima de uma tonelada de força mandibular.

Steve juntou a malha da rede em volta da cabeça do crocodilo. Essa era a parte mais perigosa. Ele trocou de lugar comigo e, sob a rede, colocou as mãos ao redor das mandíbulas do animal, enquanto retirava a cabeça dele para fora do alçapão.

Finalmente, o crocodilo estava livre; somente as mãos de Steve mantinham fechadas as suas mandíbulas. Amarramos o focinho do crocodilo e colocamos uma venda para que se acalmasse. Em seguida, concluímos que se tratava de uma fêmea, e a medimos. Não chegava a três metros, mas quando eu estava deitada sobre ela, parecia que estava segurando um dragão.

Os crocodilos vivem na Terra há cerca de 65 milhões de anos e são exatamente como esse. Evoluíram e se tornaram os maiores e mais complexos predadores do seu meio ambiente. Têm uma expectativa de vida semelhante a nossa, e sua fisiologia é surpreendentemente semelhante a nossa também: o mesmo tipo básico de coração – quatro câmaras – e um córtex cerebral. Fiquei maravilhada com os 64 dentes, longos, afiados e em forma de pinos. Aqui estava um animal capaz de capturar e matar animais muito maiores do que ele próprio.

Que irônico, pensei, *esse animal pertencente ao topo de cadeia alimentar precisa de nossa ajuda*.

Conforme subíamos o rio, mantive o crocodilo preso no chão do barco. Sentia claramente o respeito que Steve tinha por ele. Ele gostava de crocodilos, ou melhor, ele os amava.

Finalmente, chegamos a um local bem apropriado para libertar o crocodilo. Depois de levá-lo para um banco de areia, retiramos as cordas, as vendas e as amarrações. Ela novamente desapareceu na água.

– A partir de agora, ela sentirá medo de barcos – disse Steve. – Ela nunca mais será apanhada. Terá um bom e saudável medo de humanos também. Isso vai ajudá-la a se manter viva.

Depois disso, e para sempre, Steve e eu passamos a nos referir ao resgate de Cattle Creek como nossa viagem de lua-de-mel. Ela marcou também o início da carreira de Steve com as filmagens. Ele tinha o dom de capturar animais selvagens. Porém, ele os caçava para salvá-los, não para matá-los.

Foi assim que nasceu o Caçador de Crocodilos.

CAPÍTULO SEIS

Zoológico

Apesar da morte do crocodilo grandalhão, achei que o tempo que passamos em Cattle Creek fora esplêndido. Mesmo antes de voltarmos ao zoológico e ver as filmagens, pairava no ar uma sensação de que alguma coisa especial se concretizara.

Ficamos muito felizes por termos salvado um crocodilo e muito frustrados por ver outro exterminado com um tiro. Talvez Steve estivesse sentindo o fato de não ter conseguido salvar o crocodilo de Cattle Creek dos caçadores muito mais do que eu. Ele era, de maneira geral, um homem de ação, concentrado no próximo projeto. Eu não estava acostumada a vê-lo deprimido ou obcecado com o tema da morte. Entretanto, ele sempre me pedia para lhe prometer que eu manteria o zoológico se alguma coisa acontecesse com ele.

– Prometa – ele disse, e pediu que eu falasse em voz alta.

Prometi solenemente a ele que eu manteria o zoológico funcionando. – Mas nada irá acontecer – eu disse suavemente – porque o segredo de um grande ambientalista é viver muito tempo.

No caminho de volta ao zoológico, tivemos uma longa conversa. Não sabíamos se nosso documentário de Cattle Creek faria grande diferença ou não, mas concordávamos em que, por meio do zoológico e compartilhando nossas vidas, tentaríamos mudar o mundo.

Eu contei a ele sobre o meu trabalho no hospital veterinário do Oregon e falei das vezes em que me sentava no chão e chorava, por me sentir terrivelmente afetada pela dor e pelo sofrimento que se abatiam sobre aqueles animais inocentes. Entretanto, esse fardo parecia muito mais leve agora, pois eu tinha alguém com quem dividi-lo. Steve entendia muito bem como eu me sentia. E eu era alguém que compreendia sua profunda dedicação aos animais selvagens.

Lá fora havia um mundo grande, vasto. Nós éramos apenas um pequeno parque de animais selvagens na Austrália. Era absurdo imaginar que apenas nós dois podíamos mudar o mundo. Porém, nosso amor parecia tornar o impossível não apenas possível, mas também inevitável.

Lembro-me da conversa que tivemos durante a viagem de Cattle Creek para o zoológico e de como ela nos ajudou a criarmos a base de nosso casamento. Não importava o problema que tivéssemos, estávamos determinados a permanecer juntos, porque lado a lado, poderíamos enfrentar qualquer coisa.

De volta ao zoológico, enquanto o documentário era editado e antes de ir ao ar na televisão australiana, nosso propósito se tornou mais firme do que nunca. Oficialmente, assumimos a administração do zoológico, que até então era de Lyn e Bob, os pais de Steve, que o haviam fundado em 1970 como Park Beerwah Reptile (Parque de Répteis de Beerwah). Queríamos que eles se sentissem orgulhosos de nós.

O novo nome seria apenas Australia Zoo. Iríamos construir mais seções e expandi-lo. Queríamos aumentar o acesso ao cercado dos crocodilos, para que um número maior de pessoas pudesse ver aqueles animais incríveis. Tínhamos planos ambiciosos.

Trabalhávamos para equilibrar o orçamento. Considerávamos um bom domingo quando tínhamos 100 visitantes, o que correspondia a cerca de 150 dólares em renda bruta. Entretanto, administrar um negócio não é apenas monitorar a renda, equilibrar a contabilidade e garantir qualidade. Parte do plano de qualquer empresário tem de incluir uma visão do futuro. Steve olhava para um campo repleto de ervas daninhas e via jardins, passarelas e novos ambientes para os animais. Sua cabeça fervilhava com projetos.

É preciso ter visão e muita disposição para trabalhar. Eu observava Steve plantando árvores, remexendo a terra e lidando com jardinagem. Ele preparou sozinho a madeira para construir os cercados. Trabalhava sem parar, do nascer do sol até que ficasse escuro, quando passava a usar lanternas para continuar trabalhando. Eu nunca havia visto ninguém como ele. Era uma verdadeira máquina. Ia além da capacidade de resistência humana. Muitas vezes eu o vi vomitando atrás de uma árvore, tal era seu cansaço físico.

– Não se preocupe comigo. Não é nada. É que bebi muito chá pela manhã – ele disse um dia, quando falei de minha preocupação. Ele continuou com o serviço.

Sim, administrar um zoológico significava trabalhar com a vida selvagem, mas eu descobri que era muito mais do que isso. Steve havia aprendido a lidar com veículos movidos a diesel; portanto, podia operar e consertar escavadeiras, veículos e máquinas necessárias no zoológico. Ele também assentava tijolos, concreto, projetava cercados e tinha um toque de decorador para o produto final de tudo o que fazia. Ser bem construído e firme não era suficiente. Tinha de ficar bonito também.

Com o passar do tempo, por vários anos no início da década de 1990, ajudei Steve a expandir e melhorar o zoológico. O orçamento era limitado. Steve fazia sozinho a maior parte dos serviços, esticando o pouco dinheiro que tínhamos ao máximo. Nem bem terminava um projeto e já estava ele pensando em outro.

Parecia que o dia não era suficiente, não importava o quanto trabalhávamos. Felizmente, havia no zoológico uma incrível criatura que nos fazia manter nossas ambições constantemente sob a perspectiva da realidade.

Harriet era uma gigantesca tartaruga terrestre de Galápagos. Ela me fascinava. Segundo a história original, ela fora trazida para a Austrália por pescadores de baleia. Como eles utilizavam essas enormes criaturas como alimento em longas viagens pelo oceano, Steve e eu achamos essa história muito pouco provável. Porém, de que outra maneira teria Harriet aportado ali?

Conferimos a história dela com o especialista em tartarugas Scott Thomson, juntando peças em uma surpreendente biografia que nunca seria definitivamente comprovada, mas muito plausível.

Acreditávamos que Harriet tivesse sido recolhida em 1835 pelo próprio Charles Darwin. Fora levada da Inglaterra para a Austrália pelo Capitão Wickham, a bordo do HMS *Beagle*. Na verdade, três tartarugas gigantes de Galápagos haviam sido doadas ao Brisbane Botanic Gardens, depois que Darwin percebeu que elas não sobreviveriam na Inglaterra, para aonde ele as levara originalmente em 1835.

Como poderíamos determinar se Harriet era uma das três de Darwin? Scott Thomson achou uma tartaruga gigante na coleção do Queensland Museum que havia sido classificada equivocadamente como tartaruga-gigante-de-Aldabra. Entalhado na carapaça estava o nome do animal, "Tom", e "1929". Tínhamos, agora, encontrado potencialmente duas das três tartarugas de Darwin. Harriet e Tom haviam sido vistos juntos na memória viva. A terceira tartaruga nunca foi encontrada e supunha-se que tivesse sido enterrada no jardim botânico. Harriet continuava viva.

Steve e eu ficamos muito entusiasmados com a notícia. Nossos estudos e a pesquisa da história de Harriet continuaram por muitos anos e era incrível saber que tínhamos uma residente muito especial no zoológico.

Apesar de sua história incrível, Harriet continuava modesta, de uma maneira cativante. Tinha a meiga personalidade de um cãozinho. Adorava as flores do hibisco e tinha seus vegetais favoritos. Steve continuou com a prática que seus pais haviam implementado: só dê aos animais aquilo que você comeria. Assim, Harriet ganhava as verduras mais viçosas, repolho crespo, couve galega, berinjela, abobrinha e até mesmo rosas.

Em troca, Harriet oferecia aos visitantes a rara chance de eles verem os que cuidavam dela afagar e coçar uma das mais majestosas criaturas da Terra. Ela era o quelônio vivo mais antigo e a única criatura viva a ter-se encontrado com Charles Darwin e viajado a bordo do *Beagle*. E ela nos brindou com outra coisa também – uma lição de como ter uma vida bem longa. Não se preocupe demais. Pegue leve. Pare e masque as flores.

Foi essa a lição que Steve anotou e entendeu, mas nunca conseguiu seguir com muito ardor. Ele era um meteoro. Harriet estava mais para uma montanha. Neste mundo, precisamos de ambos.

Enquanto isso, na Austrália, eu ainda era um peixe fora d'água do Oregon. Steve queria me ajudar a me sentir tão à vontade com cobras quanto eu me sentia com meus amigos mamíferos. Eu já havia tido alguma experiência com répteis antes, mas não era certamente o meu forte. Já que eu agora estava convivendo diariamente com cerca de 150 cobras, em um país que servia de lar para as 11 serpentes mais peçonhentas do mundo, era tempo de aprender sobre cobras à moda de Steve.

Ele conhecia a professora certa. – Deixe-me apresentar-lhe Rosie – disse Steve um dia, trazendo-me uma jibóia. Ela tinha 2,5 m, era gorda, da espessura de meu braço, e muito meiga; porém, quando a vi pela primeira vez, fiquei um pouco mais nervosa do que queria admitir.

– O primeiro passo é vocês duas se conhecerem – explicou-me Steve.

Eu tentei. Enquanto Steve preparava o jantar, sentei-me na ponta do sofá. Rosie ficou enrolada na outra ponta. Eu olhava para ela com suspeita. Ela me olhava da mesma maneira, nós duas esperando que nenhuma fosse avançar e atacar a outra. Eu me preocupava com ela e ela também devia estar preocupada comigo. Amiga ou inimiga? Quando nos vimos pela primeira vez, não sabíamos a resposta.

Finalmente veio a revelação. Eu a observava, enrolada, lá na beira do sofá e percebi que Rosie estava, na verdade, mais cautelosa em relação a mim do que eu em relação a ela. Foi aí que comecei a entender como se processa o raciocínio de uma cobra. Elas são muito lógicas: *se é maior do que eu, sinto medo. Se é menor do que eu, eu como*. Por sorte, eu era grande demais para Rosie me ver como um lanche.

Bem devagar, cheguei um pouco mais perto dela. Rosie esticou o pescoço, mostrou a língua algumas vezes e escorregou em direção ao meu colo. Foi um momento grandioso e uma experiência absolutamente nova e fascinante para mim. Começamos a nos estudar mutuamente. Acariciei sua pele suave, macia. Ela cheirava todo o meu corpo, e já que as cobras cheiram com a língua, isso significava mostrar a língua e lamber; ela lambeu meu joelho e em seguida foi para o cordão de meu tênis. Depois de um longo dia andando pelo zoológico, meus sapatos deviam estar com um cheirinho... bem interessante.

Então, ergueu a cabeça. Conforme se aproximava de meu rosto, instintivamente, eu recuava. Parece incrível, mas mesmo que eu não tenha traído nenhum de meus pensamentos íntimos, Rosie parecia sentir a minha ansiedade. Também recuou e mostrou hesitação. Conforme eu me relaxei, ela também se relaxou.

Com o passar do tempo, eu já conseguia aceitar Rosie em volta de meus ombros. Não demorou muito e eu já lavava os pratos com ela em volta de meu pescoço, e fazia meus serviços escritos com ela esticada sobre a mesa. Começamos a fazer juntas a maior parte dos serviços domésticos. Ela preferia espaços interiores pequenos, onde se sentia segura, mas quanto mais confiava em mim, mais corajosa se tornava.

Antes de encontrar Rosie, eu achava que a personalidade das cobras era como a personalidade de um peixinho ornamental. Mas

Rosie gostava de explorar os espaços. Esticava a cabeça e exibia a língua a qualquer coisa que eu lhe mostrasse. Não demorou muito e ela já estava se encontrando com visitantes do zoológico. As crianças adoravam. Alguns adultos tinham suas barreiras e suas suspeitas com relação à vida selvagem, mas a maioria das crianças era muito receptiva. Elas riam quando a língua bifurcada de Rosie fazia cócegas em suas bochechas ou tocava em seus cabelos.

Logo Rosie se tornou minha melhor amiga e minha cobra favorita. Eu a usava como terapeuta para ajudar aqueles que tinham medo de cobras a superar seus traumas. Ela era muito fotogênica e o sonho de todo diretor: estacionava em um galho de árvore e simplesmente ficava lá, bem quieta. E o mais importante para o zoológico: Rosie era absolutamente imune às crianças. No decorrer de um dia bem agitado, ela sempre tinha crianças deitadas sobre ela sem qualquer preocupação ou medo.

Rosie se tornou uma grande embaixadora do zoológico e eu me converti ao maravilhoso mundo das cobras. Não importa que livros sobre herpetologia eu tivesse lido ou a que palestras tivesse assistido – eu nunca teria travado relações com Rosie se Steve não tivesse me encorajado a me sentar e jantar com ela uma certa noite.

Comecei a gostar tanto dela, que me senti terrivelmente mal no dia em que a decepcionei.

Eu a havia colocado no chão enquanto limpava seu cercado, mas me distraí com uma chamada telefônica. Quando me virei, Rosie havia desaparecido. Procurei por toda parte. Ela não estava na sala de estar, não estava na cozinha e nem no hall. Entrei em pânico. *Há uma jibóia à solta e não sei onde ela está*! Quando olhei no banheiro, vi a ponta amarronzada de sua cauda despontando do toucador.

Não acreditei no que vi. Rosie tinha conseguido "costurar" por todas as gavetas do toucador e se instalado naquele espaço tão apertado. Ela não conseguia nem se mover. Estava completamente emperrada lá dentro.

Juntei toda a minha coragem, achei Steve e expliquei o que havia acontecido.

– O quê? – ele exclamou, aborrecido. – Você não pode despregar os olhos de uma cobra nem por um segundo! – Ele examinou a situação no banheiro. Sua primeira preocupação foi para com a segurança da cobra. Tentou retirar as gavetas do toucador, mas sem sucesso. No final das contas, destruiu o móvel com as mãos.

Quanto menor ficavam as partes do toucador, menor eu também me sentia. As cobras não têm ouvidos, portanto, em vez de ouvir, elas captam vibrações. Ela deve ter ficado apavorada ao sentir o toucador sendo arrebentado. Finalmente a retiramos da peça completamente destruída, e eu a levei de volta ao seu cercado. Steve voltou ao trabalho. Sentei-me então junto ao entulho onde ficava a pia.

Tendo Rosie como embaixadora, eu participava mais da administração prática do zoológico. Steve me delegou uma área especial. Eu tinha filhotes de crocodilos (tanto de água salgada quanto de água doce) e muitos lagartos. Era inverno quando comecei a cuidar deles. Eu precisava prestar muita atenção quando os alimentava. Se os filhotes de crocodilo comiam demais e a temperatura ambiente não estava quente o bastante, eles não conseguiam digerir o alimento. Todos os répteis dependem da temperatura ambiente em que vivem para regular suas funções corpóreas. Eles não conseguem aquecer seus próprios corpos como fazem os mamíferos. Eu tinha de acionar com manivelas os aquecedores em suas salas, manter suas tinas limpas e monitorá-los com muita atenção.

Além dos filhotes de crocodilo, eu também tinha lagartos espetaculares sob meus cuidados: lagartos-monitores, iguanas e monitores-do-Pacífico. Uma parte das paredes da sala onde eles ficavam se dobrava para fora para expor os lagartos à luz natural.

– Certifique-se de que não haja nenhum jornal lá dentro com eles – dizia Steve. – Eles irão se esconder debaixo do jornal, não receberão luz do sol e sentirão muito frio. – Ficar quente demais também era um problema potencial. Lá no meio do agreste, um lagarto poderia ficar sobre uma pedra praticamente um dia inteiro tomando sol e sentir-se "numa boa", como dizia Steve. Esse mesmo lagarto, em cativeiro, mantido em um cercado, não duraria 10 minutos ao sol. Eles precisavam se auto-regular ao calor.

Uma preocupação constante na administração do zoológico dizia respeito à parte financeira. Embora estivéssemos nos subtrópicos, chegava a fazer frio no inverno. O dinheiro andava escasso. Não podíamos nos dar ao luxo de ter o tipo específico de aquecedor de várias centenas de dólares para manter os animais aquecidos. Lembro-me da sensação de vitória que sentimos quando alugamos dois aquecedores de querosene por apenas 85 dólares. Eles tinham combustível suficiente para queimar por 12 horas; assim, conseguimos manter em temperatura adequada filhotes de crocodilos e de lagartos.

Eu sozinha era o departamento de marketing do zoológico. Meu orçamento era 1.200 dólares por todo o ano. De maneira geral, eu dava conta de queixas de representantes do departamento de turismo, que me acharam extremamente pão-dura, quando eu não quis gastar 50 dólares para colocar um anúncio em um jornal local. O dinheiro andava realmente curto.

Não havia e-mail e nem fax. Tudo tinha de ser feito pelo telefone. Steve não tinha nem mesmo uma máquina de escrever. Computador? Coisa inexistente. Sistema de arquivo? Nem em sonho. Os Irwin tinham uma ferramenta simples, mas eficiente para manter os negócios do zoológico sob controle: uma agenda-calendário. Eu usava uma calculadora para fazer a folha de pagamento e criei um sistema de arquivo para manter sob controle as pessoas com quem tínhamos negócios.

Naquela época, a vida era mais simples. Mandy, a irmã de Steve, trabalhava conosco e além dela, tínhamos três funcionários em período integral e um trabalhando meio período. Essa era a equipe total.

Minha curva de aprendizagem subiu rapidamente não apenas no zoológico, mas nos serviços domésticos também. As rotinas mais simples no Oregon eram totalmente diferentes nos subtrópicos. Por exemplo, eu não podia carregar a lavadora de louças e deixar a louça de molho, porque a casa acabaria enchendo de formigas. Se eu deixasse uma luz acesa no banheiro à noite, os insetos dariam um jeito de entrar e ficar voando sempre que alguém entrasse.

Eu mantinha um olho bem aberto para as enormes aranhas errantes, que cresciam e chegavam a ficar do tamanho de uma mão. Levei um longo tempo para me acostumar com a idéia de que Steve não viria correndo em meu socorro toda vez que eu visse uma aranha ou um inseto grande. Depois de algum tempo, entendi que realmente não havia nada de que ele precisasse me salvar. Nem os estranhos insetos nem as aranhas eram perigosos.

O fato é que, no final das contas, uma das aranhas gigantes comia uma das baratas gigantes. Os subtrópicos tinham ecossistemas impressionantes, tanto internos quanto externos.

Steve explicava sempre com muita paciência que as aranhas errantes raramente atacavam os humanos. Entretanto, uma noite ele teve a chance de ver sua teoria cair por terra. Rolou sobre uma enquanto dormia e na manhã seguinte tinha uma lesão com um sinal de picada revelando as marcas de dois pequenos caninos em seu corpo. Não se preocupou com a localização específica da picada. Divertindome com a história, eu explicava a qualquer um que quisesse ouvir que Steve tinha uma picada de aranha caçadora em uma parte de sua anatomia que "permanecerá secreta".

Essa história correu de boca em boca por um bom tempo.

Como nosso dinheiro era precioso, eu tinha dois "buracos" onde injetava boa parte dele. Seus nomes eram Shasta e Malina. Eu havia decidido trazer minhas melhores amigas animais do Oregon e torná-las parte de minha nova vida no zoológico; sentia muita falta delas.

Sem fax, sem e-mail – apenas chamadas internacionais. O processo não foi nada fácil.

Fiz os contatos necessários com a Australasian Regional Association of Zoological Parks and Aquaria – Arazpa (Associação Australasiana Regional de Parques Zoológicos e Aquários). Também iniciei o trabalho burocrático visando à autorização do governo para trazer Malina para o zoológico.

Estava também tomando providências para trazer Shasta para a Austrália. Tempo, esforço e dinheiro foram empregados em exames veterinários, caixas especiais para transporte, uma quarentena de quatro meses no Havaí e outra de cinco meses em Sydney. A quarentena significava 26 dólares por dia. Todas as nossas economias consumidas na tentativa de trazer minha cadelinha para a Austrália. Steve adorava Sui e, assim, entendeu perfeitamente por que para mim era importante ter Shasta ao meu lado.

Todo o processo durou uma eternidade e eu passava os dias enroscada em muita burocracia. Cheguei ao desespero. Eu adorava minha vida, adorava o zoológico, mas às vezes, durante aquele difícil primeiro inverno, parecia que estávamos enfrentando uma batalha perdida.

Então, nossos documentários começaram a ir ao ar na televisão australiana. O primeiro deles, o do resgate de Cattle Creek, causou um pequeno alvoroço. Houve mais interesse no zoológico e mais entusiasmo com relação a Steve como personalidade. Apressamo-nos a fazer mais filmes com John Stainton. Quando eles chegaram à televisão, pareciam um trovão em câmera lenta. A febre do Caçador de Crocodilos começou a se espalhar.

Os shows foram bem recebidos em Sydney, mais bem ainda em Melbourne e foram o maior sucesso em Brisbane, onde desbancaram um show que estava no topo havia muito tempo – o primeiro programa a fazê-lo. Acredito que tenhamos chamado a atenção dos australianos porque Steve não era uma personalidade fabricada pela televisão. Ele realmente ia para as partes remotas do país para caçar crocodilos.

Administrava um zoológico. Usava roupa cáqui. De todos os povos do mundo, os australianos têm um senso do genuíno muito refinado. Steve era a coisa genuína.

Embora o primeiro documentário tivesse alcançado bem o público e estivéssemos continuando a filmar, anos ainda passariam para vermos qualquer lucro financeiro de nosso trabalho com filmes. Mas Steve sentou comigo uma noite para falarmos sobre o que faríamos se todos os nossos grandes planos viessem a se concretizar.

– Quando começarmos a ganhar alguns tostões com o Caçador de Crocodilos – ele disse –, vamos ter de fazer um planejamento.

Naquela noite, fizemos um acordo que iria se tornar a base de nosso casamento com relação à nossa vida profissional conjunta. Todo o lucro que tivéssemos com o Caçador de Crocodilos – fosse com os documentários, com brinquedos ou camisetas (mal imaginávamos que nosso futuro teria livros e filmes) – seria investido diretamente na proteção ambiental. Como todo mundo, receberíamos um salário pelo nosso trabalho no zoológico. Porém, tudo o que ganhássemos fora de lá iria para a proteção dos animais selvagens – 100%. Era esse nosso acordo.

Como resultado dos documentários, nosso negócio com o zoológico passou de um gotejar para um fluxo contínuo. Apenas meses antes, um dia bom para nós seria representado por 650 dólares em receita total. Quando, em um domingo, fizemos 3.500 dólares e no domingo seguinte subimos para 4.500 dólares, sentimos que nosso pequeno negócio estava decolando.

As coisas iam tão bem, que foi um enorme choque quando recebemos uma notificação muito séria das autoridades de imigração australiana. De repente, descobri que o grande desafio seria não apenas trazer Shasta e Malina para meu novo lar na Austrália, mas também enfrentar problemas com minha própria imigração.

Justamente quando Steve e eu havíamos feito nossa primeira tentativa de construir uma linda vida juntos, pareceu que tudo poderia cair por terra.

CAPÍTULO SETE

Muita Diversão

Utilizando lógica burocrática típica, o Consulado da Austrália em San Francisco havia me informado que não iria processar meu pedido de residência permanente na Austrália, a menos que eu estivesse residindo nos Estados Unidos. Não era suficiente eu ter me casado com um australiano, ou que tivesse um emprego de tempo integral e não fosse um obstáculo para a economia.

Eu teria de sair da Austrália para poder ficar na Austrália.

Porém, antes de voltar para os Estados Unidos, continuamos as filmagens das cenas para o documentário *The Crocodile Hunter Goes West (O Caçador de Crocodilos Vai para o Oeste)*. Carregamos o caminhão e partimos para Windorah, à beira do Deserto Simpson. Bob e Lyn, os pais de Steve, foram conosco, assim como John Stainton e sua equipe, incluindo Henry, o cameraman.

Foi Steve quem dirigiu a maior parte do tempo. Nessa viagem de 24 horas, passei para o volante por talvez três horas no total. Um pneu furou e nos vimos obrigados a pagar 200 dólares para consertá-lo em Quilpie, à beira de uma região coberta de erva porco-espinho. Esperar o conserto para só então voltar à estrada poderia parecer tempo morto. Com Steve por perto, porém, isso era impensável.

A longa e espinhenta grama abrigava uma enorme variedade de vida animal. No meio da grama havia tocas do tamanho de um dedo. Eu não sabia que bichos as haviam feito. Steve as identificou como tocas de tarântulas australianas, aranhas enormes, que chegavam a comer pássaros.

Fiquei impressionada. – Existem aranhas que comem pássaros?

– Claro, minha cara! – ele disse. – Pássaros, lagartos, ou qualquer bicho pequeno que suas presas consigam pegar.

Ele brigou com duas para retirá-las da toca e pude examiná-las mais de perto. Eram parecidas com as tarântulas em geral, mas seu abdome era muito maior. Raramente encontravam humanos; portanto, as duas que Steve havia apanhado estavam muito agitadas. Vi o veneno gotejando de suas presas.

– Essas pequenas fofuras estão sendo vítimas do comércio de animais de estimação – disse Steve, mexendo com delicadeza uma das aranhas gigantes. – Mas elas não se dão muito bem em cativeiro; muitas morrem.

Henry filmou todo o episódio. – Quando colecionadores cavam o chão e as encontram – explicou Steve à câmera –, eles geralmente destroem suas tocas e arruínam todo um habitat.

Esse era o tipo de informação que sempre deixava Steve triste. Ele devolveu a garota ao chão para que ela pudesse voltar a sua toca. – Uau! Ela não era realmente deslumbrante?

Pessoalmente, eu nunca teria pensado em usar as palavras “deslumbrante” e “aranha” em uma mesma sentença. Depois de conhecer as tarântulas australianas, finalmente cheguei a um acordo com minha própria descrição: “Legal”. Nas tocas, achamos vestígios de sua vida amorosa. Depois que uma aranha fêmea se encontra com uma aranha macho e, juntas, vivem uma noite de muita paixão, a fêmea mata o macho e o come.

Aranhas se alimentam por meio de vibrações que sentem na superfície. Emergem de suas tocas e atacam, matando insetos, lagartos, roedores e até mesmo pequenos pássaros. Suas presas são como agulhas hipodérmicas e seu veneno mata com muita rapidez. Em seguida, elas fazem um banquete com o sangue da vítima.

De volta à estrada com os quatro pneus intactos, encontramos um bando de porcos selvagens ainda bem novos. Com Henry nos seguindo para as filmagens, Steve e eu corremos atrás deles para pegá-los. Steve os chamava de "cofrinhos", e como eles dispararam em todas as direções, tivemos de correr feito malucos. Steve mergulhava como um herói de futebol americano, lançando-se no ar para agarrar um porquinho. Eu tentava usar a mesma técnica e me sentia como um urso doente, caindo pesadamente no chão. Por sorte, Sui me ajudou a reuni-los.

Steve apanhou um pequeno filhote preto e branco e, com o porquinho guinchando em seus braços, explicou à câmera sobre o perigo que espécies novas introduzidas em um ambiente podem causar ao meio natural.

– Eles são selvagens, não nativos da Austrália – disse. – Em determinados locais, estão causando todo tipo de problema.

Finalmente, depois de correr pelo mato até ficar exausta, consegui agarrar um porquinho. Tive a sensação gostosa de missão cumprida, segurando o lindo porquinho e filmando com Steve. Quando a filmagem terminou, coloquei meu porquinho no chão.

– Que cheiro é esse? – perguntei.

Steve parou e aspirou o ar. – Ah! Você não vai acreditar – ele disse, olhando para alguma coisa perto da estrada. – Aquela carcaça lá adiante está servindo de alimento para os porcos.

Olhei na direção que ele indicava e vi o corpo em decomposição, morto havia bastante tempo. Os porquinhos tinham corrido para junto da sua mamãe. Por vários dias, Steve e eu ficamos com o odor da morte em nossas mãos, braços, sapatos e até no cabelo.

Bob e Lyn apareceram. – Um casal de emus, na estrada, lá adiante – gritou Bob.

Steve pulou na picape e fomos até lá dar uma olhada. Localizamos os dois pássaros que não voam, um adulto e um subadulto, mas eles fugiram assim que chegamos.

– Que pena! – eu disse, vendo os emus fugindo e levantando poeira. – Teria sido uma boa tomada.

– Vá buscar Henry – gritou Steve. Em seguida, pulou da picape e saiu correndo.

É impossível capturar um emu. Eles conseguem atingir a velocidade de 60 km por hora. Steve disparou, correndo como o vento atrás do pássaro mais jovem do que ele. Era enorme, já quase adulto, e corria como um maluco. Sentei-me na caminhonete e fiquei observando, espantada. Henry parecia tão espantado quanto eu. Não havia nada que ele pudesse fazer a não ser colocar a câmera no ombro e sair em disparada atrás deles.

– Isso vai ser bem divertido – eu disse a John.

Para minha enorme surpresa, os três fizeram um grande círculo e começaram a correr de volta em direção à picape.

– É impressão minha – perguntei a John – ou Steve está chegando mais perto do emu?

O jovem emu dava passadas enormes, levantando poeira a cada pisada, e Steve, vestido com sua jaqueta Timberlands, chutava a terra logo atrás; ambos vieram em nossa direção. Steve deu um salto e agarrou o pássaro com um abraço de urso. Agarrou o emu – suas pernas longas e desajeitadas se debatiam desesperadamente.

Steve ria de orelha a orelha. Henry recuperou o fôlego e tentou fazer a câmera parar de tremer. – Os emus são pássaros espetaculares – disse Steve entusiasmado. – É o pai que cuida dos filhotes. A mãe só deposita os ovos em um ninho feito no chão. Depois, é o pai que assume a responsabilidade de criá-los.

Depois desse comentário, Steve soltou o emu. Quando ele se foi, Henry se voltou para Steve e disse: – Não tenho bem certeza se consegui filmar tudo.

Imediatamente, Steve saiu correndo outra vez feito um desesperado atrás do emu, e não é que ele o pegou de novo? Mais uma vez Steve se virou para Henry e contou tudo o que sabia sobre emus. Depois, beijou o pássaro, deu-lhe um abraço e soltou-o pela segunda vez.

Se os emus tivessem histórias para contar ao pé do fogo, então esse teria uma muito especial para contar por anos e anos futuros.

Voltamos para a estrada e fomos na direção oeste. Lembro-me do que me passava pela cabeça enquanto nos aventurávamos pelo Deserto Simpson. Não havia nada por ali. A paisagem era plana e sem vida. Exceto por um planalto ocasional – que se erguia entre seis e nove metros acima do chão do deserto –, ela parecia composta apenas de terra, galhos e árvores mortas. O Deserto Simpson é um dos lugares mais quentes da Terra.

Porém, Steve trouxe a vida de volta ao deserto, apontando para lagartos, equidnas e toda espécie de vida selvagem. Ele o transformou em uma viagem fantástica.

No meio dessa vasta paisagem estávamos nós dois, as únicas pessoas, a quilômetros de distância de um local habitado. Steve havia se tornado perito em iludir a equipe de filmagem de tempos em tempos; assim, podíamos ficar sozinhos. Havia uma fazenda de gado distante cerca de uma hora e meia de onde estávamos filmando, um pequeno rancho no meio do nada. Os proprietários convidaram toda a equipe para uma refeição caseira. Steve e eu ficamos no meio do agreste e Bob e Lyn foram para um de seus locais de acampamento favoritos. Depois do jantar, a equipe não conseguiu nos localizar. Procuraram-nos pelo deserto por um bom tempo antes de decidirem dormir no carro. O que foi uma noite bem desconfortável para eles foi uma noite inesquecível para nós dois!

Steve sabia tornar as coisas românticas sem ser tradicional. Sua idéia de uma noite bonita era fazer uma fogueira de acampamento, contemplar um pôr-do-sol espetacular e preparar um prato com curry para mim no fogão do acampamento. Depois, por horas a fio, saímos com a lanterna à procura de animais selvagens. Foi fantástico, semelhante à caça do derradeiro ovo de Páscoa. Eu nunca sabia o que iríamos encontrar.

As coisas que Steve encontrou naquela noite – as pegadas de uma enorme iguana ou uma pequenina lagartixa escondida sob um arbusto – foram celebradas ruidosamente. Sua alegria foi contagiante e também tomou conta de mim.

Os melhores momentos de minha vida foram aqueles que passei com Steve no remoto interior da Austrália.

Pela manhã, a equipe continuava desaparecida.

– Vai dar tudo certo com eles? – perguntei a Steve.

– Eles estão juntos e têm um carro – respondeu. – Vai dar tudo certo.

O que significava que tínhamos mais tempo para explorar a região. Perto do acampamento havia uma represa artificial feita no deserto. As fazendas de gado tinham esses açudes para que, nas enormes propriedades, o gado pudesse andar livremente e não precisasse ser inspecionado com regularidade; e podia também contar com os açudes, que guardavam água das chuvas que caíam ocasionalmente.

Os animais selvagens também sabiam onde encontrar água. Furtivamente, dirigimo-nos até o açude antes do amanhecer. Eu podia sentir a tensão de Steve conforme espiávamos por sobre a orla de terra, sem saber o que veríamos. Nessa manhã, uma família de dingos estava reunida ao lado do açude. Os adultos estavam se alimentando de um gato silvestre que tinham matado. Os filhotes estavam sentados alguns metros adiante, esperando sua vez. Gatos silvestres são muito parecidos com gatos domésticos e parece que se sentem deslocados no sertão remoto e inóspito. Os dingos tiravam toda a vantagem que podiam disso, uma vez que tinham uma família para alimentar.

Steve e eu ficamos observando a família de dingos representar sua cena por um longo tempo. Depois, tomamos a direção do açude e pulamos lá dentro. A água estava fria, mas agradável.

– Isso é muito bom – eu disse a Steve, conforme nadávamos juntos.

– Venho nadar aqui desde quando era garoto – disse Steve. Bob costumava trazer o filho ainda pequeno com ele nessas viagens de pesquisa para estudar as cobras da região.

Conforme entrei e saí da água, lavando-me, usando xampu no cabelo e deliciando-me com a chance de me livrar da poeira do deserto, senti algo duro debaixo de meu pé.

– Steve, pisei em alguma coisa aqui – eu disse.

Imediatamente ele começou a limpar o fundo do lago, agarrando aquilo em que eu havia pisado na água escura.

– Um galho de árvore – imaginei.

– Olhe ao seu redor – disse Steve, puxando o objeto enlameado do fundo do lago. – Não há nenhuma árvore – absolutamente nenhuma árvore por aqui.

Ele não conseguia mover o objeto – fosse o que fosse –, mas não desistiu. Voltou ao acampamento, pegou a picape, veio dirigindo de volta ao açude, amarrou uma corrente ao obstáculo. Quando deu marcha a ré, a corrente ficou esticada. Devagarzinho, a pélvis de uma vaca emergiu da sujeira.

Fiquei observando horrorizada enquanto Steve retirava a carcaça inteira de uma vaca que estava se decompondo justo no local onde eu estava me divertindo com um mergulho refrescante. Provavelmente, eu havia pressionado sua caixa torácica quando escovava meus dentes e lavava meus cabelos.

Steve levou a carcaça para bem longe.

– Você acha que devemos contar à turma? – perguntou-me ele ao voltar.

– Talvez o que eles não souberem não fará mal algum a eles – eu disse.

Steve concordou com um sinal de cabeça. – De qualquer forma, eles não irão escovar os dentes lá.

– Provavelmente não – eu disse, pensando na possibilidade de futuros mergulhos românticos com Steve e no que poderia estar escondido debaixo d'água no açude seguinte.

Quando voltamos ao acampamento, Steve insistiu para que eu me sentasse e não movesse um único dedo enquanto ele preparava para mim um verdadeiro café da manhã australiano: bacon e salsicha com ovos, torrada e Vegemite, este último uma espécie de pasta – tradição australiana. Foi difícil para Steve "vender" o produto para mim, uma garota do Oregon. Sempre pensara que Vegemite tivesse sabor de uma vitamina B salgada. Engoli com a determinação de aprender a gostar daquilo.

Quando o sol já havia despontado por completo, Steve começou a se sentir entediado. Ficou muito inquieto. Queria brigar por alguma coisa, descobrir alguma coisa, filmar qualquer coisa. Até que, finalmente, no meio da manhã, a equipe de filmagem apareceu.

– Vamos embora – disse Steve. – Quando eu ainda era um garotinho, meu pai me mostrou um ninho de águia. Quero ver se ele ainda existe.

Entendi, pensei comigo, *um ninho que você viu com Bob anos atrás. Que chances temos de achá-lo?*

John lançou para o açude um olhar que expressava anseio. – Achei que pudéssemos tomar um banho primeiro – disse. Eles estavam cobertos de fuligem do deserto.

– Ah! Acho que podemos ir embora – eu disse apressadamente, com a carcaça da vaca ainda bem fresca em minha mente. – Vocês não estão precisando de banho, estão, rapaziada?

– Vamos embora! – insistiu Steve. – Águias-de-rabo-de-cunha!

Descanso para os exaustos? Nem pensar!

– Então, Steve – eu disse com toda a doçura, para não dissuadi-lo conforme seguíamos. – Quantos anos você tinha quando Bob o levou para ver esse tal ninho?

– Acho que uns seis anos – ele disse. Mais de 20 anos atrás. Olhei ao meu redor, para o horizonte sem limites. Tinha minhas dúvidas. Vi os olhos de Steve voarem pela paisagem. Ele começou a seguir em uma determinada direção e nos fez suportar uma série de solavancos. Depois, localizou-se melhor e fomos adiante novamente.

Uma hora. Duas horas. Se alguém pusesse um revólver em minha cabeça, eu não conseguiria indicar o caminho de volta ao açude.

– Acho que sei onde é – disse Steve de repente. Seguimos adiante. Verdade: ao longe, vi um eucalipto muito grande. Na sua forquilha maior havia o que me pareceu ser uma pilha muito espessa de ramos e fragmentos, dispostos cuidadosamente, em uma espessura de cerca de dois metros. Lá estava o ninho – um ninho de águia – a seis metros do chão.

Conforme nos aproximamos, vimos a extremidade da asa de um pássaro pendendo fora do ninho. Olhei para Steve. Ele pensou o mesmo que eu: havia uma águia morta lá. Porém, mesmo assim, ele se pendurou na árvore e depois de um momento nos chamou: – Tragam a câmera aqui.

Henry tentou, mas não conseguiu subir na árvore com o equipamento. Em vez disso, levantou a câmera para Steve. Conforme filmava, Steve descrevia o que via.

– Dois filhotes de águia – disse. – Um está bem e o outro parece muito, muito mal, muito cansado.

Coisas da natureza. Quando chegasse a hora, ambos os filhotes iriam se emplumar para poderem voar. Porém, nem sempre havia alimento suficiente para dois filhotes poderem se emplumar. O filhote mais forte dominava e, na hora da alimentação, ficaria com a maior parte do alimento. Algumas vezes, acontecia de um empurrar o outro para fora do ninho, matando-o, e os pais ficavam com apenas um para criar.

Os tempos eram difíceis no Deserto Simpson. Parecia que apenas um filhote sobreviveria. Conforme estudávamos a estrutura, foi possível notar o quanto ela fora ampliada. Aquele ninho devia ter mais de 100 anos.

À medida que continuávamos a estudar o ninho, descobrimos que ele estava cheio de ossos, que nos serviram de indicação para o que os filhotes haviam comido. Quando examinei o chão abaixo do ninho, vi mais fragmentos de ossos, espalhados por uma grande área. Quase todos eles eram restos de um dragão-barbudo. Emergindo da terra, havia restos de crânio, pedaços de pele e as escamas duras de lagartos. Mamãe e Papai águia voavam sem parar, caçando os grandes dragões-barbudos para servirem de alimento aos seus filhotinhos.

Mais incrível do que isso, entretanto, era o fato de que Steve havia conseguido localizar o ninho da águia depois de tantos anos.

Fomos embora, deixando o drama da sobrevivência dos melhores desenrolar por conta própria entre os filhotes. Eles sobreviveriam ou morreriam, conforme ditavam as leis da natureza. Adentramos ainda mais fundo o deserto, em direção às planícies de terra preta, no encalço da serpente mais peçonhenta da Terra.

Ao final dos anos de 1800, boiadeiros conduziam o gado por milhares de quilômetros na paisagem árida das regiões vizinhas ao Deserto Simpson. Nas rachaduras e fissuras do solo escuro viviam serpentes que saíam de suas covas subterrâneas para tomar sol. Conforme o gado se aproximava, as cobras se moviam – dando aos boiadeiros a impressão de que estavam, na verdade, seguindo o gado.

– Puxa! – diziam eles –, essas cobras são realmente ferozes.

Foi assim que a serpente feroz adquiriu seu nome. Ela é, gota a gota, mais peçonhenta do que qualquer outra serpente do mundo, mas causa pouco transtorno aos humanos porque vive em locais muito remotos. Serpentes ferozes desaparecem em buracos subterrâneos e rachaduras, e ficam à espera da praga do rato, que acontece de tempos em tempos. Esse é um período de muita alegria para as cobras, pois elas garantem sua alimentação.

Foi somente na década de 1970 que a espécie foi redescoberta, após ter sido descrita cerca de 80 anos antes. Bob, o pai de Steve, era apaixonado por essas discretas cobras e se juntou aos cientistas do Queensland Museum para estudá-las.

Steve simplesmente sabia como e quando encontrá-las. Na manhã seguinte, saímos bem cedo, antes que começasse a ventar. A temperatura era de 30 °C. Steve fixou o olhar bem longe, como se estivesse se concentrando ou se comunicando com alguém. Então foi em frente. Dez minutos depois, estávamos na trilha de uma serpente feroz.

– Quer pegar uma pela cauda? – perguntou ele.

– Você só pode estar brincando! – eu disse. – Não tenho a menor idéia de como pegar uma serpente feroz.

A essa altura, ele já havia agarrado uma pela cauda. Segurando com suavidade a extremidade da cauda da serpente, ele a mantinha a distância e a examinava. Durante esse procedimento, era comum as cobras defecarem, o que nos dava a chance de ter alguma pista sobre o que elas ingeriam. Steve capturava uma cobra pela cauda, colocava-a em um saco e depois a libertava, guardando o excremento para que pudesse analisá-lo.

– É você quem vai agarrar a próxima – ele disse. Localizou uma de cerca de um metro e meio. Ela brilhava ao sol como se fosse vidro – lustrosa e macia.

– Ela está se aquecendo – disse Steve conforme nos aproximamos. – Você vai ter de agir rápido.

Sim, Terri, pensei comigo mesma, *por favor, seja rápida, para não ser atacada pela cobra mais peçonhenta do mundo. Se você for picada aqui, nesta região remota, na certa criará um enorme problema.*

Arrastamo-nos atrás da serpente feroz. Cheguei perto o suficiente para agarrá-la, mas ela subitamente virou com violência a cabeça na minha direção e equilibrou-se, pronta para o bote. Recuei imediatamente. Várias vezes tentei me aproximar dela, exatamente como havia visto Steve fazer: caminhe atrás dela; quando ela começar a se movimentar, agarre-a pela cauda. Eu sabia o que tinha de fazer, mas não conseguia fazê-lo. Toda vez que me curvava para apanhá-la, ela se virava e eu pulava para longe dela.

Seguindo a trilha da serpente, entrávamos cada vez mais naquela região remota. Nossa caminhonete havia ficado muito para trás. Mal dava para vê-la a distância. Eu transpirava muito. Pensava sempre a mesma coisa: *Se eu for picada por essa cobra, morro*. Assim, eu tentava afastar esse pensamento. *Pare de pensar; agarre a serpente e pronto. Steve não pediria para você fazer algo que não pudesse fazer.*

Entretanto, todo o processo estava se tornando ridículo. – O que estou fazendo de errado? – perguntei, chorosa.

– Você é medrosa demais – disse Steve.

– Ah! Sou? – eu disse.

Então, abaixei-me e peguei a cobra.

Foi uma coisa mágica. Quando segurei aquele corpo bonito, macio, flexível em minhas mãos, foi como se a serpente e eu estivéssemos estabelecido uma ligação. Senti a pele quente por ela ter se exposto ao sol. De repente, compreendi exatamente como segurá-la de forma que ela não escapasse, e ainda assim, não apertá-la demais para que ela não se zangasse. Naturalmente, ela tentou seguir adiante. Deixei a parte dianteira de seu corpo ficar no chão e mantive a sua cauda levantada.

Senti-me triunfante – não que eu tivesse dominado a serpente, mas pelo fato de que ela havia me permitido segurá-la. Steve segurou um saco aberto e eu, cuidadosamente, a joguei lá dentro. Ele amarrou a boca do saco. Olhamos um para o outro e rimos muito. Em seguida, gritamos e demos pulos de alegria. Ele me abraçou e me beijou.

– Estou orgulhoso de você, Terri – ele disse. Mais uma vez fiquei deslumbrada com os instintos de Steve. Ele sabia que essa serpente em particular era uma que eu podia pegar sem problemas. Em momento algum ele hesitou, gritou comigo ou quis me ensinar – até que eu pedi ajuda. Então, ele apenas me disse o que eu deveria fazer.

* * * *

Voltamos para o zoológico e para o emaranhado burocrático de meus papéis de imigração. Minha autoconfiança estava renovada. Senti que se eu era capaz de enfrentar serpentes ferozes, era capaz de enfrentar qualquer coisa, até mesmo o consulado australiano.

Guardei para sempre todas as lições que aprendi naquela viagem. Dê a Steve o benefício da dúvida. Se ele "decolar" atrás de um emu, esteja com a câmera pronta, pois ele voltará com um. Se ele disser que achará um local específico em uma paisagem deserta, que ele visitou mais de 20 anos antes, não questione nada. Apenas pergunte quando ele acha que chegará lá.

Minha aprendizagem estava apenas começando. Logo eu aprenderia algumas habilidades essenciais para um aspirante a guerreiro em defesa da vida selvagem.

CAPÍTULO OITO

Furto de Ovos

Em dezembro de 1992, com emoções conflitantes, voei de volta para os Estados Unidos. Estava feliz por poder rever minha família e meus amigos, mas triste por estar longe de Steve.

Parte do problema tinha a ver com o processo que não parecia fazer qualquer sentido. Primeiro, eu teria de me apresentar nos Estados Unidos e provar que estava realmente presente, ou eu jamais teria permissão para imigrar de volta para a Austrália. E havia mais: a pessoa a quem eu deveria provar minha presença não estava, ela própria, presente naquele momento.

Documentos de controle das taxas de encaminhamento dos papéis sumiram; a mesma coisa aconteceu com a foto do passaporte e alguns documentos que haviam sido assinados. Tive de fazer novamente os exames médicos – exame de sangue, teste de tuberculose –, tirar atestado de bons antecedentes e várias vezes recebi como resposta "talvez" e "volte amanhã". Seria muito estranho, para não dizer surreal, se eu não estivesse sentindo tanto a falta de Steve.

Isso aconteceu quando ainda devíamos estar juntos, em nossa lua-de-mel, e não distantes um do outro. Um mês foi esticado para seis semanas. Steve e eu tentamos manter nosso amor vivo por meio de ligações de longa distância, mas percebi que ouvir Steve me contar por telefone que "nossa píton maior e mais reticulada morreu" ou que "os lagartos monitores estão pondo ovos" não substituía de maneira alguma o estar junto dele.

Era uma situação frustrante. Não fazia sentido ficar sentada esperando. Então, mantive-me envolvida no enervante serviço da burocracia.

Quando meu visto finalmente chegou, dois meses já haviam se passado, e parecia a manhã de Natal. Naquela noite, fizemos uma festa de despedida no restaurante de minha irmã e toda a família apareceu. Alguns trouxeram biscoitinhos caseiros, outros trouxeram presentes. Embora eu soubesse que iria sentir saudade de todos, estava pronta para ir para casa.

Para mim, minha casa não era mais o Oregon. Casa, para mim, era simplesmente estar ao lado de Steve.

Quando voltei ao zoológico, estávamos apaixonados um pelo outro. Steve e eu éramos inseparáveis. Nossas noites eram de comemoração de nosso reencontro. Os dias se consumiam na administração do zoológico, nós dois juntos, sempre correndo muito. Aumentava a cada dia o número de pessoas que vinham conhecer o local. Para nossa felicidade, outro recorde de visita foi quebrado. Animais reabilitados chegavam em grandes números: bebês cangurus, um lagarto com duas pernas fraturadas, uma águia envenenada.

Meu coração estava feliz. Era bom voltar ao trabalho. Eu estava com saudade dos meus amigos animais – cangurus, casuares e crocodilos.

Steve e eu tivemos de transferir uma fêmea de jacaré para outro cercado e John veio filmar. Trabalhar com essas grandes espécies crocodilianas era ainda coisa muito nova para mim. Steve pulou e agarrou a fêmea adulta, que começou imediatamente a se dirigir para a água, arrastando-o com ela.

– Agarre as pernas traseiras dela! – gritou ele para mim.

Agarrei uma perna traseira e a cauda, tentando fazê-la parar. Steve girou para um lado para tentar impedir que ela se movesse e escapasse. Ao fazer isso, torceu o joelho e eu ouvi o estalo. Esse evento aparentemente insignificante contribuiu para problemas sérios no joelho que iriam infernizar Steve constantemente. Senti-me horrível. Se eu tivesse feito um serviço melhor, segurando o jacaré, Steve talvez não tivesse tido problemas com o joelho.

– Não se preocupe com isso, querida – ele me disse naquela noite. Não me deixou colocar gelo no local. Ele percebia que eu achava que tudo havia sido culpa minha. – Meu joelho me dá problemas desde os tempos do colegial.

Nunca parecia haver espaço para monotonia. Uma manhã, antes de abrir o zoológico, Steve entrou correndo em casa. – Vista depressa seu roupão – disse. Segui Steve até o cercado do jacaré e não acreditei no que vi. Duas das nossas fêmeas adultas, conhecidas como as "Irmãs Caninas" haviam escolhido o mesmo local para seu ninho dentro do cercado. Elas estavam estraçalhando o cérebro uma da outra e escorria sangue da cabeça de ambas. Por nada neste mundo uma delas desistiria da briga.

– Entre lá! – gritou Steve. – Temos de separá-las. – Pediu-me que pulasse sobre uma enquanto ele pulava sobre a outra. Quando as tínhamos mais ou menos sob controle, ele começou o doloroso processo de separar suas mandíbulas.

Nós dois ficamos cobertos de lama e de sangue. Fiquei observando Steve entrar naquele duelo de jacarés engalfinhados em um combate mortal. As duas fêmeas pareciam determinadas a matar uma a outra, e ele estava determinado a salvar ambas. De repente, as duas pararam de lutar, mas não demorou nada para voltarem à luta. Foi preciso que nós dois empenhássemos toda a nossa força para separá-las.

Por um bom tempo, ficamos sentados na lama, cada um de nós segurando uma delas, ambas banhadas em sangue. Olhamos um para o outro, segurando-as com muita firmeza, pois sabíamos que se as soltássemos, tudo iria recomeçar. Era ainda bem cedo e não havia ninguém no zoológico. Steve segurava uma fêmea de jacaré de quase três metros e eu segurava a outra. Parecia que estávamos naquele impasse já fazia uma eternidade.

Eu achava que não iria conseguir agüentar por muito mais tempo. Finalmente Steve colocou o braço debaixo do jacaré e o girou. Deu um salto, agarrou um painel da cerca e o colocou entre as duas fêmeas para separá-las. Brandindo o painel como se fosse a capa vermelha de um toureiro, Steve manteve as duas separadas enquanto eu corri para pegar material de construção para que ele pudesse improvisar uma barreira. Jacarés machos convivem melhor entre si do que fêmeas. Elas tendem a brigar por espaços para seus ninhos, enquanto os garotões simplesmente coexistem. Não havia a menor possibilidade de as Irmãs Caninas dividirem o mesmo ninho.

Gradativamente fui me familiarizando com a personalidade de todos os crocodilianos do zoológico. Como as pessoas, cada um tinha a sua personalidade individual. Passei a conhecê-los mais intimamente no período de chocagem. Crocodilos de água salgada depositam cerca de 60 ovos por temporada. Se todos os ovos ficam no ninho, alguns se quebram e o cheiro de ovo podre se torna insuportável – assim, uma das tarefas da equipe que cuida do zoológico era remover os ovos.

Mary, nossa fêmea mais velha, não dava trabalho porque ia atrás de qualquer um que se aproximasse dela, deixando o ninho sem proteção. Cookie era outro assunto completamente diferente. Sentava-se diretamente em cima do ninho e não saía de lá por nada. Steve tinha de chegar bem perto para convencê-la a sair. Quando ela deixava o ninho para correr atrás de Steve, minha obrigação era correr até lá e pegar quantos ovos fosse possível. No meu primeiro ataque, peguei 66 ovos do ninho de Cookie.

Tínhamos de transferir muitos crocodilos menores de um cercado para outro, conforme eles cresciam. Os grandes se tornavam dominantes sobre os pequenos, o que dificultava ainda mais as coisas, inclusive o horário da alimentação. Um dia, convidamos John para trazer sua equipe e filmar uma dessas situações de mudança de alguns dos pequenos de água doce. Eles mal chegavam a um metro de comprimento, mas mesmo assim, era mais do que aquilo de que eu conseguia dar conta, com eles se debatendo, tentando morder, as mandíbulas bem abertas, os corpos girando e se agitando violentamente. No fim, acabamos dando boas risadas, nós dois cobertos de lama da cabeça aos pés.

Os crocodilos do zoológico eram estrelas. Mary conseguiu aparecer no *Endless Summer* 2, a seqüência do fabuloso documentário sobre surfe da década de 1960. Desde garoto, Steve foi sempre um surfista muito bom. No cinema, Steve fez – o que mais poderia ser? – um surfista carregando sua prancha, passando por um olho d'água, com um crocodilo lá dentro.

Mary representou seu papel com perfeição. A equipe de filmagem se organizou no cercado dela. Ela ficou lá sentadinha, exibindo sua cabeça cheia de protuberâncias com pose de muito feroz. Steve caminhava ao redor dela como quem não quer nada, carregando uma prancha de surfe, as pernas filmadas bem perto de Mary, e ela exibindo suas enormes presas – tudo para causar a maior sensação.

Os milhares de dólares que as pernas de Steve ganharam por sua pequena atuação ajudaram a custear o cercado da águia-de-rabo-de-cunha do zoológico, um grande espaço com toras de madeira pendendo do teto para servir de poleiro. Como sempre, foi o próprio Steve quem os colocou lá. O cercado garantia um lar para duas aves feridas, além de ser uma excelente mostra educativa. Estávamos mantendo nossa promessa de investir cada centavo que o Caçador de Crocodilos ganhasse diretamente no projeto de conservação da natureza.

Mais ou menos na época em que Steve terminou o cercado da águia, enfrentamos pela primeira vez uma imprensa negativa. Um programa australiano exibia uma matéria sensacionalista sobre o zoológico, sobre nossos documentários e sobre Steve. Lá estava ele, na televisão nacional para toda a Austrália ver. Segundo eles, o trabalho de Steve sobre a vida selvagem não era genuíno. Ele era um mágico e o que as pessoas viam era apenas truque.

O programa quase acabou com Steve, que passara toda a vida como amigo e defensor dos animais selvagens e sempre quis compartilhar sua paixão com o mundo. Ele ficou realmente ofendido e eu sofri junto com ele. O incidente foi uma lição de como o mundo funcionava. Fiquei sabendo que houve gente que realmente inventou coisas para o show. No fim, Steve soube lidar com tudo melhor do que eu. Tive sonhos horríveis e cheguei até a sentir um pouco de náusea. Nunca me importei de ser criticada pelas pessoas. Eu sabia quem eu era e o que pretendia. Mas ouvir alguém dizer coisas negativas a respeito de Steve me machucou profundamente.

Felizmente, dias melhores estavam por vir.

Shasta latia e uivava, radiante por me ver. Depois de infinitas transações com papéis e nove meses de quarentena, ela finalmente chegou a Brisbane. Fui buscá-la no aeroporto. Quando a localizei, ela estava rosnando para o pessoal encarregado do transporte aéreo. Assim que me viu, ela mudou a expressão completamente. Foi um momento mágico.

Embora, no início, o calor a tivesse massacrado, Shasta gostou bastante de sua nova casa. Tinha dois acres de quintal com muita sombra, e ela podia entrar dentro de casa quando quisesse. Era como ter um pedacinho de minha casa comigo novamente.

Nessa época, considerando Steve e eu, a rica era eu. Depois de vender minha casa do Oregon e minha empresa, a Westates Flagman, eu tinha cerca de 120 mil dólares no banco. Nós queríamos expandir o zoológico e procurávamos propriedades nas adjacências. Um terreno de dois acres estava à venda, mas os proprietários queriam 60 mil dólares por ele.

Se comprássemos esse lote, poderíamos expandir o zoológico de quatro para seis acres. Na época, parecia um passo enorme. Discutimos muito a respeito. Conversamos, sonhamos e fizemos planos. Steve parecia estar sempre preocupado com o futuro.

– Se acontecer alguma coisa comigo, prometa-me que você vai continuar a cuidar do zoológico.

– É claro que vou continuar – eu disse. – É fácil prometer isso, mas nada irá acontecer com você. Não se preocupe.

– Você vai continuar a me amar mesmo se um crocodilo me agarrar e me deixar sem uma perna ou um braço?

– Claro, lógico que continuarei a amá-lo – eu disse.

Porém, havia muitas noites em que ele imaginava cenários improváveis apenas para ter certeza de como eu realmente me sentia. Certa noite ele me pareceu especialmente preocupado; sua fronte estava carregada.

– O que há com você? – perguntei.

– Diga-me por que você se casou comigo.

Caí na risada. – Porque você é bom de cama.

Aquilo quebrou a tensão e ele caiu na risada também. Foi bom para nos fazer relaxar. Entretanto, algumas vezes ele me perguntava se eu havia me casado com ele porque o amava, ou se era porque ele era um pouco de Tarzan, de Crocodilo Dundee e de Indiana Jones, todos embalados em uma só pessoa.

– Sou apaixonada por você, Steve Irwin – garanti a ele –, e uma parte do porquê eu o amo é porque você é um grande defensor da vida selvagem. Sua empatia e compaixão por todos os animais fazem parte dos meus sentimentos também. Mas o mais importante de tudo é que o destino nos uniu.

Steve continuou a discutir o assunto e trouxe à tona o tema da morte. Ele tinha certeza de que nunca chegaria aos 40 anos. Era por isso que ele tinha sempre tanta pressa de fazer o máximo que podia.

Não se sentia triste por isso. Sentia apenas uma grande motivação para fazer a diferença antes que se fosse para sempre.

– Não tenho medo da morte – ele disse. – Só tenho medo de morrer. Não quero ficar doente e ir definhando aos poucos. Adoro trabalhar bastante, me divertir bastante, viver intensamente e valorizar cada momento da vida.

Aprendi muito com Steve. Ele me ajudou a reavaliar minhas próprias metas, minha própria vida. O que aconteceria se eu não chegasse aos 40? Que legado eu deixaria?

Naquela noite, ele meditou mais do que nunca. – Nenhum dos nossos insignificantes problemas realmente importa – ele disse.

Concordei. – Daqui a 100 anos, que diferença irá fazer essa preocupação por dois acres de terra? Precisamos nos concentrar na mudança real que fará o mundo melhor para nossos filhos e netos.

Steve olhou para mim de uma maneira estranha. Filhos? Nunca havíamos discutido muito a respeito de filhos, porque vivíamos duros, sem grana. A idéia de filmar mais documentários, administrar o zoológico e ter uma família era assustadora demais. Porém, naquela noite concordamos em uma coisa: iríamos gastar uma parte de minhas economias e dar o salto para expandir o zoológico. Foi uma decisão que nos deixou felizes.

– Foi pura sorte termos nos encontrado antes de eu me tornar o Caçador de Crocodilos – ele disse.

Eu sabia sobre o que ele estava falando. Assim, as coisas ficavam muito mais fáceis, muito mais claras. Eu havia me apaixonado por Steve Irwin, não pelo cara da TV.

– Não sei como eles fazem isso – ele disse.

– Eles quem? – perguntei.

– Os que estão debaixo dos refletores – ele disse. – Como eles podem dizer quem é quem para eles e quem está apenas correndo atrás da fama? Isso muda o foco de tudo. Mas não para nós – acrescentou.

– Concordo plenamente – eu disse.

Por aquela época, Steve havia garantido um pedacinho de posteridade de uma forma que ele não esperava. Enquanto rodávamos um filme chamado *Hidden River*, ele e eu passamos remando diante da câmera para uma tomada especial. De repente, Steve pulou do barco e desapareceu na água. Nessa época, eu já havia me acostumado aos sumiços repentinos dele – sem qualquer razão aparente. Virei-me para procurar por ele e, depois do que me pareceu um longo tempo, ele voltou à superfície com alguma coisa. Era grande e redonda, como um prato.

– O que é isso?

Ele levantou uma grande tartaruga, muito emaciada, e a puxou para dentro do barco. Ela tinha uma cabeça bem clara, um nariz meio rosado e uma cor bonita, suave. Seus olhos aquosos se levantaram e olharam para Steve. *Agora que você me pegou, o que vai fazer comigo?*

– Puxa vida! Só vi esta espécie uma vez antes, com meu pai – disse Steve maravilhado. Como se confirmou depois, ele havia descoberto uma nova espécie de tartaruga bem lá no meio do rio. Tiramos fotos de sua descoberta, filmamos, medimos e pesamos a tartaruga.

O Museu de Queensland constatou que se tratava de uma espécie ainda não descrita, e decidiram chamá-la de "a tartaruga de Irwin" – *Elseya irwini*, e ela carregaria para sempre o nome de Steve.

De volta ao zoológico, quando já havíamos decidido comprar os dois acres adicionais, Steve estava determinado a abrir o total dos quatro acres originais à visitação pública. O Parque Ambiental de Crocodilos havia sempre sido uma parte separada do zoológico, com entrada separada, aberto apenas para demonstrações com crocodilos. Porém, agora, com o crescente público visitante, como resultado dos documentários, ele queria exibir os crocodilos.

Steve planejou a grande sessão de inauguração do Crocodile Environmental Park (Parque Ambiental de Crocodilos) para os feriados escolares do Natal. Isso significava construir novas passarelas para pedestres, rampas, arquibancadas para dar maior visibilidade aos visitantes, e também cercas duplas em volta dos cercados para que as pessoas não se aproximassem muito dos crocodilos. Era realmente uma enorme quantidade de trabalho.

Steve trabalhou incansavelmente toda a primavera concretando os lagos dos crocodilos. Mudou os animais de lugar para que cada crocodilo ficasse bem visível. Trabalhou sem parar. O tempo não colaborou e a estação das chuvas chegou cedo naquele ano. Steve começou em setembro e trabalhou direto até o Natal, quase 16 semanas de serviço pesado.

Seu foco era sempre nos animais que ele tanto amava. Eu sabia que ele não queria ninguém aparecendo no zoológico apenas para ver o Caçador de Crocodilos. Ele queria que as pessoas viessem para ver os crocodilos. Assim era Steve. Trabalhar com muito afinco era sua maneira de garantir que o público tivesse a melhor oportunidade de amar os crocodilos da mesma maneira como ele os amava.

Steve acabou sofrendo terríveis queimaduras do concreto nos braços e mãos. Seu pulso teve de ser enfaixado. Durante esse período ele nunca se queixou. Conseguimos fazer tudo em tempo e de acordo com o planejado. Abrimos para o Natal e feriados escolares australianos, e o novo layout foi um grande sucesso. Os visitantes fluíam com regularidade e todos se encantavam com os crocodilos, observando-os exatamente como os observariam em seu habitat natural. Deixavam o zoológico com uma nova impressão do animal favorito de Steve.

Logo depois, em um esforço para apresentar ao público um novo ícone australiano, embarcamos para uma jornada épica.

CAPÍTULO NOVE

"Sei o Que Temos de Fazer"

Steve havia concluído a expansão do zoológico para satisfazer o crescente fluxo de visitantes. Imediatamente após os feriados escolares, partimos para uma nova e ambiciosa expedição, que resultaria em um documentário. Queríamos seguir o curso de uma lendária cerca, construída na parte sudeste do país, zona de criação de carneiros, com a finalidade de manter a distância os predadores dingos – os selvagens cães da Austrália. Dos originais quase 8 mil km de extensão, e quase quatro vezes mais longa do que a Grande Muralha da China, agora só restavam cerca de 4.500 km – mas ainda era a mais longa estrutura já construída pelo homem.

Steve estava curioso para ver como a cerca funcionava. Ninguém tinha muita certeza se ela era realmente eficaz. Obviamente, havia dingos por toda a região onde havia criação de carneiros; portanto, não estava muito claro se a cerca estava realmente funcionando ou se a quantidade de dingos havia diminuído pela ação de criadores de carneiros, que usavam armas e veneno como isca.

Boa ou não, a cerca era um fenômeno verdadeiramente australiano. Estávamos dispostos a documentá-la tão integralmente quanto possível, seguindo seu curso através de uma das mais remotas regiões da Terra. Para começar, do ponto de vista logístico, o projeto significava um empreendimento extraordinário. Levar uma equipe de filmagem junto seria uma enorme responsabilidade para Steve – exatamente o tipo de desafio que o atraía.

Steve e eu queríamos muito voltar a filmar com John Stainton. Como produtor e diretor, John era muito esperto, deixando Steve fazer o que ele sabia fazer de melhor, e depois editava o filme, dando os retoques finais à aventura completa. Juntos, funcionávamos bem e nos tornamos grandes amigos.

John sempre me deu a impressão de um improvável guerreiro defensor da vida selvagem. Durante todos os anos em que trabalhamos juntos, nunca o vi brigando com qualquer animal selvagem, nem mesmo com uma lagartixa. Por incrível que pareça, ele também conseguia se manter limpo nas condições mais adversas em que pudéssemos nos encontrar. Honra seja feita, ele conseguia seguir o ritmo de Steve, não importava o quanto as moscas incomodassem, o quanto de calor fazia, ou quaisquer outros apuros por que passassem ao enfrentar a savana mais remota. Em uma viagem como essa, não havia no mundo melhor diretor do que ele.

Sui foi conosco; Shasta ficou em casa, à sombra das árvores. Para minha velha cadela, essa viagem seria muito agitada. Sui, ao contrário, iria se divertir bastante, pois estava acostumada a ir para o meio do mato – era como se fosse sua segunda casa. O único perigo seriam as iscas do raticida 1080 plantadas ao longo do caminho para os dingos.

Partimos do local onde a cerca começava, na extremidade norte, em Queensland. Encontramos o homem encarregado da parte norte – uma seção de cerca de 2.400 km. Ele tinha uma equipe de 23 homens sob sua responsabilidade, só para cuidar da cerca e mantê-la intacta. Ouvimos as histórias que ele e a mulher nos contaram sobre animais selvagens. Não sei muito bem por que, mas tive a impressão de que eles odiavam emus. Acho que era porque um emu poderia entrar em pânico, sair correndo e fazer um buraco na cerca.

– Sabe de uma coisa? Um emu consegue correr 60 quilômetros por hora – ele disse, deliciando-se com sua história. – Mas se eu colo meu caminhão em seu traseiro, ele corre até 68 quilômetros por hora. É divertido vê-los olhar para trás no exato instante antes de serem atropelados.

Eles riam ruidosamente até perceberem que nenhum de nós estava rindo. A mulher deve ter pensado que não tínhamos entendido a piada, porque tentou explicá-la melhor. – Nosso filho mais velho sempre pede ao pai: "Vamos atropelar um emu, papai, vamos atropelar um emu!"

Depois disso, enquanto seguíamos a linha da cerca, ficou claro que Steve estava tentando voltar ao trabalho e esquecer aquela conversa infeliz. De repente, ele teve uma premonição. Virou-se para mim. – Alguma coisa vai acontecer – disse.

Bem à nossa frente, um coala atravessou um *paddock* em direção a campo aberto. Imediatamente, Steve pulou fora do caminhão.

– Pegue John e me encontre! – gritou ele.

Pulei para o volante e, sacolejando horrores naquela estrada lamacenta, reuni John e sua equipe para filmar o encontro de Steve com o coala.

– Como você sabia que algo iria acontecer? – perguntei a Steve depois que filmamos o coala e o deixamos seguro em uma árvore. – Como você teve essa sensação?

Ele encolheu os ombros. – Não sei, minha querida; é a coisa mais estranha. – Será que os instintos de Steve com relação à vida selvagem eram mais aguçados do que os de qualquer outra pessoa? Não acreditava que a coisa fosse tão simples assim. Ele parecia se afinar com a vida selvagem por meio de um sexto sentido. Depois de viver anos no remoto interior da Austrália, ele havia refinado seu dom e o transformado em uma estranha habilidade.

Os australianos não conhecem muito bem a cerca dos dingos. Isso acontece porque não se pode simplesmente ir até lá como se ela fosse uma atração turística. A cerca passa por propriedades privadas;

portanto, é preciso obter permissão dos proprietários – em alguns casos, permissão oficial – principalmente para protegê-la de vândalos. Também há que se considerar que algumas das regiões ao longo da cerca são muitíssimo remotas. Não é lugar para marinheiros de primeira viagem.

Quando passávamos pela pequena comunidade de Thargaminda, tive a rara chance de me deliciar em um chuveiro quente na delegacia de polícia, enquanto Steve verificava as condições da estrada. Algumas das crianças do local notaram nossa presença e nos convidaram para irmos até sua escola. Encontramos todos os estudantes de lá – 51 crianças.

– Vocês têm muita sorte por ter tantas cobras lindas por aqui – disse Steve. Ele explicou como viver em segurança com as cobras peçonhentas da região e até fez uma demonstração de primeiros socorros em casos de picadas. As crianças ficaram fascinadas com cada palavra que Steve disse.

Ao voltar da escola, Steve subitamente pisou no freio e o caminhão deslizou na terra. Gritou um palavrão contra si mesmo. – Eu estava indo muito depressa – disse. – Acho que atropelei um dragão-barbudo.

Desceu do caminhão, abalado, até que notou que o lagarto estava vivo e passando bem – estava sentado, aprumadinho, no meio da estrada.

Steve retirou o lagarto da estrada e se deitou no chão com ele para ser filmado. – Que bichinho incrível! – ele disse. – Veja como ele eriça a barba como mecanismo de defesa. Ele tem todas essas escamas espinhosas nas costas para evitar que os predadores o peguem e o comam.

Steve se encontrava cara a cara com o lagarto, que estava todo eriçado para parecer amendrontador. Distante dele apenas alguns centímetros, ele falava com muita paixão sobre aquele pequeno habitante do deserto. O lagarto, entretanto, pensava coisas bem diferentes. Decidiu ser um pouco mais durão do que Stevo. Numa fração de segundos, deu um salto no ar e atacou Steve no rosto.

Steve deu um pulo para trás, mas não antes de ganhar uma bela mordida no nariz.

– Veja o que você fez no meu nariz, seu mal-educado!

Caí na risada. Steve aproveitou a oportunidade para reafirmar uma lição importante. Quando um animal pega você, não é culpa do animal. É culpa sua.

– Eu estava sentado cara a cara com ele – disse. – Estava claro que ele iria me morder. – Steve não demonstrou qualquer desprezo pelo lagarto. Enquanto isso, a equipe e eu ainda nos recuperávamos do susto. Rimos tanto que chegamos às lágrimas. O lagarto parecia rir também quando correu e deslizou rapidamente por um pedaço de madeira.

Conforme continuávamos seguindo ao longo da cerca dos dingos, passamos por uma porteira atrás da outra. Steve estava ao volante; fui, então nomeada "abridora de porteiras". Cada porteira que encontrávamos revelava um novo e engenhoso método de fechamento. Cada fazendeiro tinha seus próprios esquemas e alguns eram de uma complexidade fascinante. Eu tinha de examinar com muito cuidado cada geringonça daquelas antes de abri-la, para poder fechá-la da maneira correta novamente.

Pare o caminhão. Olhe a porteira. Abra a porteira, atravesse, feche a porteira.

Algumas delas estavam fechadas havia anos e anos; assim, os halófitos haviam crescido e as bloqueavam. Eu tentava tirar essas enormes ervas daninhas do caminho, e Steve, na direção, mostrava-se impaciente, querendo atravessar logo. Depois de brigar com uma porteira atrás da outra, desenvolvi boa habilidade nessa área. Foi então que tivemos de parar para Steve trocar o segundo pneu do dia – quando o mais inimaginável aconteceu.

Sui correu para o mato e agarrou o que parecia um pequeno pedaço de madeira. Ela estava sempre mastigando algum galhinho; portanto, não prestei muita atenção no que estava fazendo. Porém, subitamente, me dei conta de onde estávamos. Corri em direção a ela.

– Jogue isso fora – gritei. Ela cuspiu o tal pedaço de madeira, que, na verdade, era um antiquíssimo pedaço de carne, completamente ressecado.

Advertências sobre o veneno 1080 haviam sido colocadas em quase todas as porteiras pelas quais passamos. Veneno cruel, o 1080 basicamente faz um cachorro ficar louco. Ele irá salivar e correr freneticamente, aparentando sentir muita dor. Depois irá espumar na boca e ter uma convulsão antes de morrer. É uma morte horrível.

Receávamos que o velho pedaço de carne contivesse o 1080. Passamos a noite monitorando Sui. Ela não demonstrou quaisquer sintomas de envenenamento; acho que a salvei na hora certa.

Quilômetro após quilômetro, seguimos a cerca dos dingos – e não vimos um único dingo vivo. Encontramos vários deles mortos, pendendo de árvores e de cercas. Quando um dingo é morto, ele tem de ser escalpelado de certa maneira para que aquele que o matou possa reivindicar a recompensa.

Vimos inúmeros dingos sem a pele das orelhas até as costas, incluindo a cauda. Os caçadores de recompensas penduravam a carcaça ou a pele ao lado da cerca onde o dingo foi morto. Isso mostra a qualquer um que esteja passando de que lado da cerca o cão havia sido visto. Os caçadores recebem 10 dólares por cada dingo escalpelado.

Conforme seguíamos em direção ao sul, através da região das montanhas Flinders Ranges, enfrentamos tempo ruim. Estava muito frio e a chuva caía horizontalmente. Dirigimos quase até o anoitecer. Com a luz dos faróis, vi pequenos animais pulando por toda a parte.

Entusiasmado, Steve pulou do caminhão e fez sinal para que eu prestasse atenção às criaturas que surgiam da lama.

– *Cycloranas* – disse Steve –, rãs que retêm água. – Explicou que essas rãs se escondem no chão e reduzem a perda de água por evaporação, cobrindo o corpo com uma membrana que preserva a água.

Elas não urinam e nenhum fluido de seu corpo evapora. Podem permanecer debaixo do solo por semanas, meses, ou até mesmo anos, até a chegada da próxima estação das chuvas.

– Depois, elas emergem de suas pequenas tumbas, livram-se da membrana e estão novinhas em folha – disse Steve, encantado. – Estão prontas para reproduzirem, para se alimentarem e para fazer tudo aquilo que normalmente fazem.

Foi uma tarefa épica conseguir instalar a câmera com dispositivos à prova d'água para filmar as *cycloranas*. Finalmente a chuva cedeu e Steve conseguiu filmar uma cena. Havíamos dirigido todo o dia debaixo de chuva, trocado pneus furados por causa das más condições da estrada. Steve teve até de consertar uma parte da cerca quando o caminhão da equipe de filmagem escorregou na lama e fez um buraco nela. Todos nós estávamos para lá de cansados.

Por mais que Steve tentasse, ele não conseguia ser muito claro no que dizia. Não conseguia explicar muito bem como as rãs podiam ficar tanto tempo sem água. "Membranas", acabou virando "mom-branas", "cheio d'água" virou "cheiro-d'água".

Estávamos começando a nos sentir frustrados. Exasperado, John disse: – Apenas diga alguma coisa realmente clara. – Cochichei duas palavrinhas no ouvido de Steve. Ele se virou para a câmera.

– Água... não – ele disse. Toda a equipe caiu na gargalhada. Duas palavrinhas para descrever resumidamente a rã que absorvia e retinha água no corpo.

Naquela noite, não tivemos como acender um fogo para preparar o jantar. Pegamos um pedaço de pão e um pote de molho de tomate e ficamos dentro do caminhão comendo sanduíches com molho. Como os veículos estavam cheios de equipamento, era impossível dormir dentro deles. Também não resolveria erguer uma lona na chuva forte. Então Steve abriu nossos sacos de dormir, pôs Sui no meio, e depois embrulhou o encerado em volta de nós como um enorme burrito, o tradicional prato da culinária mexicana. Foi assim que dormimos – a chuva despencando sobre nós. Estávamos tão cansados, que dormimos muito bem.

Na manhã seguinte, o sol surgiu anunciando um dia sem chuva. Notamos que estávamos completamente enlameados depois daquela noite acidentada. Um dos maiores desafios da viagem era encontrar um lugar para tomar um banho. Nem sempre havia açudes por perto, e água potável era preciosa demais para usar no banho. Porém, como estávamos viajando ao longo da cerca dos dingos, estávamos em região de criação de animais. Lá onde Judas perdeu as botas, era comum encontrar um cocho com água escorrendo de um cano.

Com a luz do dia, tivemos a sorte de localizar um cocho para carneiros não muito distante de onde havíamos acampado. O cocho não tinha válvula flutuante; assim, o poço havia transbordado e formado uma espécie de lago ao seu redor. Com os carneiros indo e vindo, o "lago" era mais lama do que água. Apesar do óbvio desafio de atravessar a lama, eu estava decidida a tirar vantagem de um gostoso banho de tina. Como a única mulher do grupo, recorri ao lance "primeiro as damas" e fui adiante.

Sentia-me radiante, carregando minha escova de dentes, sabonete e xampu. Mas quando cheguei lá, fui recebida por um odor terrível – um carneiro havia ficado preso na lama e morrido já fazia algum tempo. Seu corpo estava parcialmente liquefeito e cheio de larvas. Ignorar esse pequeno amigo era difícil, mas eu não tinha a menor idéia de quando teria minha próxima chance de me lavar. Contornei a lama, equilibrando-me precariamente na borda da laje onde o cocho ficava apoiado. A água fluía vagarosamente do cano, e 3/4 da sua superfície estavam cobertos de lodo semelhante a algas.

Depois de remover um bocado daquela coisa pegajosa, coloquei minhas roupas em um canto seco do concreto e fiquei mais à vontade. Tentei não pensar nos insetos aquáticos que me picavam e fiz um esforço enorme para não agitar o barro que havia no fundo do cocho

– remanescentes de pássaros que haviam se afogado e morrido. *Não pense nisso*, falei para mim mesma.

Prendi a respiração e afundei. Decidi que não lavaria os cabelos novamente por uma semana. Foi tão desagradável afundar a cabeça lá dentro! Acabei meu "banho" e foi a vez dos outros. Suponho que tenha sido melhor do que não tomar banho de jeito algum... talvez.

Foram 20 dias e quase 5.000 km sacolejando, pulando, dirigindo fora da estrada, vivendo no meio do mato. Entretanto, sentimos a gratificante sensação de uma conquista árdua, quando chegamos à fabulosa vista da Great Australian Bight (Grande Baía Australiana), uma imensa baía cravada na costa sul. Valeu todo o sacrifício.

Lá embaixo, a 100 metros de uma superfície inteiramente rochosa, estava o Oceano Antártico. Passava um grupo de baleias – os filhotes indo atrás das mães. Steve, eu e a equipe ficamos observando os dramas familiares se desenrolarem lá embaixo.

Um filhote resolveu desobedecer e passou correndo ao lado da mãe. *Volte aqui*, gritava a mãe, *volte aqui*, *volte aqui*, *seu pestinha*. Quando ela estava debaixo d'água, não conseguíamos ouvir nada, mas quando ela voltava à superfície, lá de nosso poleiro aéreo, 100 metros acima, ouvíamos de verdade a baleia entoando seu canto.

Mamãe repreendia o filhote, e notamos que a jovem baleia obedientemente se juntou a sua mamãe por um certo tempo. Algumas vezes, aproximava-se dela para um pouco de leite e de carinho, o que durava alguns minutos. Em seguida, ela escapava novamente e a cena se repetia.

Ficamos lá observando as baleias por horas. Naquela noite, no acampamento, discutimos a respeito da caça às baleias: algo triste, cruel, horrível.

– Se nós matássemos vacas da forma como matamos baleias, ninguém apoiaria – disse Steve. – Imagine se você estivesse dirigindo um caminhão com um canhão na parte traseira. Quando você avistasse uma vaca, atiraria nela e, em seguida, ou a eletrocutaria por meia hora, ou lançaria uma granada do canhão, que explodiria dentro dela e impediria que a vaca andasse ou se movesse; no fim das contas, ela sangraria até a morte.

– Precisamos espalhar essa mensagem – eu disse a Steve. Mas a idéia dele era divulgar a beleza e a alegria das baleias. Ele queria que as pessoas se apaixonassem naturalmente por elas e, assim, não as ferissem. Não gostava da idéia de insistir em imagens que causassem tristeza e revolta.

Enquanto o fogo morria, Steve ficou pensativo e calado. As águas do oceano bramiam contra os despenhadeiros. As brincadeiras das baleias continuavam em nossas cabeças.

Apesar de termos procurado muito, não encontramos nenhum dingo vivo ao longo da todo o percurso de nossa viagem. Estava na hora de tentar uma abordagem diferente. Na manhã seguinte, o piloto do helicóptero chegou cedo. Voando com ele, Steve finalmente localizou alguns dingos.

Os belos cães, de cor ruiva, brincavam ao longo da cerca, pulando sobre ela ou deslizando sob ela com muita facilidade.

As férias escolares haviam começado e isso significava muito trabalho em casa; assim, voltei para o zoológico de avião e Steve voltou dirigindo a picape. Encontrar Shasta novamente, depois de um longo tempo fora, me fez sentir feliz por estar de volta. Eu estava também com muita saudade de Malina e queria continuar a trabalhar para proteger os pumas dos Estados Unidos. Retomei, então, o processo burocrático para trazer Malina para a Austrália.

Logo percebi que dizer "não" é sempre mais fácil para um burocrata. Dizendo "não", eles nunca têm problemas. Embora em alguns departamentos governamentais eu tivesse encontrado gente muito solícita, em outros encontrei gente que tornava tudo muito difícil e acabava com meu dia. Fiquei muito desanimada quando a ARAZPA

(Australasian Regional Association of Zoological Parks and Aquaria), organização oficial encarregada de supervisionar zoológicos, rejeitou meu pedido. Além disso, os membros do Grupo Taxon de Conselheiros (TAG), parte daquela associação, achavam que, como os pumas não eram espécie em risco de extinção na América, não havia qualquer necessidade de fazer deles uma espécie que merecesse prioridade na Austrália. Portanto, Malina teria de permanecer nos Estados Unidos.

Essa decisão me incomodou muito. Todos os superpredadores sobrevivem precariamente. É muito difícil recuperar um mamífero predador depois que ele é incluído na lista de espécies em extinção. Eu achava que, em um primeiro momento, seria melhor mantê-los fora da lista. Malina poderia ser o "porta-voz felino" para todos – do tigre-de-sumatra ao leopardo. A indiferença e a falta de apoio da ARAZPA se tornariam um tema recorrente na minha continuada luta contra a burocracia.

Estava demorando muito para Malina vir para a Austrália; com isso, tive de pensar em garantir acomodação mais permanente para ela nos Estados Unidos. Felizmente, eu tinha amigos fantásticos na Wildlife Images (o centro de reabilitação e educação de animais doentes, feridos e órfãos), perto de Grants Pass, Oregon. Essa organização de reabilitação de animais era a melhor do país, administrada por uma família totalmente dedicada à causa dos animais selvagens. Eles aceitaram ficar com Malina e acomodá-la em um lindo cercado, com árvores frondosas e um gramado. Steve veio comigo ao Oregon e filmamos a mudança dela para suas novas e luxuosas instalações.

Para minha tristeza, nunca consegui trazer Malina para a Austrália. Depois de cerca de um ano de sua mudança para a Wildlife Images, ela ficou doente. Foi levada ao veterinário e sedada para um exame completo, que mostrou que seus rins estavam parando de funcionar. Tanto poderia ter sido problema genético quanto velhice. Seja lá o que tenha sido, ela não acordou mais.

Uma noite, enquanto preparava o jantar em nossa casa do zoológico, eu meditava sobre meus problemas. Não queria passar a noite sentindo pena de mim mesma; então, pensei em Steve lá no meio do mato, olhando para o fogo e pensando na vida. Ele era um homem de muita sorte, porque, para ele, olhar para o fogo literalmente significava construir uma enorme fogueira e sentar-se ao lado dela para contemplar a vida.

De repente, ouvi seus passos pesados na escada lá fora. Ele surgiu na cozinha, com os olhos esbugalhados. *Ele foi picado por uma serpente*, foi meu primeiro pensamento. Eu não tinha a menor idéia do que estava acontecendo.

– Já sei o que temos de fazer! – ele disse, muito entusiasmado.

Steve me puxou para a sala de estar, me fez sentar no sofá e segurou minhas mãos. Olhando intensamente em meus olhos, disse: – Querida, precisamos ter filhos.

Uau! pensei, *ele deve estar pegando fogo*!

– Ceeerto! Muuuito bem! – respondi.

– Você não está entendendo, você não está entendendo! – disse Steve, tentando me atrair para seus pensamentos. – Tudo o que estamos fazendo, o zoológico que estamos construindo, todos os nossos esforços para proteger a vida selvagem – tudo isso vai morrer conosco! E isso não pode acontecer!

Como sempre fazia quando uma boa idéia surgia em sua mente, Steve queria agir imediatamente. *Não se aflija*, pensei comigo. Porém, ele estava sendo tão sincero... Já havíamos conversado sobre filhos antes, mas por alguma razão ele decidiu que precisava ser agora.

– Precisamos ter filhos – ele disse. – Sei que se tivermos filhos, eles levarão nosso trabalho adiante depois de nós.

– Ótimo – disse. – Então vamos lá.

Steve continuou andando para lá e para cá na sala de estar, falando sobre as vantagens de se ter filhos – lembrando-me de como eu havia me empenhado com tanta paixão em levar adiante o trabalho de minha família no Oregon, e de como ele havia continuado o trabalho dos seus pais no zoológico. Ele sentia que nossos filhos fariam da mesma forma.

Então eu disse: – Sabe de uma coisa? Não há garantia alguma de que nosso filho não vá querer ser um vendedor de sapatos na Malásia.

– Acorda! – disse Steve. – Nosso filho irá lutar pela defesa da vida selvagem.

Pensei nos filhotes das baleias seguindo suas mamães lá embaixo dos penhascos na Great Australian Bight e me preparei para uma nova aventura com Steve – talvez a maior de todas.

CAPÍTULO DEZ

Animal Planet

Estávamos no extremo norte de Queensland, desfrutando uma de nossas muitas visitas à Península de Cape York. Passamos um bom tempo com os crocodilos em seu habitat natural e, no final da viagem, Steve teve uma idéia. – Vou mostrar-lhe uma coisa – ele disse, conduzindo-me ao longo de um caminho. Normalmente, um convite desse tipo significava uma experiência nova em pleno agreste ou um encontro incrível com algum animal selvagem. E esse foi, sim, um encontro com um animal, mas não foi no meio do mato.

Steve ficou estranhamente calado enquanto dirigia; quando chegamos ao nosso destino, compreendi o porquê.

Uma fazenda de crocodilos.

Era uma grande faixa de terra. Nosso zoológico inteiro caberia dentro de um único cercado dos que havia na fazenda. Os lagos de procriação eram imensos – e estavam lotados.

Assim que chegamos, Steve foi direto para os cercados dos crocodilos. Uma vez lá dentro, não havia cercas ou barreiras para nos separar dos grandes crocodilos machos e defensores ferrenhos de seu território, ou das fêmeas, que chocavam seus ovos. Entre os lagos de procriação, havia passagens estreitas, da largura de um carro. Vê-los expostos e vulneráveis me deixou nervosa. Era tão diferente da relação zelosa, baseada no respeito, que mantínhamos com os crocodilos de nosso próprio zoológico.

– O que faremos? – perguntei a Steve, observando os grandes crocodilos de água salgada de ambos os lados.

– Querida, está vendo essas clavas? – ele disse, pegando uma, de uma coleção que ficava ao lado do caminho. – Eles usam isso para golpear os crocodilos.

Conforme caminhávamos pela estreita faixa de terra entre os lagos, Steve e eu fugimos de ataques de machos com mais de quatro metros e de fêmeas agressivas, que estavam chocando. Podíamos sofrer uma emboscada a qualquer momento e de qualquer direção. Se um crocodilo chegasse perto demais de outro, eles poderiam até mesmo atacar um ao outro.

Visitamos o berçário da fazenda, onde os ovos eram chocados depois de serem colhidos, e os bebês eram criados. Eu não conseguia aceitar aquilo. Cada filhote recém-chocado seria usado para comercialização da pele e da carne. Eu não estava preparada para o que iria ver.

Era o equivalente ao mais hediondo campo de prisioneiros de guerra que se pode imaginar. Steve e eu entramos em um abrigo grande cheio de fileiras de caixas com tampas. Música de rock-and-roll saía em alto volume de alto-falantes presos ao teto. O ambiente estava completamente escuro. Um dos operários acendeu as luzes e levantou a tampa de uma das caixas.

Lá dentro havia uma dezena, ou mais, de pequenos crocodilos, medindo entre 30 e 50 centímetros. Até aquele momento, eles haviam passado toda a sua existência dentro daquelas caixas. Os bebês se encolheram pateticamente quando a luz atingiu seus olhos.

O operário os golpeou com o porrete; para forçá-los a ficarem no canto da caixa, eles os golpeou com violência, repetidas vezes, sem se preocupar em que parte do corpo os atingia. Só eu sei o quanto me reprimi para não gritar: "Pare!" e arrancar o porrete das mãos dele. Será que ele não pensava no que estava fazendo?

Steve olhou para mim e percebi que ele estava com vontade de fazer a mesma coisa. – Estamos no território deles agora, minha cara – ele disse bem baixinho, querendo dizer que estávamos no território dos fazendeiros criadores de crocodilos. Por mais que quiséssemos consertar os males daquele lugar cruel, o negócio de criação de crocodilos era absolutamente legal.

Os pequeninos crocodilos não tinham mais força para lutar. Conforme eles se retraíam, depois de serem golpeados, o operário jogava um pouco de carne para eles. Em seguida, ele abaixava a tampa da caixa com violência, lançando os bebês crocodilos novamente na escuridão. É assim que crocodilos criados em fazendas vivem os primeiros três anos de sua vida: em uma prisão lotada, escura como breu e com música tocando constantemente em alto volume – depois vem um súbito foco de luz, uma surra e um pouco de comida.

Quando os filhotes eram promovidos para o lago dos subadultos, eles passavam a viver em um emaranhado de crocodilos de um a dois metros de comprimento. Nesses lagos de água estagnada e fétida, vimos vários deles feridos por estarem brigando por comida e espaço: membros cortados, mandíbulas rasgadas e pedaços grandes de caudas arrancados por mordidas.

Senti como se estivesse vivendo um pesadelo. A prevalência de defeitos congênitos me horrorizou: nós e excrescências protuberantes onde deveria estar a cauda, nadadeiras em vez de pés, mandíbulas cruzadas. Depois de passarem alguns anos sofrendo muito, quando estivessem suficientemente grandes, os crocodilos da fazenda ganhavam de presente uma bala no crânio.

Em outro canto da fazenda, as carcaças eram processadas. A pele servia como adorno de roupas e a carne era vendida da maneira como se vendia carne no agreste.

Eu já havia visto Steve enfrentando muitas situações que exigiam dele muita força física e emocional. Enfrentava os rigores da vida no campo sem se queixar. Mas vê-lo naquela fazenda de crocodilos naquele dia me fez compreender que ele precisava de cada gota de sua capacidade de resistência para ver com os próprios olhos os animais que ele tanto amava serem tratados de maneira tão sádica e desumana. Steve tinha um nó na garganta que simplesmente não conseguia controlar.

E eu não conseguia compreender como um país que lutava para acabar com a caça às baleias e com o comércio de bile podia permitir uma fazenda de criação de crocodilos. Era muito difícil entender como alguém podia usar – e com orgulho – botas de pele de répteis, considerando a maneira vil como a pele fora obtida.

Naquele dia, deixei a fazenda abalada e confusa.

– Por que você me trouxe aqui? – perguntei. Mesmo que Steve não dissesse nada, eu já sabia a resposta. Ele estava me fazendo um favor. É muito mais fácil falar a respeito do que você realmente vê e vivencia.

– O mal está na fazenda e nos donos – disse Steve. – Não nas pessoas envolvidas. Nem todos eles são monstros malvados. Eu conheço aqueles caras. Eles golpeiam os crocodilos porque têm medo deles ou porque são obrigados a fazê-lo.

Steve me contou que muitos estudos científicos, muitas pesquisas sobre o comportamento de crocodilos e muitos documentários eram feitos em fazendas de criação.

– É um lugar fácil para se ter acesso a um grande número de crocodilos – ele disse.

– Mas não existe nessas fazendas a menor possibilidade de se observar qualquer tipo de comportamento natural – eu disse.

Steve concordou, com uma expressão de tristeza. Enquanto estávamos na fazenda, havíamos visto fêmeas que estavam defendendo seus ninhos serem agredidas e obrigadas a obedecerem, algo que jamais aconteceria se estivessem em seu habitat natural. A fazenda tinha alguns dos maiores crocodilos que eu já havia visto. Eram animais bonitos, vivendo na maior precariedade.

Os criadores de crocodilos defendiam ferozmente seu sustento e não faziam qualquer esforço para controlá-los, regulá-los ou encontrar alternativas, como, por exemplo, o ecoturismo. Alguns deles se descreviam arrogantemente em público como "protetores de crocodilos". Eu achava isso absolutamente repugnante. Matar crocodilos por dinheiro não tem nada a ver com proteção ambiental.

Ao iniciarmos nossa longa viagem de volta ao zoológico, paramos no que eu chamaria de uma pequena loja de departamentos. Havia um pub anexo ao estabelecimento, e a loja propriamente dita vendia uma ampla variedade de mercadorias – produtos de mercearia, utensílios para cozinha, sacos de dormir, vestuário, calçados e até brinquedos. Conforme escolhíamos suprimentos na loja, passamos pela porta do pub, que estava aberta. Alguns dos clientes reconheceram Steve, da televisão, e começaram a falar sobre ele. Os comentários que ouvimos não eram propriamente positivos.

Steve não me pareceu muito feliz. – Vamos sair daqui – falei bem baixo.

– Isso mesmo. Vamos embora – ele disse.

Havia um dos fregueses que era mais espalhafatoso. – Eu também sou caçador de crocodilos – gabou-se ele. – A diferença é que eu sou o verdadeiro caçador de crocodilo. O verdadeiro, você está me ouvindo, cara?

O fanfarrão vivia do comércio de empalhamento de filhotinhos de crocodilos, conforme ele mesmo informou ao público que estava lá. Os pequenos animais são empalhados por um taxidermista para depois serem vendidos como suvenir. Para preservar a pele, os caçadores matavam os filhotes da mesma maneira como o fazem os caçadores de ursos no Oregon: perfuravam suas presas com objetos pontiagudos.

– Enfiamos uma chave de fenda bem nos olhos deles – gabava-se Mister Empalhador, olhando para Steve através da porta do bar. – Bem lá dentro da maldita órbita!

Ele estava curtindo sua cerveja. Juntamos nossas compras e nos encaminhamos para a picape. *Ok*, pensei comigo, *haveremos de chegar lá. Só mais dois ou três passos...*

Steve se virou e foi em direção ao bar.

Eu nunca o tinha visto daquele jeito. Meu marido se transformou em alguém que eu não conhecia. Os olhos faiscavam de raiva, o rosto estava vermelho e os lábios tremiam. Eu o segui até a porta do bar.

– Por que vocês aí, caras, não me acompanham até o estacionamento e me contam mais a respeito dos filhotinhos empalhados? – perguntou ele. Eu não conseguia ver muito bem dentro do bar, pois estava escuro, mas podia perceber que havia uns oito beberrões junto com Mister Empalhador.

Pensei: *O que será que vai acontecer aqui*? Tudo indicava que a coisa não iria terminar bem. Os beberrões se levantaram e formaram uma fila para enfrentar Steve. Meia dúzia contra um. Steve escolheu o maior deles, que Mister Empalhador parecia estar escondendo atrás de si.

– Vamos lá, meu amigo – disse Steve. – Ou você só é valentão para lidar com filhotes de crocodilos, seu filho-da-puta?

Então, tive a impressão que Steve cresceu. Não sei como explicar. Sua fúria fez com que ele parecesse uma torre enorme e dominasse um cara que, na verdade, era mais alto do que ele e pesava muito mais, com uma barriga enorme de tanto beber cerveja. Eu não tinha idéia de como os outros se sentiam com relação a ele, mas a mim ele metia medo.

Eles recuaram. Todos os seis. Nenhum deles queria encrenca com Steve, que estava claramente fora de si, de tanta raiva que sentia. Naquela noite, todas as fazendas de criação de crocodilos do mundo, toda a crueldade e ignorância que faziam os animais sofrerem em todo o mundo, chegaram a um ponto crítico no estacionamento daquele pub.

Steve entrou na picape. Fomos embora e ele não disse uma palavra durante um longo tempo.

– Não entendo – eu disse finalmente, sentada no banco da frente, na escuridão do agreste. – Sobre o que era mesmo que eles estavam falando? Eles estavam matando crocodilos em seu habitat? Ou eles eram criadores de crocodilos?

Ouvi alguma coisa escapar da boca de Steve, mas não conseguia ver seu rosto na escuridão. Percebi, então, que ele estava chorando. Fiquei muito assustada. Esse era o homem que eu acabara de ver tendo um acesso de fúria. Cinco minutos antes eu tinha certeza de que iria vê-lo se engalfinhar com meia dúzia de caras. Agora, ele chorava no meio da escuridão.

De repente, ele se ajeitou no banco e ficou bem ereto. Enxugou as lágrimas do rosto e se recompôs. – Durante toda a minha vida encontrei canalhas desse tipo – disse. – Algumas pessoas não *fazem* mal. Elas *são* o mal.

Ele já havia me dito aquilo antes, mas foi naquela noite, dentro do caminhão, que a ficha caiu: Steve vivia para defender os animais selvagens e morreria para defender os animais selvagens. Ele tinha suas convicções e vivia por elas com toda a sinceridade, do mais fundo de seu coração.

Naquela noite, ele foi mais do que meu marido. Ele foi meu herói.

As notícias sobre o Caçador de Crocodilos se espalharam e nós descobrimos que as pessoas no exterior estavam começando a notar que Steve existia. Peter Jennings, o respeitado âncora do programa *World News Tonight*, da rede ABC, havia visto um de nossos documentários. Toda semana Jennings apresentava um indivíduo diferente como "A Pessoa da Semana". Jennings escolheu homenagear Steve, mostrando-o em um longo segmento e escolhendo-o como a pessoa da semana.

Mais do que Steve, eu percebi o quanto isso era uma honra, pois, como americana, eu estava mais familiarizada com Peter Jennings. Eu conhecia em primeira mão o significado dessa escolha. Steve gostou, mas manteve sua humildade. Achei que o segmento apresentado por Jennings foi motivo de orgulho, simplesmente porque todo o trabalho árduo de Steve estava finalmente começando a ter algum reconhecimento.

Levou algum tempo, é verdade, mas aquele primeiro sinal de visibilidade acabou resultando em um maior interesse por nossos documentários nos Estados Unidos. O Discovery Channel, o padrão-ouro da televisão a cabo em matéria de documentário nos Estados Unidos, entrou em contato conosco. Como sócia de Steve, notei que estava assumindo cada vez mais o lado administrativo do negócio, tanto no zoológico quanto com relação aos nossos documentários. Minha experiência na administração da Westates Flagman foi extremamente valiosa. Steve não queria ficar enjaulado com uma calculadora e balancetes, mas eu, na verdade, gostava disso. Era assim que nos completávamos um ao outro.

Eu me lembro do primeiro encontro que tivemos com os executivos do Discovery Channel. Cheguei ao escritório deles em Bethesda, no estado de Maryland – o elegante e moderno quartel-general do que estava se tornando um dos canais a cabo que mais cresciam na década de 1990.

Senti-me intimidada pela construção, pela cidade grande e pelos homens de terno. No fundo, sou uma garota que gosta de usar jeans e camiseta. E eu não tinha o que usar para aquele encontro. Como lidar com um ambiente tão sofisticado? No fim, consegui desencavar do baú um velho terninho dos anos 80 com ombreiras e grandes lapelas.

Meu terninho e eu entramos em uma sala cheia de produtores, advogados e outros profissionais – eu não tinha certeza do que eles faziam ou por que estavam lá. E não sabia o que esperavam de mim. Fiquei louca da vida comigo mesma por não ter preparado uma apresentação.

Então, fiz a única coisa que sabia fazer. Falei sobre a vida selvagem, sobre nosso amor por ela e nosso compromisso com a sua preservação.

– Estou muito feliz por ter a chance de trabalhar com o Discovery Channel – concluí. – Steve e eu sempre gostamos muito desse canal. Vocês fazem um trabalho de excelente qualidade. Queremos fazer parte de sua família.

Bem... vamos pensar a respeito. Foi isso que li em resposta. Então as luzes se apagaram e nós olhamos para um enorme monitor de TV para assistir a um documentário com o Caçador de Crocodilos. Lá estava eu e lá estava Steve. Eu queria muito que todos naquela sala gostassem dele.

Bem... nosso documentário terminou, as luzes voltaram e ficou evidente que os programadores do Discovery Channel estavam um pouco relutantes com relação a Steve.

Um dos produtores executivos era uma mulher chamada Maureen.

– Terri, veja bem, há um formato para a filmagem de documentários – ela disse com cuidado. – O foco principal não é no apresentador, mas no tema do show.

– Sim, o tema – murmurou um dos outros executivos.

Maureen estava certa. Até aquele momento, os documentários eram 80% sobre os animais selvagens e 20% sobre o convidado. O que eu havia acabado de mostrar a ela era um documentário em que Steve aparecia em praticamente todas as cenas.

– Se vocês puserem no ar apenas um de nossos documentários, sei que vão gostar – eu disse. Eu ouvia minha própria voz. Sabia que estava ecoando o que inúmeros diretores haviam dito naquela mesma sala inúmeras vezes antes. Os programadores do Discovery já haviam encontrado produtores de filmes ingênuos como eu milhões de vezes antes. Não me importei. Eu sabia que estava certa.

– Vai dar certo – eu disse.

Maureen esboçou um sorriso paciente. Todos na sala concordaram, mas tinham uma expressão pensativa. Em seguida, levantaram-se.

Então, pensei comigo, nada feito.

Foi aí que aconteceu uma coisa interessante. O Discovery tinha um canal subsidiário, que estava apenas começando, chamado Animal Planet – não era muito grande ou já estabelecido; tinha apenas 250.000 assinantes. Havia sido lançado em 1996 e ainda era só um pontinho de luz no radar cultural. Ninguém sabia ao certo se ele iria durar.

Porém, o Animal Planet reagiu ao nosso show de maneira bem diferente. Os executivos estavam loucos para tentar alguma coisa totalmente nova.

– Queremos levar seus documentários ao ar; todos eles da mesma forma como vocês o apresentaram na Austrália – disse Clark Bunting, vice-presidente executivo e gerente geral do Animal Planet, muito animado.

Vendido. Levar nossos documentários para os Estados Unidos foi uma grande coisa. Mas isso foi só o começo.

CAPÍTULO ONZE

Bindi Sue

O *Dateline* é um programa de notícias da rede NBC, transmitido em horário nobre nos Estados Unidos, que alcança milhões de telespectadores. Portanto, deveria ser muito boa notícia quando os produtores nos comunicaram que queriam fazer um segmento com Steve, e queriam filmá-lo em Queensland.

– Queremos fazer uma experiência em primeira mão com ele filmando do agreste australiano – disse o produtor, muito alegre, ao telefone.

É mesmo, meu amigo? Tive vontade de dizer. Eu estivera no agreste com Steve. Havia sido uma experiência fantástica, mas eu achava que ele não entendia muito bem o quão remoto o agreste realmente era. Simplesmente respondi com todas as palavras certas e eu disse que estávamos muito entusiasmados com a possibilidade da filmagem para o *Dateline*.

Os produtores queriam dois ambientes totalmente diferentes para as filmagens. Escolhemos os desertos de Queensland com a serpente mais peçonhenta do mundo, e os mangues de Cape York – território de crocodilos. Ótimo! respondeu o pessoal do *Dateline*. Perfeito!

Só havia um problema... a apresentadora era uma mulher que precisava ter boa aparência; portanto, precisava de um gerador para seu secador de cabelos. E um trailer Winnebago, porque não era muito justo pedir a ela que jogasse um saco de dormir no chão entre escorpiões e aranhas. Essa filmagem significaria algumas despesas extras. Não era só pegar Sui, entrar na picape e partir. Porém, a divulgação no *Dateline* seria positiva para a preservação dos animais selvagens, para nosso zoológico e para o turismo.

Telefonei para um representante do Conselho de Turismo e Viagens de Queensland (Queensland Tourism and Travel Commission) em Los Angeles. – Será que vocês poderiam nos ajudar? – perguntei. – O *Dateline* irá exibir aos americanos um segmento sobre Queensland. Vocês estariam dispostos a nos subsidiar com um gerador e um Winnebago?

Silêncio do outro lado da linha. – O que vocês irão mostrar de Queensland – uma voz disse com muito cuidado – não é o que nós queremos que os turistas vejam de nosso lindo país. – A serpente mais peçonhenta da Terra? Crocodilos gigantes? Não, obrigada.

– Mas as pessoas são fascinadas por animais ferozes – comecei a argumentar; porém, estava perdendo meu tempo. Não havia como convencê-lo.

Com muita dificuldade, conseguimos o dinheiro e partimos para o meio do mato com a equipe do *Dateline*.

Em Windorah, revi, através do olhar de nossos visitantes americanos, o local onde havíamos passado um bom tempo; eles estavam tão surpresos quanto eu havia ficado com a habilidade de Steve de trazer o deserto de volta à vida. Procuramos incansavelmente pelas serpentes ferozes, mas não encontramos nenhuma. Então, o sexto sentido de Steve despertou. Uma manhã, às cinco e meia, depois de dias de busca infrutífera, ele disse: – Rápido, vamos andando.

Nossa apresentadora do *Dateline* ficou interessada. Era para ver isso que ela havia viajado para o outro lado do mundo. – Para onde estamos indo? – perguntou ela.

– Temos de ir para as planícies de terra preta – disse Steve. – Às sete e meia iremos ver uma serpente feroz.

A anfitriã me pareceu um pouco surpresa. Até eu zombei dele. – Ah, sim... às sete e meia, Stevo, vamos ver uma serpente feroz; exatamente às sete e meia... que beleza!

E lá fomos nós em direção às planícies de terra preta, com nossa equipe de filmagem, anfitriã, Winnebago, picape – o comboio inteiro. Steve esquadrinhava a paisagem, eu monitorava a temperatura (e o relógio). Sete e meia veio e foi embora.

– E então, vamos ou não vamos ver uma serpente feroz às sete e meia? – perguntei.

– Vejamos... ah, sim... são sete e meia... onde será que está a serpente feroz?

Depois de mais algumas brincadeiras, Steve deu um sorrisinho maroto e, em seguida, exibiu um olhar de determinação. Pura verdade: exatamente às 7:32, ele localizou uma serpente feroz. Naquela manhã, acabamos filmando não apenas uma, mas duas.

Parecia que, agora, o restante da equipe da NBC olhava Steve com um respeito diferente. Esse cara diz que vamos ver uma cobra às sete e meia e erra por dois minutos? Eles olhavam para o relógio e sacudiam a cabeça, incrédulos.

É preciso dar sempre a Steve o benefício da dúvida, quando ele está no meio do mato. Eu havia aprendido essa lição antes, na última vez que fomos atrás das serpentes peçonhentas nas planícies de terra preta. Entretanto, a habilidade que ele tinha de sentir com os animais selvagens continuava a me parecer muito estranha.

Levantamos acampamento e fomos em direção ao norte, para o território dos crocodilos. O Lakefield National Park (Parque Nacional de Lakefield) é um dos meus lugares preferidos na Austrália. Steve achava o lugar mais bonito do mundo e deu ao pessoal da NBC tudo o que eles queriam e até mais. Não apenas localizamos vários crocodilos de água salgada, como Steve achou um que havia submergido debaixo de um galho pendente de uma árvore. Conseguimos nos arrastar pelo galho e filmar de cima, mostrando um magnífico crocodilo de quase quatro metros.

Porém, ao final das filmagens, coube a mim evitar o que poderia ter sido uma catástrofe em potencial. A apresentadora do *Dateline*, juntamente com uma produtora, estava com alguns membros da equipe da NBC ao lado de um trecho de água. Steve, eu e outros da equipe do Australian Zoo estávamos em frente a eles do outro lado daquele riacho temporário.

– Está vendo como é o *Dateline* da NBC lá do outro lado? – disse Steve. – Vamos mostrar a eles os *nossos* "Datelines" da NBC; o que você acha?

Os caras caíram todos na risada. Eles se viraram de costas para nossos amigos americanos e estavam prontos para abaixar as calças. Saltei para frente como um soldado tentando fugir de uma granada.

– Nããããããão! – exclamei. – As mulheres de Nova York não irão entender nada.

Os meninos, fazendo cara feia, mantiveram-se vestidos. Steve lançou-me um olhar de "pô, você cortou nosso barato!" Posso ter sido uma desmancha-prazeres, mas certamente evitei um desastre envolvendo diferenças culturais.

Nossa vida em comum era cheia de contrastes. Uma semana estávamos caçando crocodilos com o *Dateline* em Cape York; logo em seguida, Steve e eu estávamos completamente fora de nossa praia: estávamos no banquete de premiação do CableACE, em Los Angeles.

Steve foi indicado para uma premiação como apresentador do documentário *As Dez Serpentes Mais Venenosas do Mundo*. Perdeu para o lendário Walter Cronkite. Quando se perde para Walter Cronkite, não se deve reclamar muito. Depois da cerimônia de premiação, fomos convencidos, contra a nossa vontade, a ir a uma festa.

Todos lá estavam usando smoking. Steve usava roupa cáqui. Todos bebiam, fumavam e conversavam abobrinhas; Steve não participou de nada disso. Ficamos separados e eu percebi que ele estava se sentindo claustrofóbico. Cheguei bem perto dele e falei baixinho:

– Por que não voltamos para nosso quarto? – cochichei em seu ouvido. Foi uma idéia maravilhosa. Ajustava-se perfeitamente aos nossos planos de começar uma família, e muito provavelmente foram os melhores sete minutos de minha vida!

Depois de nossa estada em Los Angeles, Steve voou diretamente para o zoológico, enquanto eu passei primeiro nas ilhas Fiji, um de meus lugares favoritos. Tínhamos intenção de trabalhar lá com os iguanas de crista, espécie em risco de extinção. Fiz algumas filmagens para a estação de TV local e examinei uma população daqueles lindos lagartos de Yadua Taba, uma das ilhas Fiji.

Ao voltar para Queensland, descobri que estava grávida. Steve e eu ficamos radiantes. Ele não cabia em si de tanta felicidade. Então, no meio de nossas comemorações, ele, de repente, parou. Olhou-me de lado.

– Alto lá! – ele disse. – Você ficou nas ilhas Fiji duas semanas.

– Lembra-se da Premiação do CableACE? Lembra-se que você estava completamente entediado naquela sala cheia de homens de smoking?

Então, ele me deu um sorriso maroto. – Ah! Agora me lembro! – disse, todo feliz com o reconhecimento da sua paternidade (como se houvesse qualquer dúvida!). Nosso bebê foi gerado em Los Angeles.

Fui ao médico. – É meu primeiro filho – eu disse. – O que tenho de fazer?

– Continue a fazer o que sempre fez – disse o médico. – Talvez seja melhor evitar pára-quedismo, mas pode continuar com suas atividades normais. – Adorei os conselhos do Dr. Michael. Havia anos que ele era o médico da família Irwin, e, definitivamente, ele entendia nosso estilo de vida. Embarquei, então, em um ambicioso programa de filmagem.

Demos ao pequeno ser que crescia dentro de mim o nome de "Igor". Tanto Steve quanto eu tínhamos certeza de que o bebê seria um garoto. Minhas duas irmãs tiveram meninos e, de alguma forma, Igor parecia o nome certo. Com Igor a bordo, foi uma grande ironia que nossa primeira viagem à Tasmânia para um documentário envolvesse uma tragédia familiar de proporções épicas. A Tasmânia, a ilha distante da costa sul da Austrália, tem animais selvagens que só existem lá, além de espetaculares florestas tropicais de zona temperada. Entretanto, assim que chegamos lá, presenciamos um encalhamento de baleias que nos afetou profundamente.

Em uma área remota do lado oeste, perto da cidade de Marrawah, um grupo de cachalotes estava encalhado na praia. Primeiro, apareceu um macho bem grande. Nas 24 horas seguintes, outras 34 baleias também estavam encalhadas, inclusive filhotes e baleias prenhes.

Baleias encalhadas em praias são um dos mais terríveis mistérios do mundo animal. Pouco se sabe sobre isso. Naquele momento, ao vermos a tragédia se desenrolando na praia da Tasmânia, nenhum argumento científico importava.

Senti-me muito impotente. Não havia nada que pudesse fazer a não ser ficar lá, sofrendo e vendo aqueles enormes e lindos mamíferos marítimos lutando desesperadamente pela vida. Fazia frio, embora fosse oficialmente verão na Tasmânia, e com o mar muito agitado seria impossível usar um barco para ajudar as baleias. Pusemos nossos braços em volta dos animais agonizantes, falamos com eles, olhamos dentro de seus olhos para mostrar que compartilhávamos seu sofrimento. No final do dia, eu estava com tanto frio que, com minha barriga de grávida, tive dificuldade de tirar as calças. Fiquei meia hora lutando no estacionamento para tirar minhas roupas encharcadas e vestir outras secas e quentinhas. Física, emocional e espiritualmente, aquele tinha sido um dia muito desgastante.

Perguntei-me o que aquele evento poderia ter transmitido ao bebê que crescia dentro de mim. As baleias agonizantes entoavam canções. Steve e eu falamos com elas por sobre seus corpos encalhados. O que teria o bebê Igor aprendido? Com nossas vivências, estávamos começando a constituir nosso próprio pequenino guerreiro defensor do mundo animal, mesmo antes de ele ter nascido. Igor havia acabado de iniciar sua educação. Deixamos a praia e fomos para o agreste procurar as cobras da Tasmânia. Steve adotou uma atitude especialmente protetora com relação a mim.

– O que quer que você faça, não pegue nenhuma cobra – ele disse. – Aqui, na Tasmânia, elas são todas venenosas. Você está grávida e precisa tomar cuidado.

– Tudo bem – eu disse. Porém, acabou ficando difícil apenas observar. Conforme a equipe filmava, Steve tinha, repetidas vezes, que brigar com uma linda serpente peçonhenta. Eu também queria um pouco de ação!

Depois de alguns dias fazendo isso, caminhamos pelo mato e encontramos uma bela cobra-tigre. Ela brilhava ao sol à margem de um riacho. Steve se virou e fez um sinal para o cameraman começar a rodar o filme. Fazíamos movimentos mínimos e cochichávamos, mesmo sabendo que as cobras não têm ouvido e não ouvem (em vez disso, elas sentem vibrações).

Chegamos bem perto da cobra-tigre, que estava bebendo água no riacho. Ela levantou um pouco a cabeça. Sabia que estávamos lá. Meu coração começou a bater mais forte, mas tomei uma decisão. Eu sabia que iríamos fazer uma tomada com essa cobra. Já que a havíamos perturbado, ela jamais voltaria a beber a água, e a cena seria perdida.

Dei um passo à frente, balançando meu corpo grávido atrás da serpente e a peguei pela cauda. Era um macho enorme, mas indolente e dócil, exatamente como eu havia previsto. Falei diante da câmera sobre cobras-tigre e como elas podiam dar à luz 30 filhotes de uma única vez, e como as cobras-tigre da Tasmânia eram especiais, tolerando um dos períodos mais frios do país.

Conforme soltei a cobra, olhei, encabulada, para Steve. Seus olhos estavam bem abertos e ele não disse uma única palavra. Não tenho muita certeza se ele não ficou zangado comigo. Acho que ele entendeu que, mesmo grávida, eu era ainda a mesma velha Terri.

Talvez fosse minha condição naquele momento, mas eu me sentia mais sensível quanto à crueldade praticada contra os animais selvagens. Quando viajamos para a Nova Zelândia para protestar contra a caça à baleia, vimos um documentário sobre baleias atacando os navios dos caçadores, tentando defender as fêmeas e seus filhotes. As baleias parecem elefantes do mar. Elas têm estrutura familiar, maneirismos e hábitos que se assemelham aos nossos.

No meio desse trabalho muito emocional em Wellington, senti o bebê se mover pela primeira vez. Logo ele já estava dançando dentro de mim, dia e noite. Tudo correu muito bem em todas as visitas ao médico e ele disse que Steve seria mais do que bem-vindo se pusesse as luvas e fosse ajudar no parto, quando chegasse a hora.

Até então, entretanto, havia pilhas de filmes para fazer. Filmamos tubarões na costa de Queensland, perto do local onde os pais de Steve estavam morando. Alguns membros da equipe eram australianos típicos. Assim que entrei no barco e notaram que eu estava grávida, eles decidiram embarcar no "Projeto Vômito". Para atrair tubarões, eles preparavam em um enorme contêiner uma boa quantidade de isca – um cozido horrível feito à base de peixe: óleo, sangue, carcaça e tripas. A equipe passava isso bem debaixo de meu nariz para provocar enjôo. Porém, eu os contrariava, sentando-me e almoçando bem ao lado do fétido recipiente que guardava a isca. Eu sabia que eles não iriam me vencer!

Depois, seguimos para as Ilhas Galápagos, minha última viagem internacional antes de dar à luz. De volta, minha gravidez já estaria adiantada demais para eu poder viajar de avião. Teria de ficar no solo até que o bebê nascesse.

Tivemos de passar pelo Equador para chegarmos a Galápagos e paramos uma noite em Quito. Foi um verdadeiro choque cultural fazer o check in e descobrir que o porteiro carregava consigo um .357. Embora eu sempre me sentisse segura com Steve ao meu lado, tínhamos de tomar cuidados especiais nos locais onde rodávamos os filmes. Houve um momento quando, filmando perto de um rio, Steve virou-se para mim e disse: – Corra para a van. Não ande – corra. E não olhe para trás.

Andei o mais rápido que minhas pequenas pernas permitiram. Quando estava em segurança na van, aproveitei um momento e olhei para trás. Vi um semicírculo de cidadãos locais fechando-se em volta do cameraman e da equipe. Ocorreu-me que nossa câmera poderia eventualmente comprar a vila inteira. Obviamente foi um erro ostentar equipamento tão caro. Steve conseguiu colocar todos na van e escapamos na hora H.

Quando finalmente chegamos às Ilhas Galápagos, ficamos em um catamarã. Eu não estava nem um pouco preparada para o calor. Mesmo dentro do barco não havia qualquer brisa. Toda a equipe dormiu no convés. Eram os espertinhos. Eu sentia tanto calor que, não sei como, Steve e John conseguiram arranjar um pouco de gelo. Revezavam-se molhando um pano com gel para refrescar minha barriga gigante. Houve um dia em que o bebê não se mexeu e eu fiquei preocupada. Porém, tudo voltou ao normal no dia seguinte; acho que Igor só tinha se esticado para relaxar, como fazíamos nós, para não sentir tanto calor.

O último filme que fiz – um documentário sobre tubarões – enquanto estava grávida de Igor, foi novamente em um local distante da costa australiana. Eu já estava chegando em um ponto em que ficava difícil andar de barco. Eu estava tão grávida, que me sentia mal navegando em mares agitados, e o constante balançar do barco literalmente esticava o colo do meu útero. Depois dessa, fiz apenas mais uma viagem e passei a maior parte do tempo deitada de lado, segurando minha enorme barriga.

Agora Steve já conhecia muito bem os tubarões. – Os grandes tubarões-tigre irão aparecer às 11 horas – ele disse um dia. E, de fato, eles apareceram no exato horário previsto por Steve. Estávamos no bote, eu (e Igor), Steve e Sui, além da gaiola.

Sentei-me no bote e fiquei observando os enormes tubarões-tigre que circulavam perto de nós. Deviam ter mais de quatro metros; alguns eram maiores do que o próprio barco. Logo percebi que, por causa de minha enorme barriga, eu não tinha muito equilíbrio. Tinha de tomar cuidado para não tombar o barco. Sui foi de grande ajuda nessa situação. Ela se plantou no centro do barco e lá ficou, deitada, no local mais seguro possível.

Steve gostava de entrar na gaiola. Os tubarões chegavam até ele, um a um, tentando abrir aquele recipiente estranho e abocanhar a comidinha apetitosa que viam lá dentro.

– Eles têm uma curiosidade de criança – contou ele, voltando à superfície e mergulhando de novo. – Estão tentando encontrar um jeito de me pegar!

Dentro do bote, na superfície, eu também os conheci melhor. Tubarões-tigre não se alimentam apenas debaixo da água. Pegam alimento na superfície também e até se levantam um pouco fora da água. Imensos tubarões-tigre, mais largos do que eu estava (e olhe que eu estava bem larga!) subiam para ver que gosto tinha o barco, o motor, e chegavam até a pôr a cabeça na parte traseira do bote.

Eu estava fascinada e tinha de me conter para não esticar as mãos e acariciá-los. É claro que eu não ousava me mover, porque precisava manter o barco equilibrado, para que os tubarões não o virassem. Depois de um dia de filmagens, melhorei minha opinião sobre eles. Steve tinha razão. Trazer as pessoas para perto dos animais selvagens era tudo o que era necessário. Apaixonei-me por tubarões-tigre naquele dia. E aquele foi o último documentário de minha gravidez. Nas semanas seguintes eu me limitaria a trabalhar no zoológico.

Steve, por outro lado, encontrou tempo para fazer mais um documentário. Juntamente com John, ele foi para a Indonésia filmar os dragões-de-komodo. Ele achou um com um anzol na boca. A linha se arrastava ao lado daquele lagarto de dois metros e meio, e Steve decidiu dar-lhe uma ajuda. Parou diante do enorme predador e puxou a linha até que o anzol pulou fora. Foi só nesse momento que a ficha do dragão caiu. Ele examinou bem Steve, levantou a cabeça e partiu para o ataque. O Komodo "falava" sério. Steve subiu rapidamente em uma árvore – e o bicho ficou lá embaixo, na sua cola. Por sorte, ele era grande demais para subir e só conseguiu agarrar a bota de Steve.

Steve se virou para a câmera. – Perigo, perigo, perigo! – era tudo o que conseguia dizer. O dragão-de-komodo carrega consigo, nos longos fios de baba que escorrem de sua boca, aproximadamente 16 tipos de bactérias. Tudo o que ele precisa fazer é romper a pele de sua presa e ela morrerá de infecção. Embora seus dentes tivessem talhado a bota de Steve, eles não perfuraram sua meia nem seu pé. – Prefiro ser atacado por um crocodilo de dois metros e meio a ser atacado por um dragão de dois metros e meio – disse Steve mais tarde.

Quando Steve chegou em casa são e salvo, eu encorajei minha barriga: – Vamos lá, Igor, nasça logo para podermos cair na estrada novamente.

Uma noite, como não estávamos com vontade de cozinhar, pedimos uma pizza. Notei que eu tinha um pouco de corrimento, mas em um estado bem avançado de gravidez, as coisas mais estranhas acontecem com o corpo da mulher. Não dei muita atenção ao fato. No dia seguinte, liguei para o hospital.

– Venha para cá agora – disse a enfermeira ao telefone. Steve não estava muito longe – na Gold Coast, ao sul de Brisbane, filmando tubarões-cabeça-chata.

Não vou incomodá-lo, pensei comigo. Vou até o hospital e faço um checkup rápido e volto.

– Se tudo estiver OK – eu disse às atendentes do hospital –, vou voltar para casa.

A enfermeira olhou para mim para se certificar de que eu estava falando sério. Deu uma risada. – A senhora não vai a lugar algum – ele disse. – A senhora vai ter um bebê.

Chamei Steve. Ele veio da Gold Coast o mais rápido que pôde, depois de perder a chave do carro, se esquecer de onde havia estacionado e qual era o caminho de casa, tal era sua agitação.

Quando chegou ao hospital, notei que havia trazido consigo toda a equipe de filmagem. John estava tão ansioso quanto os outros e sugeriu que filmássemos o evento.

– Por mim, tudo bem! – disse Steve. Eu não estava a fim de discutir. Uma aeronave podia aterrissar no hospital que eu não daria a mínima. Eu estava muito concentrada nas contrações que vinham uma após a outra.

Quando finalmente me levaram para a sala de parto, mais ou menos às oito horas daquela noite, eu estava tão cansada, que não sabia como iria agüentar. Steve deu provas de ser um ótimo técnico. Ficou me encorajando o tempo todo, como se eu estivesse em uma partida de rúgbi.

– Você vai conseguir, querida – gritava ele. – Vamos lá, força!

Às 9:46 da noite, uma cabecinha apareceu. Steve não cabia em si de felicidade. Eu estava confusa, mas lembro-me claramente da alegria que vi no rosto dele. Ele ajudou a virar e levantar o bebê. Ouvi Steve e o médico anunciarem simultaneamente: – É uma menina.

Uma menina pesando pouco mais de dois quilos e meio. Nasceu um pouco prematura, mas estava bem. Rosadinha e perfeita.

Steve cortou o cordão umbilical, tomou-a nos braços e a embalou, olhando fixamente para sua filhinha recém-nascida. – Olhe só! Ela é nossa pequena Bindi.

A mãe de Steve dizia:
"Quando não estava à vista, Steve podia ser encontrado no telhado da casa ou no alto de uma árvore".

A família Irwin, ainda jovem: Steve, Joy, Lyn, Bob e Mandy.

Steve ainda garoto. Ele pegou seu primeiro crocodilo
quando tinha apenas nove anos.

No início, Steve cuidava sozinho dos crocodilos no agreste australiano.

Steve e eu, na primeira vez em que nos encontramos.

Na praia do Oregon, passeando com
Malina, o puma que eu resgatara.

Malina e eu, quando eu administrava o Cougar Country.

Nosso casamento, no dia 4 de junho de 1992. Da esquerda para a direita: Julia Raines, Bob Irwin, eu, Steve, Lyn Irwin e Clarence Raines.

Amigos para sempre: Wes e Steve.

Steve estava sempre pronto para fazer qualquer tipo de trabalho no zoológico.

Almas gêmeas.

Steve e Sui, sua “namoradinha”.

Encontrando um *wallaby* durante filmagens na Tasmânia.

Família, vida selvagem e *surf* – as três grandes paixões de Steve.

"Se eu pudesse ser lembrado por uma única coisa," dizia Steve, "gostaria de ser lembrado como um bom pai".

Parque Nacional de Rocky Mountain, no Colorado.

Steve na Antártida... Onde está seu capote?

Juntos, no Texas, durante filmagens para o Travel Channel.

Com 175 anos de idade, Harriet era nossa amiga mais velha e mais querida.

A grande inspiração de Steve – sua mãe, Lyn.

A família reunida no interior da Austrália, a bordo do *Croc One*,
o barco de pesquisa de Steve.

Nossa última viagem juntos, fazendo pesquisa sobre crocodilos, na Península de Cape York, em Queensland, Austrália.

O nome que demos a ela foi em homenagem a um crocodilo do zoológico; é também um nome bastante apropriado, pois a palavra "bindi" era o termo aborígine para "garotinha". Ali estava nossa garotinha, nossa pequena Bindi.

Sorri para Steve. – Bindi Sui – eu disse, lembrando-me de Sui, nossa cadelinha tão querida.

Com muito cuidado, Steve a passou para meus braços. Maravilhados, nós dois olhamos para ela. De repente, ele a embrulhou em toalhas e mantas e saiu correndo porta afora.

– Sou pai de uma garotinha! – gritava ele no hall. O médico e as enfermeiras ainda estavam cuidando de mim. Depois de algum tempo, uma delas disse: – E aí – ele não vai voltar?

Apenas dei uma risada. Eu sabia o que Steve estava fazendo. Ele estava mostrando sua linda filhinha para toda a ala da maternidade, mesmo que cada novo papai lá também já tivesse sua "trouxinha" de felicidade. Steve era um papai muito orgulhoso.

Ele voltou e colocou Bindi ao meu lado. Eu lhe disse: – Se você não estivesse aqui comigo, eu não teria conseguido.

– Claro que teria.

– Não. Eu precisava muito de você.

Mais uma vez, tive aquela sensação muito forte de que, contanto que ficássemos juntos, estaríamos em segurança e tudo seria maravilhoso. Olhei para Bindi, conforme ela fixava seus olhinhos escuros e penetrantes no pai. Ele olhou para ela e sorriu; as lágrimas corriam por suas bochechas, de tanto amor pela filha. O mundo havia acabado de ganhar uma nova guerreira defensora da vida selvagem.

CAPÍTULO DOZE

O Garoto-Crocodilo

Stephen Robert Irwin nasceu em Upper Ferntree Gully, fora de Melbourne, em 1962, no dia 22 de fevereiro, aniversário de sua mãe.

Lynette e Robert Irwin – pessoas que conheci mais intimamente como Lyn e Bob – o expuseram aos animais selvagens desde criança. Steve sempre contava que, durante sua infância, sua família tinha uma reserva particular de animais selvagens. Isso significava uma coleção de tanques, terrários e gaiolas com uma crescente população de cobras e lagartos.

Como encanador, Bob sustentava muito bem sua família, mas seu verdadeiro amor era por répteis. Lyn era enfermeira de maternidade e tinha uma paixão natural por educar e cuidar de animais. Não se limitava aos répteis. Acolhia todos os tipos de animais feridos.

Quando fez seis anos, Steve ganhou de presente dos pais uma cobra-do-mato. – Fred, a cobra-do-mato, foi minha melhor amiga de infância – dizia ele. – O problema era que Fred era muito grande e eu ainda muito pequeno; portanto, Fred poderia me engolir sem a menor dificuldade.

Em 1970, Lyn e Bob deixaram a área de Melbourne e se mudaram para Queensland. Depois de uma viagem em busca de serpentes, compraram a propriedade de quatro acres originais do zoológico em Beerwah. Steve, então com oito anos, e suas irmãs, Joy e Mandy, ajudaram a instalar a família de animais selvagens no que, a princípio, foi chamado de Beerwah Reptile Park (Parque de Répteis de Beerwah). O lindo paisagismo do terreno que, mais de duas décadas depois, encontrei quando estive lá pela primeira vez, havia sido originalmente uma área fechada para gado.

Joy era a irmã mais velha, Mandy a mais nova, e Steve era o filho do meio. Houve períodos em que a família viveu em um trailer estacionado no terreno do parque dos répteis. Steve se relacionava bem com as irmãs e o sentimento de rivalidade fraternal se revelava em quem cuidava melhor da reserva de animais que a família mantinha. Aprender a respeito dos animais selvagens era uma paixão de toda a família. Bob amava todos os répteis, inclusive serpentes venenosas. Lyn acolhia os animais feridos e os que haviam ficado órfãos. Formavam uma bela equipe e Steve nasceu diretamente do exemplo e dos ensinamentos deles.

– Toda vez que viajávamos de carro – contava Steve – se víssemos um canguru ao lado da estrada, atropelado por um carro, sempre parávamos. – Mãe e filho iriam, então, examinar o canguru morto, ver se era fêmea e examinar a bolsa. Foi assim que resgataram dezenas, talvez centenas de bebês cangurus, trazendo-os para casa e cuidando deles.

– Tínhamos cobras e iguanas, na maioria, mas também filhotes de cangurus órfãos, marsupiais do tipo planador-do-açúcar e gambás – dizia Steve sobre esse modesto começo. – Não tínhamos nenhum cercado para crocodilos. Isso veio mais tarde, depois que meus pais ficaram quase doentes de ver tanto ódio dirigido aos crocodilos.

Logo compreendi que, por mais que Steve amasse seus pais igualmente, ele extraía coisas diferentes de cada um. Bob era seu herói, seu mentor, o homem que ele queria ser. O conhecimento que Bob tinha acerca do comportamento dos répteis – principalmente das serpentes – fez dele uma fonte inestimável de pesquisa para acadêmicos de todo o país. O Museu de Queensland queria investigar o modo de vida da reservada serpente feroz, e Bob compartilhou esse interesse com eles. Quando a administração do Queensland Park and Wildlife Service (Parque de Queensland e Serviço de Proteção à Vida Selvagem) quis transferir para outro local crocodilianos-problema, chamaram Bob.

Enquanto isso, Lyn se tornou, nas palavras de Steve, "a Madre Teresa dos animais". Lyn projetou uma bolsa substituta para os filhotes de canguru e de *wallaby*. Inventou fórmulas adequadas para alimentá-los também. Ela criou o ambiente aconchegante que tornou os sonhos, as metas e as aspirações de Steve reais e alcançáveis. Steve sempre amou a mãe; Lyn era a matriarca da família. Embora Bob e Steve não tivessem medo algum de taipans e crocodilos de água salgada, eles tinham o maior respeito por Lyn. Ela foi pioneira no trabalho de reabilitação de animais selvagens e serviu de modelo tanto para Steve como para mim.

Desde o primeiro momento, fui bem recebida pela família Irwin. O mais importante foi que senti que Lyn e Bob gostavam de mim não apenas porque eu era esposa de Steve, mas por mim mesma, pela pessoa que eu era. Isso me deu confiança para me sentir em casa quando cheguei à Austrália.

– Ele era um pestinha – disse Bob, rindo, lembrando-se de Steve ainda criança. O problema maior não era quanto ao seu comportamento; era a curiosidade insaciável que ele tinha com relação ao agreste e aos animais selvagens que lá viviam.

– Nos seus primeiros meses de vida, eu ainda podia pôr Steve no chão e ele ficava lá onde eu o colocava – contou-me Lyn. – Mas depois que ele começou a andar, ninguém o segurava mais. Muitas vezes eu o encontrava no telhado ou no alto de alguma árvore.

Quando a família saía de viagem, geralmente para o norte de Queensland, em excursões atrás de animais selvagens, Steve nunca estava por perto quando chegava a hora de ir embora. Eles sempre o encontravam à beira do riacho mais próximo, pegando lagostins ou virando pedaços de madeira para ver o que havia debaixo deles.

– Ele nunca estava onde queríamos que estivesse – lembrava-se Lyn dando uma risada.

A infância de Steve era "família, animais selvagens e esporte", conforme ele mesmo me contava. Jogava na liga de rúgbi para o Caloundra Sharks, quando fazia o colegial, e foi escolhido para jogar rúgbi para o Queensland Schoolboys e representar o estado, mas, em vez disso, preferiu fazer uma viagem de pesquisa com o pai, em busca de répteis.

Algumas vezes, esporte e animais selvagens se misturavam de maneiras inusitadas. Bob era um excelente jogador de badminton, e um dia, o pré-adolescente Steve decidiu montar uma quadra de badminton no quintal de sua casa. Ele tinha uma grande garça como amiga, que ele chamava de Brolly. Brolly fazia objeções a que Steve reorganizasse o território dela. Esperou até que ele lhe deu as costas e partiu para o ataque. *Wham! Ai! Ai! Ai!* O bico de uma garça é uma arma poderosa, e Brolly atacou o pobre Steve, bicando sua cabeça.

Sua amiguinha nocauteou-o na hora.

– Veja aqui, sinta com a mão – Steve disse depois de me divertir muito com essa história. Abaixou a cabeça e eu ainda podia sentir a cicatriz – lembrança do ataque de Brolly anos antes.

Uma tarde, durante uma partida de críquete, Steve foi chamado para bater em segundo lugar, mas ele saiu logo sem ter feito nenhum ponto. Ficou entediado durante a parte subseqüente – ociosa – e foi investigar um riacho nas proximidades. Debaixo de uma folha abandonada de ferro corrugado, ele achou uma cobra negra de barriga vermelha. Cobras de barriga vermelha são peçonhentas. Steve sabia disso, mas achou que o pai iria gostar muito de ter uma serpente negra de barriga vermelha para acrescentar ao acervo particular da família. Foi assim que um Steve muito jovem pegou a barriga-vermelha pela cauda.

Instintivamente, Steve escapava de todos os ataques da cobra, mas naquele momento estava pensando em algum lugar onde pudesse enfiar a dita cuja, que estava se tornando cada vez mais agressiva. – Finalmente, um de meus amigos trouxe a caixa de isopor de nosso motorista – contou-me ele. – Joguei fora todos os sanduíches e pus a cobra lá dentro. Que cobra mal-humorada!

Para os aplausos e assombro de seus companheiros de críquete, naquela tarde Steve pegou mais uma meia dúzia de barrigas-vermelhas. O motorista do ônibus nem desconfiou que havia serpentes dentro do ônibus, mas quando descobriu, fez questão de dizer que iria contar ao pai de Steve.

Bob não gostou nem um pouco da história. Em vez de um elogio, que é o que esperava, Steve levou uma bronca danada. – Papai afundou a bota na minha bunda – foi como Steve explicou o resultado do incidente das cobras na caixa de isopor. Bob ralhou muito com Steve por sua imprudência, pondo em risco a vida de seus colegas e do motorista, ao trazer serpentes peçonhentas vivas no meio deles.

A paixão de Lyn por reabilitação de animais e a paixão de Bob por crocodilos se misturaram para instigar um novo esforço para salvar "crocodilos-problema", transferindo-os para áreas onde eles não incomodariam humanos.

Bob foi pioneiro nesse esforço, mas de uma maneira mais gentil. Naquela época, o método tradicional de captura de crocodilos era cruel. Zeladores de parques e funcionários encarregados de controle de animais enfiavam um arpão farpado no couro do animal. Depois eles fisgavam o crocodilo que, sangrando, se debatia. Muitas vezes o arpão não acertava o alvo, ou as farpas se rasgavam durante a luta, deixando aberto um buraco dentado.

– Da maneira como faziam – dizia Steve – havia talvez uma chance em cinco de sucesso.

A abordagem de seu pai era bem diferente e muito engenhosa, envolvendo práticas tais como pular, capturar com redes de malha fina e redes comuns. A técnica surgiu dos conhecimentos que Bob tinha do comportamento dos crocodilos. Eles são predadores de emboscada, que se arremessam da água sob a presa na terra e a agarram. Bob os atraía para um alçapão com carne fresca – geralmente carne de javali. Dependurava um pedaço como isca na frente de uma traineira com gaiola.

Crocodilos de água salgada são muito inteligentes e tomam cuidado com armadilhas. O alimento "grátis" poderia dar-lhe a sensação de segurança e eles não se preocupariam com essa novidade em seu território. Então, depois que a isca inicial desaparecia por algumas noites seguidas, Bob colocava carne fresca dentro do alçapão.

O crocodilo-alvo entrava, puxava a carne (que acionava um mecanismo) e tropeçava em um peso que acionava a armadilha. Uma vez acionada a armadilha, o alçapão se fechava como se tivesse sido amarrado por um cordão, evitando que o crocodilo escapasse. Em seguida, vinha a parte manhosa: Bob e o pequeno Steve tinham de imobilizar o crocodilo montando nele. Bob então retirava a rede, vendava o animal, prendia as mandíbulas com fita adesiva, e em seguida o transportava no alçapão ou dentro de uma caixa.

Todo o processo se desenvolveu por tentativa e erro no decorrer de muitos anos. Steve iria aperfeiçoar a técnica mais tarde. Não havia qualquer dúvida de que ela era muito melhor do que a do arpão farpado. É evidente que não há nada mais invasivo do que uma bala, e os crocodilos que Bob capturava enfrentavam uma escolha difícil: eles seriam abatidos com um tiro por seus zangados e medrosos vizinhos humanos, ou seriam transferidos para ambientes mais seguros. Bob preferia o desconforto momentâneo de um crocodilo capturado a vêlo morto à margem de um rio.

Bob costumava levar o filho ainda jovem para vê-lo trabalhando na remoção de crocodilos. – Eu cuidava da lanterna e papai pulava em cima dos menores e os pegava – dizia Steve. – Ele os jogava no fundo do barco e eu pulava em cima deles para prendê-los. Eles costumavam se debater, brigando comigo; era uma luta bem legal. – Steve, entretanto, só praticou oficialmente sua primeira captura quando tinha nove anos. Nessa época, pai e filho já estavam trabalhando juntos na transferência de crocodilos havia vários anos.

O Queensland Parks and Wildlife Service estava confiante em que o grande conhecimento de Bob na captura de crocodilos poderia ser útil na remoção de um grupo de crocodilos de água doce no Rio Leichhardt. Crocodilos de água doce são menores e têm mandíbulas mais longas e estreitas. São menos agressivos do que a variedade de água salgada, mas mesmo assim têm dentes medonhos e podem atacar com violência quando encurralados.

Steve e Bob trabalharam juntos por várias noites, removendo crocodilos e mais crocodilos de uma parte do rio que iria ser transformada em represa. Na última noite, enquanto Bob brigava com um deles no barco, Steve, com sua lanterna, localizou outro par de olhos vermelhos.

Alertou o pai. – Vá lá – disse Bob. – Segure-o lá com sua lanterna.

Foi então que Steve entendeu que essa captura seria diferente. Ele estava na frente do barco – o que significava que seria ele quem pularia na água para capturar o crocodilo.

– Bob e eu pensamos que era um crocodilo pequeno – lembrava-se Steve.

– Mas não era – acrescentei.

– Era maior do que eu – disse Steve, balançando a cabeça, como se não acreditasse na memória.

Bob o fez esperar até o último minuto para pular. Steve mantinha a luz da lanterna brilhando nos olhos do crocodilo.

– OK, peguei-o – disse Bob. Ele virou sua própria lanterna na direção do crocodilo. Esse era o sinal para Steve largar sua própria lanterna e se preparar para pular.

– Espere! Espere! Espere! – alertou Bob, enquanto o bote se aproximava mais do crocodilo. Bob mal podia conter a ansiedade do filho, que parecia que ia explodir de tanta agitação. – Agora!

Steve pulou. Assim que o fez, percebeu que havia avaliado mal o tamanho do crocodilo. Ele tinha mais de um metro; parecia ter cerca de um metro e meio ou mais, e praticamente o peso de Steve.

O crocodilo mergulhou. *Aconteça o que acontecer, não vou deixá-lo ir embora*, pensou Steve consigo mesmo. De jeito nenhum ele iria desapontar o pai. Quando estava quase perdendo o fôlego, sentiu o braço forte de seu pai trazendo-o juntamente com o crocodilo para dentro do barco.

Steve me disse que quando ele olhou para o rosto de Bob, viu tanto preocupação quanto orgulho; preocupação porque Steve realmente havia desaparecido debaixo da água lamacenta por um longo tempo – e orgulho porque ele havia feito uma captura perfeita, a primeira de sua vida.

– Papai ria de orelha a orelha – lembrava-se Steve. – Eu havia pulado em cima de meu primeiro crocodilo. Embora eu tivesse apenas nove anos naquela época, aquele foi um dos melhores momentos de minha vida.

Bob e Lyn puseram Steve no caminho que ele seguiu na vida. O mais incrível a respeito de Steve foi que ele traçou esse caminho a sua própria maneira. Tomou os pais como exemplo e foi em frente.

Em 1980, Bob e Lyn decidiram mudar o nome Beerwah Reptile Park para Queensland Reptile and Fauna Park, que foi o que encontrei quando lá cheguei pela primeira vez. Furioso com o massacre sem sentido dos crocodilianos, Bob começou a expandir o zoológico para criar habitats para os crocodilos que resgatava.

Posso indicar o período exato em que Steve se transformou no homem que se tornaria tão conhecido ao redor do mundo como o Caçador de Crocodilos. Foi o período em que ele ficou sozinho na companhia de sua primeira cadelinha, Chilli, no meio do mato, por meses seguidos, trabalhando para o governo na captura e transferência de crocodilos.

No início da década de 1980, Steve tinha 18 anos, havia terminado o colegial na Caloundra State High School e ainda estava sob a tutela do pai. Dez anos mais tarde, ele era outra pessoa. Provou a si mesmo que era capaz de fazer, sozinho e com resultados espetaculares, um pouco do serviço mais perigoso do mundo com animais selvagens. Anos de vivência no mundo dos animais ensinaram a ele muita coisa sobre o mundo natural. Mais do que isso, ele reforçou uma conexão especial com a vida selvagem, que continuaria com ele pelo resto da vida.

A lenda de que havia um gigantesco crocodilo negro de água salgada em Cape York andava se espalhando e crescendo havia anos. Ele freqüentava um sistema fluvial ao norte de Queensland e escapava de todas as tentativas feitas para capturá-lo ou matá-lo. Em 1998, o East Coast Crocodile Management Program (Programa de Gerenciamento de Crocodilos da Costa Leste) convocou Bob e Steve para remover o "crocodilo-problema" para o zoológico deles.

Foi uma tarefa difícil. No começo, eles não encontraram qualquer sinal do mítico crocodilo negro. Talvez ele fosse fruto da imaginação pública, que ligava vários incidentes e casos em que haviam avistado um crocodilo, para fazer de vários um único animal. Durante meses, Bob e Steve inspecionaram o mangue e as margens do rio, até que, finalmente, localizaram a marca reveladora de uma barriga rastejante, que traía a presença de um enorme macho.

Foi então que Bob deu ao filho o derradeiro voto de confiança. Deixou-o sozinho cuidando do caso.

Bob voltou para Beerwah. Agora era só Steve e Chilli, a cadela. O imenso crocodilo havia repetidas vezes enganado caçadores com rifles potentes e "profissionais" de fazendas de criação de crocodilos, enviados para exterminá-lo. Steve assumiu uma caçada que já durava anos. A diferença era que ele queria salvar, não matar aquele dinossauro dos tempos modernos. Acontece que uma noite, foi o crocodilo que quase o matou. Ele havia localizado uma fêmea menor e colocado uma rede no rio para pegá-la. Mas alguma coisa deu errado. Uma força incrível puxou a rede rio acima, contra a corrente e contra toda a lógica. Steve ligou o motor de popa, mas não resolveu. A proa do barco declivou e começou a entrar água. Ele correu para soltar a rede antes que o crocodilo afundasse o barco.

Ele não precisava ter se preocupado. A proa do barco subitamente se levantou e a rede pendeu vacilante. Steve a puxou e viu um buraco do tamanho de seu bote. A resistente malha da traineira havia sido rasgada de ponta a ponta.

Outra noite, Steve e Chilli estavam observando alguns porcos selvagens do outro lado do rio. Quando os animais estavam subindo a margem oposta, o que estava mais atrás deu a impressão de ter escorregado de repente; desapareceu dentro do rio, sem qualquer gemido ou agitação. Steve nem chegou a ver o crocodilo. Foi um ataque na surdina.

À espreita do fantasma negro, Steve se integrou ao rio. Passou meses no mato. Não se importava com a lama do mangue que o cobria até que ele ficasse camuflado, sentado silenciosamente, à espera. Ficou conhecendo os sistemas fluviais da área como a palma de sua mão.

Então, o crocodilo fez sua jogada. Steve descobriu que a isca para uma de suas armadilhas havia sido comida, puxada para baixo com tal força, que o cordão de náilon foi parar em uma árvore do mangue. Steve escolheu um pedaço de carne com odor muito especial para servir de isca na noite seguinte. Deixou-o na corrente do rio e seguiu a pé pelo pântano, para não deixar qualquer marca de sua presença na margem do rio.

Nos dois dias que se seguiram, nada aconteceu. Steve renovou a isca da armadilha, dessa vez usando a carcaça inteira de um porco-do-mato. Acordou no meio da noite. Chilli o havia alertado que alguma coisa havia perturbado a paz do mangue. Steve teria de esperar até o amanhecer para examinar a armadilha.

Na manhã seguinte, ele saiu no barco e viu o que havia acontecido. O grande macho havia acionado a armadilha e estava preso na rede – mais ou menos preso. Mesmo que a rede, em formato retangular, fosse a maior que ele tinha, a cauda do crocodilo e a pata traseira haviam ficado de fora. Porém, o fantasma negro havia finalmente sido capturado.

Quando Steve chegou ao local, o animal se debatia violentamente, arrebentando as árvores do mangue, de ambos os lados da armadilha. Steve tentou amarrar as mandíbulas do crocodilo com uma corda, mas ele lutava com muita violência. Normalmente, Chilli servia de distração, dando a Steve a chance de amarrar o crocodilo. Mas dessa vez, Chilli não quis participar da brincadeira. Ficou encolhidinha no fundo do bote, sem vontade alguma de encarar aquele crocodilo-monstro. Era tudo apenas e tão-somente por conta de Steve.

Finalmente, ele conseguiu amarrar a mandíbula superior do animal com uma corda e prendê-la a uma árvore. Fazendo uma potente "rolagem da morte" – manobra defensiva em que o réptil gira seu corpo enorme –, o gigantesco crocodilo derrubou a árvore e a quebrou. Steve tentou mais uma vez; o crocodilo se debateu, rosnando, rugindo e troando em protesto contra o seu algoz vestido com roupas cáqui, dando estocada após estocada, tentando estraçalhar Steve.

Então, o grandalhão rolou com tanta violência, que saiu da margem do rio e veio parar dentro do barco, que afundou imediatamente. Chilli havia pulado fora e estava nadando para a praia, enquanto Steve lutava contra o tempo. Com o crocodilo debaixo d'água, Steve o prendeu ao bote com a armadilha e tudo. Entretanto, pôr em movimento um barco inundado com um crocodilo de uma tonelada lá dentro era simplesmente demais. Steve saiu correndo a toda velocidade no calor tropical até chegar a um canavial, onde esperava encontrar ajuda. Os canavieiros relutaram em ajudá-lo; foi só quando Steve lhes prometeu uma caixa de cerveja que eles chegaram a um acordo. Com um potente barco de pesca preso a cada lado do bote de Steve, eles conseguiram rebocá-lo rio abaixo e guinchar crocodilo e barco para terra seca e colocar o animal em um caixote. Nessas alturas, já havia uma multidão de espectadores.

Quando Steve me contou a história da captura, tive a sensação de que ele se sentiu triste por ter sido forçado a capturar o crocodilo.

– Eu não achava correto remover o rei do rio – disse Steve. – Aquele crocodilo havia reinado em seu território durante décadas. E eu o estava retirando de lá. As pessoas da região pareciam aliviadas e algumas delas até brincavam imaginando quantas botas poderiam ser feitas com ele.

Steve foi muito inteligente ao incluir os habitantes locais na operação; ele conquistou logo a simpatia de todos, mostrando-lhes que o crocodilo era realmente especial. Quando foi arrastado para dentro do caixote, o velho animal ainda tentou um último desafio, uma "rolagem da morte" que obrigou Steve a prendê-lo novamente.

– Cochichei alguma coisa em seu ouvido para acalmá-lo – disse Steve.

– O que foi que você disse a ele? – perguntei.

– Por favor, não morra.

O crocodilo negro não morreu. Steve o trouxe de volta para Beerwah, deu-lhe o nome de Acco e o colocou em um lago grande e bonito que Bob havia preparado, com muitos lugares para ele se esconder.

Estávamos no Crocodile Environmental Park (Parque Ambiental de Crocodilos) do zoológico quando Steve me contou pela primeira vez a história da captura de Acco. Eu simplesmente tive de revisitá-lo depois de ouvir a história. Lá estava ele, o próprio fantasma negro, tomando um banho de sol às margens de seu riacho.

Lá, de pé, perto desse animal impressionante, tentei entender por que havia gente que queria vê-lo morto. Suas presas, imensas e amedrontadoras, o faziam parecer um animal primitivo, e seu osteoderme brilhava, negro, ao sol – um dinossauro vivendo aqui entre nós. Pensando na crueldade baseada no medo que levava os humanos a odiarem esses animais, senti grande emoção.

De sua parte, Acco ainda se lembrava de sua captura, mesmo que ela tivesse ocorrido quase uma década antes. Quando Steve ia até seu cercado, Acco estava à espreita e o atacava, irrompendo da água com a intenção de pegar Steve de surpresa.

Apesar do conflito em que vivia Steve quanto a se havia feito a coisa certa, cheguei à conclusão de que a captura de Acco tinha de acontecer. No zoológico, Acco patrulhava seu próprio território e tinha uma linda fêmea, Connie, que o amava muito. Se tivesse ficado no seu habitat natural, ele teria sido morto, mais cedo ou mais tarde. Se a escolha é entre ser atingido por uma bala e viver no Crocodile Environmental Park, acho que seu novo território era muito melhor.

Quando conheci Steve em 1991, ele havia acabado de voltar do agreste, onde ficara por uma década, seja com Bob, seja sozinho, apenas com Chilli e, posteriormente, com Sui. Esse tempo foi uma espécie de prova de fogo. Quando garoto, tudo o que Steve queria era ser como o pai. Aos 21 anos ele seria como Bob, depois seria um Bob especial e depois um Steve especial.

Ele fez muito mais do que capturar crocodilos. Nos desertos do oeste, ele e Bob ajudaram pesquisadores do Museu de Queensland a entenderem a complexidade do comportamento da serpente feroz. Steve também embarcou no estudo comportamental de um raro e pouco estudado tipo de lagarto arborícola, o iguana de crista, subindo nas árvores das florestas tropicais da Península de Cape York, à procura de conhecimentos herpetológicos.

Da mesma forma como havia se tornado uma figura de sucesso na televisão, na década de 1980, Steve se tornou também um ambientalista engajado. Sua experiência prática, adquirida ao longo do tempo em que viveu no agreste, misturava-se bem com o conhecimento mais abstrato dos pesquisadores. Ninguém havia feito o que ele fizera, indo sozinho atrás de crocodilos e capturando-os, depois de meses de espera.

Ele passaria seu conhecimento da natureza e do agreste para Bindi e para Bob, exatamente como Bob e Lyn haviam passado para ele. É isso o que poucas pessoas sabiam a respeito de Steve – seus laços de família e a tradição do amor, do compromisso e da compreensão que foram transmitidos de geração a geração.

Mais tarde, aquela tradição da família Irwin traria a Steve uma dor inenarrável, quando os que estavam do lado de fora julgaram de maneira equivocada seus esforços para educar os filhos e o crucificaram por isso.

CAPÍTULO TREZE

Pé na Estrada Novamente

Quando, em julho de 1998, Steve e eu trouxemos Bindi para casa, sentíamo-nos completos. Agora éramos uma família e aquela linda garotinha daria uma dimensão totalmente nova as nossas aventuras. Sui, por sua vez, não se mostrou muito entusiasmada com a nova adição à família – uma pessoinha do tamanho de um pão que choramingava bastante. A reação inicial de Sui me lembrou da recepção que ela me dera quando cheguei pela primeira vez.

– Veja bem, Sui – disse Steve, falando com ela como se estivesse falando com um ser humano. – Você precisa cuidar de minha pequena Bindi. Você precisa me ajudar a protegê-la.

A julgar pela expressão que vi em seu rosto, parecia que ela estava pensando: "*Tudo bem, Stevo, vou fazer esse favor para você, mas não gosto muito dessa idéia*".

O rigor do inverno na Sunshine Coast não é exatamente como na Antártica. Nunca há neve. Porém, a velha casa com varanda, na qual morávamos, no terreno do zoológico, tinha muita corrente de ar e era difícil de aquecer, com o teto muito alto. Tinha também muitos degraus na porta de entrada e na dos fundos. Essa combinação de degraus e um bebê me deixava nervosa. Até manter Bindi bem quentinha era um desafio, mas dávamos um jeito. Usávamos aquecedores de ambiente e a mantínhamos bem agasalhada. Isso me fez compreender que a pequena e aconchegante casa de tijolo que Bob havia construído para sua família era realmente muito melhor.

Andávamos de olho em um terreno contíguo ao zoológico e decidimos comprá-lo, pensando na expansão do empreendimento. Havia na nova propriedade uma pequena casa, nada de especial – uma casa modesta, feita de tijolo, com três quartos e um banheiro. O que mais nos atraiu foi o fato de ser um local isolado, onde poderíamos ter mais privacidade. O construtor a projetou atrás de um pomar de macadâmia, mas ainda assim ficava bem ao lado do zoológico. Poderíamos ser parte do zoológico e, ao mesmo tempo, ficar separados dele. Perfeito.

– Organize essa casa como você quiser – Steve disse. – Ela vai ser o nosso lar.

Então ele começou a fazer a nossa mudança. Eu sabia que essa seria nossa última escala. Não nos mudaríamos novamente. Colocamos linóleo e tapetes novos e instalamos bomba de calefação. Ah! que luxo ter uma casa onde o clima pode ser controlado! No banheiro, coloquei vitrais temáticos com animais selvagens – um jabiru, um crocodilo e um grande iguana. Usamos também azulejos com motivos da vida selvagem: dingos, baleias e cangurus. Fizemos uma casa bem nossa.

Mexemos no lado de fora também. Steve transplantou palmeiras da casa dos pais na costa de Queensland e construiu algumas cercas para dar privacidade, projetando um caminho circular. Quando assentou o concreto, ele deixou as marcas de seus próprios pés e mãos no cimento ainda molhado. Depois correu para dentro da casa para buscar a mim e Bindi.

– Venham comigo – disse. – Vamos todos nós. – Agarramos Sui também e a fizemos deixar suas pegadas no concreto fresco; depois fizemos o mesmo com Bindi, que tinha apenas oito meses. Foram várias tentativas, mas conseguimos fazê-la colocar suas mãos e depois os pés;

e depois foi a minha vez. Recuamos um pouco e ficamos admirando a cápsula do tempo que havíamos criado.

Naquela tarde as chuvas começaram. A Sunshine Coast é normalmente ensolarada e seca, mas quando chove, os céus se abrem e a água despenca. Preocupamo-nos com todo o concreto que havíamos assentado; ele poderia rachar e estragar.

– Encontre logo alguma coisa – gritou Steve, correndo para juntar suas ferramentas. Corri para dentro da casa. Como não encontrei com a suficiente rapidez nenhuma cobertura de plástico, corri e agarrei um de meus melhores lençóis. Conforme eu o via tornar-se enlameado e cinza na chuva, tentava me consolar. *No futuro, não vou me importar por ter arruinado o lençol*, pensei comigo. Darei graças a Deus por ter preservado as marcas de nossas mãos e pés.

– É nossa caverna – disse Steve se referindo a nossa nova casa. Nunca recebíamos amigos. O zoológico era nosso espaço social. Morando tão perto dele, poderíamos facilmente nos sentir cerceados; então adotamos como norma nunca receber amigos em casa. Não era questão de não querer cultivar amizades; era simplesmente uma questão de autopreservação. Nossa residência de tijolo era para nossa família: Steve, eu, Bindi, Sui e Shasta.

Assim que trouxemos nosso bebê para casa, já preparamos as coisas dela para partirmos de viagem. Bindi tinha seis dias de vida quando embarcou em seu primeiro filme (na verdade, o segundo, se contarmos a filmagem de seu nascimento). Steve, Bindi e eu fomos para os Estados Unidos, com uma escala primeiro em Double Island, na Austrália, para rodarmos um filme sobre tartarugas.

Fomos de carro até as dunas de areia de Double Island, em um dia de filmagem nas espetaculares praias da região. Bindi se comportou maravilhosamente bem. Em alguns locais o terreno era bastante acidentado para nosso quatro-rodas; então, eu me inclinava para o banco de trás, onde ela estava, e segurava sua cabecinha, para que o sacolejar do veículo não a afetasse tanto.

Quando chegamos ao local das filmagens, ela estava muitíssimo bem. Fraser, um dos assistentes de filmagem, ficou com Bindi enquanto Steve e eu filmamos. Depois, saímos da frente da câmera e fomos acariciá-la e beijá-la, e eu pude amamentá-la. Ela não chorou nem resmungou. Juro que ela parecia ficar quietinha quando John gritava "Rodando!"

Foi fantástico estar de volta às filmagens, e isso me fez compreender o quanto aquilo representava para mim. A equipe representava nossa família estendida. Em momento algum tive a sensação de que alguém estivesse aborrecido ou impaciente com a idéia de ter um bebê de seis dias no set de filmagem; pelo contrário, o clima era de alegria. Faço menção especial à iniciação de Bindi Irwin na filmagem do documentário sobre o maravilhoso mundo da vida selvagem: quinta-feira, 30 de julho de 1998, na espetacular costa subtropical de Queensland, onde a areia brilhante e alva se encontra com a água azul-turquesa. É nesse local que as tartarugas navegam na rebentação, todo ano, para virem à praia e desovar.

Próxima parada: Estados Unidos, com o bebê a bordo. Bindi era tão miudinha, que cabia no travesseiro de bordo. Steve a admirava de uma maneira quase obsessiva, exagerando nos cuidados com ela, alerta a qualquer coisa que pudesse cair do bagageiro quando fosse aberto. Que pai protetor!

Nosso primeiro filme na Califórnia foi um documentário sobre cascavéis e aranhas. Tiramos uma linda foto de Bindi usando um pequeno chapéu e uma tarântula escura sobre a cabeça. No Texas ela ficou conhecendo sapos e cobras rateiras na região do rio Pecos. Steve achou dois incríveis espécimes dessas cobras não peçonhentas em uma casa abandonada. Observei bem como Bindi, com duas semanas de vida, reagiu à presença delas. Ela olhou para as cobras e seus bracinhos trêmulos se levantaram em direção a elas.

Ri muito com a ansiedade dela. Steve olhava para mim, como se dissesse. *Está vendo? É nossa pequena guerreira, defensora da vida selvagem!*

Na Flórida, tivemos de gastar um bom tempo com o melhor dos Estados Unidos, na Eglin Air Force Base (Base Aérea de Eglin). Os militares encarregados de cuidar da área haviam aberto uma clareira em uma parte do mato para operações militares e haviam encontrado uma enorme cascavel-diamante-ocidental. Trata-se da maior de sua espécie; de qualquer forma, essa era grande por outra razão: estava prenhe. Logo depois que os patrulheiros a pegaram e a levaram para um rancho, ela deu à luz.

Ficamos observando enquanto os filhotinhos abriam caminho; ficavam imóveis por um momento e logo começavam a atacar tudo e qualquer coisa que estivesse nas proximidades. Embora fosse um grande mecanismo de defesa, caso um predador estivesse pronto para comê-los, tudo parecia bastante cômico. Uma picada, outra picada, outra picada; um ataque, outro ataque, outro ataque. Depois eles se encolhiam e se escondiam por alguns minutos. Logo depois voltavam à ofensiva: picada, ataque, picada. Suas presas é que chamavam a atenção e eles tentavam parecer durões. Maneira interessante de saudar o mundo.

Steve e eu fizemos uma concha com as mãos e pegamos os filhotes de cascavel, segurando-os até que eles entrassem na fase do ataque. Calculamos bem para colocá-los no chão antes que voltassem ao seu frenético momento de picada.

– O que acontece se você for picada por uma cobra venenosa enquanto estiver amamentando? – perguntou Steve.

– Não sei – respondi. – Provavelmente eu teria de parar de amamentar, certo?

– Apenas tome cuidado para não ser picada – disse Steve.

– Combinado – eu disse. Segurei uma pequena cascavel nas mãos, falei com a câmera e depois coloquei a cobra de volta no chão. *Boing*,

boing, *boing*, fez o filhote, pulando desesperadamente, tentando picar tudo o que tocasse. Até mesmo os patrulheiros riram.

Depois que os patrulheiros completaram sua missão de treinamento, todos os animais selvagens perigosos que eles haviam recolhido (inclusive as cascavéis) voltaram exatamente para o local de onde haviam saído. Estávamos muito orgulhosos por termos trabalhado com alguns dos heróis dos Estados Unidos.

Steve se sentiu como se estivesse em sua praia durante as filmagens na Flórida. Achou uma cobra coral em Eglin e outra cascavel-diamante-ocidental enorme. Estava um calor terrível, como acontece na maioria dos verões no sudeste. Bindi ficava a maior parte do tempo sentada no veículo com ar-condicionado, enquanto um ou outro membro da equipe ficava tomando conta dela. Eu me distanciava o suficiente para o microfone da câmera não captar o som da caminhonete, filmava bem depressa e voltava correndo para ficar com ela.

Bindi sempre gostou de ficar perto de Steve. Parecia que ele a agitava e acalmava ao mesmo tempo. Mostrava a ela tudo o que entrava em seu mundo, todos os animais selvagens, as paisagens e as pessoas. Mesmo com apenas poucas semanas de vida, Bindi virava a cabeça na direção de Steve, quando ele passava pelo quarto dela. Não acredito que ela pudesse até mesmo vê-lo, mas ela sentia seu cheiro e, de alguma forma, sentia a sua presença. Então ela se agitava até que ele viesse e a pegasse no colo.

Os laços entre pai e filha continuaram a se fortalecer.

Tanto quanto Steve a influenciou, Bindi também o influenciou. Depois de nossa viagem à Flórida, Bindi e eu fomos para casa; Steve voou para a ilha de Sumatra, na Indonésia. Não pudemos acompanhá-lo por causa do risco de malária; então, em vez disso, mantivemos nosso lar aconchegante, esperando a sua volta. Em um dado momento, quando Steve filmava orangotangos, sua recém-adquirida experiência da paternidade lhe foi muito útil.

Um guarda florestal, que havia trabalhado com orangotangos do parque nacional por 25 anos, acompanhou Steve pela floresta tropical e lá eles encontraram uma mãe com um bebê orangotango. Os guardas vigiam os orangotangos bem de perto para evitar caça ilegal, e esse guarda reconhecia muitos dos animais de longe.

– Ele me faz lembrar Bindi – exclamou Steve, ao ver o macaquinho. Era um filhotinho travesso, feliz, agarrado à mãe, que subia pelos galhos de uma árvore até chegar ao topo.

– Filmar isso será fabuloso – disse Steve. – Vou subir na árvore e depois você me filma junto com os orangotangos – tudo na mesma tomada.

O guarda balançava as mãos, indicando que Steve devia descer de lá. – Você não pode, de maneira alguma, fazer isso – ele disse. – As mamães orangotangos são extremamente protetoras. Se você fizer qualquer movimento perto daquela árvore, ela irá descer e arrancar seus braços.

Steve parou para ouvir.

– Eles são muito fortes – disse o guarda. – Ela não vai aceitar vê-lo na árvore dela.

– Não vou chegar muito perto dela – disse Steve. – Só vou subir um pouco. Então a câmera pode me filmar com ela no fundo.

O guarda olhou, indeciso. – Ok, Steve – ele disse. – Mas eu ainda afirmo que ela vai descer daquela árvore e querer arrancar sua cabeça.

– Não se preocupe, meu amigo – disse Steve, cheio de confiança –, não irá acontecer nada disso.

Então, ele subiu na árvore. E, exatamente como o guarda havia previsto, lá veio a mãe orangotango árvore abaixo. Rebocando, puxando e arrastando o filhote atrás dela, com muita destreza, ela foi imediatamente na direção de Steve. Ele não se moveu. Sentou-se no galho da árvore e ficou observando-a aproximar-se.

A equipe filmou tudo, e essa se tornou uma das mais incríveis cenas de documentários já gravadas. A mamãe orangotango chegou perto de Steve. Balançou no mesmo galho de árvore. Depois mudou de direção e sentou-se bem ao lado dele. Todos os membros da equipe estavam nervosos, com exceção de Steve.

Ela colocou os braços ao redor dos ombros de Steve. *Acho que o guarda tinha razão*, pensou Steve, perguntando-se se, em seguida, ele perderia os braços ou a cabeça. Enquanto segurava o filhote com um braço, ela puxou Steve bem apertado com o outro, olhou bem para ele, e... começou a fazer expressões de beijoqueira.

Toda a equipe caiu na risada; em seguida, a mamãe orangotango apertou os lábios e lançou um olhar apaixonado para Steve.

– Querida, você tem um bebê lindo – disse Steve com voz meiga. O bebê escapuliu e subiu mais alto no galho; sem tirar os olhos de Steve, ela levantou os braços, agarrou o pequerrucho e o arrastou para junto de si novamente.

– Você é uma boa mãe – sussurrou Steve. – Você cuida muito bem desse malandrinho.

– Nunca vi nada igual – disse o guarda mais tarde. Tive de acreditar que o encontro forneceu mais evidência da estranha ligação de Steve com os animais selvagens que ele tanto amava, e também do orgulho que um pai ou uma mãe sente ao reconhecer o mesmo sentimento em outros pais.

Um dia, em Sumatra, Steve estava escalando uma árvore na floresta, juntamente com uma família de orangotangos, e caiu. Uma lasca de bambu, de cerca de 10 cm, penetrou na parte posterior de sua perna. Como sempre, ele, que detestava ir a hospitais, retirou, ele mesmo, a lasca que se alojara em sua perna.

Desde que o conheci, Steve nunca permitiu que eu lhe fizesse qualquer curativo ou que fizesse qualquer coisa para ajudá-lo quando se feria. Ele não gostava nem mesmo de falar de seus ferimentos. Acredito que isso era um legado dos tempos em que viveu sozinho no meio do mato. Desenvolveu suas próprias estratégias em relação aos acidentes que sofria; chamava isso de "teoria do iguana".

– Às vezes você vê um iguana ferido – dizia ele. – Ele pode ter sido atingido por um carro e ter perdido uma perna. Talvez esteja faltando um pedaço de sua cauda. Será que ele fica andando por aí sentindo pena de si mesmo? Não. Ele continua a cuidar de sua vida, caçando para se alimentar, procurando parceiros, subindo em árvores e fazendo o melhor que pode.

Essa é a teoria do iguana. Steve levava em consideração o quão debilitante era o ferimento em questão, mas, mesmo assim, ia em frente. Uma lasca de bambu na parte posterior da perna? Bem, é claro que doía. Porém, a perna ainda funcionava. Ele continuou filmando.

Enquanto isso, minha vida de volta ao lar ficou muito mais fácil com a ajuda da irmã de Steve, Joy, e de seu marido, Frank Muscillo. Alto e de cabelos escuros, com um rosto aberto, franco, amigável, Frank começou trabalhando no zoológico meio período, ajudando-me com a papelada e com a folha de pagamento. Se ele não tivesse aparecido para me salvar naquela época, quando eu tentava conciliar trabalho e cuidados com o bebê, não sei como teria conseguido dar conta de tudo.

Frank era todo família. Eu sentia que podia confiar nele implicitamente com relação a questões financeiras. Ele era brilhante em contabilidade, um excelente pai e homem de negócios. Com dois filhos pequenos, ele compreendia que não importa a quantidade de serviço – a família vinha em primeiro lugar. Frank acabou se tornando gerente geral do zoológico e um componente vital para o seu sucesso.

Nesse ínterim, Bindi se desenvolvia a olhos vistos. Com seis meses, ela já mantinha a cabeça firme e procurava agarrar objetos. Tentava até se movimentar um pouco. Fazendo força com as perninhas, ela tentava se deslocar na cama. Quando Steve voltou de Sumatra, era óbvio que ele estava morrendo de saudade dela. Achei muita graça quando ele se sentou no sofá com Bindi e começou a contar suas aventuras, detalhe por detalhe, enquanto ela olhava fixamente para ele, tentando desesperadamente entender o que ele estava dizendo.

– Ela sentiu muito sua falta – eu disse.

– Não sentiu falta nenhuma! – zombou Steve. Depois, com um brilho no olhar, disse: – Como você sabe?

O fato é que eu sabia. Mesmo quando recém-nascida, Bindi se comportava de maneira diferente quando Steve estava por perto. Quando ela o via chegar em casa depois de alguma viagem, ficava agitada – literalmente, estremecia de felicidade.

Steve compartilhava tudo com ela. Levava-a para passear pelo zoológico e mostrava a ela os animais selvagens. Um dia, ele a levou até o cercado de Agro, um de nossos maiores crocodilos. Um grupo de estudantes estava visitando o zoológico, e, em seus uniformes limpos e bem passados, eles se juntaram ao redor do cercado. Bindi ficou encantada e olhou firmemente para Agro. Naquela tarde, Steve fez a demonstração com o crocodilo segurando sua filhinha nos braços. Os pequenos visitantes ficaram muito impressionados e talvez até um pouco enciumados.

Depois do show com o crocodilo, notei que Bindi estava tão atenta quanto sempre estivera. Estava absolutamente fascinada. Participar do show do crocodilo com o pai tornou-se algo pelo qual ela esperava com muita ansiedade. Algumas vezes, Bindi e eu sentávamo-nos no cercado para observar Steve lidando com os crocodilos; ela chorava até que ele a pegasse no colo para que ela pudesse também participar da ação. *Tal pai, tão filha*, pensei comigo.

No primeiro aniversário de Bindi, em julho de 1999, iniciamos uma tradição por conta própria. Abrimos as portas do zoológico, com entrada grátis para todas as crianças. Oferecemos bolo a elas e convidamos cacatuas, camelos, cobras e lagartos para participarem da festa conosco. Chovia a cântaros, mas não nos importamos. Steve colocou um enorme bolo de aniversário diante da filha. Daria para servir 100 pessoas, e nós ainda encomendamos vários outros para comemorarmos.

Bindi não havia comido açúcar antes, nem qualquer tipo de sobremesa ou pirulito. Com muito cuidado, ela pegou uma flor glaceada da cobertura do bolo e o experimentou. Seu rosto se transformou: era pura perplexidade e alegria. "Mergulhou" no bolo com todo o seu entusiasmo. Aplausos e risos emergiram do grupo de 300 pessoas que lá estavam para a festa.

Lyn, a mãe de Steve, tinha naquele dia um sorriso cheio de orgulho. Imaginei como teria sido quando ela começou o zoológico. Era apenas um pequeno parque com animais selvagens, com o bilhete de entrada custando apenas 40 centavos para adultos e 20 centavos para crianças. Agora, era uma empresa em expansão, parte de um ambicioso esforço de conservação e complemento para nossos documentários sobre a vida selvagem. Porém, o emprego favorito de seu filho era ainda o de ser Papai. Eu sentia no rosto de Lyn como era importante para ela o fato de que Steve havia constituído uma família. E Bindi teve um dia maravilhoso, usando um agasalho cor-de-rosa que sua vovó havia feito para ela.

Naquela noite, Bindi, Steve e eu nos aconchegamos na cama. – Enquanto estivermos juntos – ele disse –, nada de mal irá acontecer.

Era muito estranho e eu não queria pensar nisso, mas realmente parecia que, quando estava sozinho, longe de nós, Steve tinha mais problemas. Por aquela época, filmando na África, com os nativos do Deserto do Kalahari, Steve escorregou quando filmava um lagarto. Esticou a mão para se apoiar e acabou colocando-a bem no meio de uma euforbiácea, uma coroa-de-cristo. O arbusto se quebrou e as lascas penetraram na mão dele.

Os homens que vivem no Kalahari usam a resina da euforbiácea como veneno na ponta de suas lanças. O braço de Steve inchou e começou a escurecer. Ele passou a ter febre e ficou em dúvida se deveria ir para casa ou para um hospital. Buscou conselho com os nativos que trabalhavam regularmente com a tal resina.

– O que acontece quando a gente é envenenado com isso?

Os homens caíram na risada. – A gente morre – disseram eles.

John filmou momento a momento, conforme a pele do braço de Steve continuava a escurecer e ele enfrentava a febre. Ele se preocupava com os efeitos residuais da gangrena.

No fim das contas, Steve sobreviveu, mas sentiu os efeitos do problema ainda durante várias semanas. Mais uma vez, Steve e eu conversamos sobre o quanto era estranho ficarmos longe um do outro. Sempre que estávamos juntos em uma viagem, sabíamos que tudo correria bem. Separados, entretanto, tínhamos o mesmo sentimento desconcertante, difícil de expressar em palavras. Eu me sentia oca por dentro.

A viagem à África tirou Steve de nós por três semanas e Bindi mudou muito enquanto ele esteve ausente. Fizemos um acordo de que nunca nos separaríamos de Bindi e que pelo menos um de nós estaria sempre junto dela. Senti muito por Steve, pois fui eu quem teve essa sorte naquelas três últimas semanas. Ele sentiu muito a falta dela.

O próximo documentário seria diferente. Iríamos tomar um DC-10 para atravessar o país, da costa leste para a costa oeste. Juntos, voamos para o Red Centre, o interior do continente, onde está localizada a Ayers Rock – um dos ícones mais conhecidos da Austrália.

– Dê uma olhada – disse Steve quando chegamos. – É o coração da Austrália.

Pude ver bem o porquê. Uma imensa montanha de pedra erguia-se da paisagem plana e arenosa. Parecia que a rocha não se ajustava à vastidão do deserto. Os aborígines a chamavam de Uluru e preferiam que os turistas não subissem naquele local, que eles consideravam sagrado.

Com muito respeito, filmamos apenas as áreas às quais tivemos acesso com a permissão dos aborígines locais. Quando nos aproximamos da rocha, Steve viu um lagarto. Virou-se para a câmera para falar a respeito do animal. Eu estava concentrada em Steve, Steve estava concentrado no lagarto e John estava filmando. Bindi estava conosco e ainda mal conseguia andar; assim, achei que dava para ficar observando Steve.

Entretanto, John falou: "Consegui". Viramos para trás e, espantados, vimos Bindi se inclinando em direção à base da Ayers Rock. Ela havia colocado ambas as mãos contra a pedra lisa e com suavidade encostara a bochecha na rocha; ficou lá, fascinada.

– Ela está tentando escutar alguma coisa – sussurrou Steve. Foi um momento muito estranho. Toda a equipe parou e ficou observando-a. E então, de repente, pareceu que Bindi havia saído de um transe. Sentou-se no chão e começou a encher a boca com a areia vermelha de Uluru, como se fosse a coisa mais deliciosa.

Filmamos também um diabo espinhoso, réptil australiano, muito ocupado lambendo formigas do solo arenoso. Esse insólito lagarto, único da espécie, tem o corpo granuloso coberto por grandes escamas espinhosas.

– Quando chove – falou Steve para a câmera –, as gotículas de água escorrem pelo corpo dele e acabam se afunilando no focinho; assim, o diabo espinhoso tem água para beber sem ter de procurar por ela! Tem água para matar a sede bem na sua cara!

Que pena que ela não vai se lembrar de nada disso, pensei comigo, vendo Bindi se agachar para examinar a língua do diabo espinhoso, que se movimentava desesperadamente comendo formigas. Entretanto, tínhamos as fotos e o filme. *Que garotinha de sorte*, pensei. *Registramos para ela todas essas experiências para ela revivê-las e curti-las quando quisesse.*

Nossa vida prosseguia por fases. Steve viajou para rodar um filme no Timor Leste. Os Australian Diggers – soldados veteranos da Guerra – haviam entrado em contato conosco acerca de um crocodilo cativo que precisava de nossa ajuda. Naquela época, o Timor estava em guerra, então Steve teve de tocar o projeto longe de Bindi e de mim.

Entretanto, eu sabia que na próxima viagem, estaríamos todos juntos – toda a família.

Antes disso, eu havia planejado uma visita ao Oregon; Steve se juntaria a nós, depois que Bindi e eu tivéssemos promovido nossa nova linha Caçador de Crocodilos na grande feira anual de brinquedos de Nova York. Viajar juntos era muito divertido. Pulávamos na banheira e tomávamos banho de espuma, pedíamos refeição no quarto, tomávamos café na cama. Viajar com Steve sempre significava viver muitas aventuras.

Assim, Bindi e eu voamos para os Estados Unidos antes de Steve se juntar a nós. Fomos de carro para a costa do Oregon, onde minha irmã e eu temos um pequeno chalé na praia. Não conseguíamos entrar em contato com Steve porque não tínhamos celular. Tampouco havia telefone no chalé, apenas uma cabine pública em um posto de gasolina do outro lado da rua. Foi um dos raros períodos em que ficamos sem falar um com o outro por vários dias seguidos.

Foi nessa época que os pais de Steve resolveram se mudar para mais perto de nós. Eles iriam administrar a Ironbark Station, nossa propriedade na Great Dividing Range, a grande cordilheira australiana. Lyn estava muito feliz por poder ficar mais perto da família. Ela e Bob estavam morando em Rosedale, na costa de Queensland, distante quatro horas e meia do zoológico. Ironbark Station ficava a apenas duas horas de viagem.

Ao longo dos anos fomos adquirindo terra para proteção ambiental e estávamos tentando restaurar a vegetação nativa. Logo depois que compramos a propriedade, começamos a plantar eucaliptos. Primeiramente plantamos dezenas de pés, depois centenas e, em seguida, milhares. Steve trabalhava dia e noite plantando as árvores. Se a chuva não vinha logo, ele religiosamente regava cada sementinha. Tínhamos muita esperança de que um dia o pedaço de terra iria oferecer refúgio a muitos animais – de coalas a dasiurídeos.

– Vai demorar muito tempo até as árvores surgirem – dizia ele. – Mas um dia elas serão grandes, terão fendas e cavidades, e haverá um lugar onde os animais poderão viver novamente. – Mesmo em seu estado bruto, devastado pelo gado, as terras eram o paraíso. Os cangurus-rato saíam juntos toda noite e as gralhas de asa branca voavam baixo para ver o que estávamos fazendo.

Tínhamos juntado 650 acres de terra. Essa era a propriedade para a qual Lyn e Bob estavam se mudando em 1999.

Uma noite, eu estava dormindo em meu chalé na praia do Oregon, quando acordei com uma batida na porta. Era uma mulher que dizia ser da Cruz Vermelha. Como eu ainda estava sonolenta, no início, não compreendi muito bem o que ela estava me dizendo.

– Não quero assustá-la – ela disse –, mas você precisa ligar imediatamente para sua casa

Entrei em pânico. Minha cabeça foi a mil. Onde estava Steve? Bindi dormia no quarto. Pedi à mulher da Cruz Vermelha que aguardasse à porta, enquanto eu corria para o telefone público do outro lado da rua. Os procedimentos para chamadas internacionais pareceram extremamente complicados e demorados naquela manhã. Eu tentava manter os dedos firmes enquanto discava.

O sol ainda não havia surgido. Eu estava de roupão. Era fevereiro de 2000 e lembro-me de estar pensando: *Sempre faz mais frio quando o sol está para nascer.*

Ouvi a voz de Steve do outro lado da linha e senti imediatamente uma enorme sensação de alívio. Ele está vivo. Mas havia algo muito errado. Steve parecia incoerente. Eu não conseguia entender o que havia acontecido.

Pouco tempo antes, havíamos perdido nosso crocodilo, que morreu de velhice, e pensei que alguma coisa poderia ter acontecido com outro de nossos animais. Porém, o tom de voz de Steve era diferente. Ele estava soluçando, mas, finalmente, conseguiu falar.

Sua mãe havia morrido em um acidente de carro.

Senti o sangue desaparecer de meu rosto. Não conseguia acreditar. Eu não entendia o que ele estava falando. Ele tentava explicar, mas não conseguia falar de maneira clara. Em seguida, a linha caiu.

Desesperada, tive de fazer outras ligações para descobrir como realmente tudo tinha acontecido. No processo de mudança para a nova casa em nossa propriedade, Lyn havia saído de Rosedale para uma última viagem com o restante dos pertences da família. Ela estava dirigindo o carro e Aylic, o malamute da família, estava ao lado dela, no banco do passageiro; Sharon, a tarântula australiana, estava em um terrário de vidro na parte traseira da caminhonete. Lyn saíra da casa de Rosedale bem cedo – por volta das 3:00 da madrugada.

Quando ela já estava perto de Ironbark Station, sua picape, a 90 km por hora, se desgovernou, saiu da estrada, atingiu uma árvore e ela teve morte instantânea. Aylic também morreu e o tanque da aranha ficou completamente esmagado.

Logo pela manhã, no exato momento em que aconteceu o acidente, Steve estava trabalhando no zoológico, com a escavadeira. De repente, ele sentiu como se alguma coisa o tivesse derrubado; ele caiu da máquina de maneira tão violenta que os óculos de sol se quebraram. Mais tarde ele me contou que sabia que alguma coisa terrível havia acontecido.

Steve pegou a picape e saiu dirigindo. Não tinha a menor idéia do que havia acontecido, mas sabia que tinha de fazer alguma coisa. Ainda era cedo. Com uma misteriosa precisão, ele foi em direção ao local do acidente. Seu celular tocou. Era Frank. Quando Frank lhe contou o que havia acontecido e onde, Steve percebeu que já estava se dirigindo exatamente para lá.

Imediatamente fiz as malas, peguei Bindi e tomamos o primeiro vôo de volta para casa. A família toda estava arrasada. Steve estava em estado de choque e Bob, pior ainda. Lyn havia sido sempre a matriarca, aquela que mantinha todos juntos e tinha o controle de tudo.

Era uma figura muito forte, uma líder. Foi difícil acreditar que ela havia morrido.

Sentei-me no avião e olhei para Bindi. *Agora, a vida mudou completamente*, pensei. Quando chegamos em casa, eu não sabia o que iria encontrar. Nunca havia lidado com dor desse tipo antes. Lyn ainda estava na casa dos 50 e foi uma crueldade ter tido a vida interrompida tão cedo, pois ela estava perto de realizar o sonho de sua vida. Os próximos seriam os seus anos dourados. Ela e Bob poderiam ter a vida com a qual haviam sonhado e pela qual haviam batalhado tanto. Estariam juntos, perto da família e poderiam cuidar da propriedade e apreciar a vida selvagem que tanto amavam.

Era difícil imaginar o que Steve, seu pai e suas irmãs estavam vivendo. Era muito doloroso para mim. A vovó de Bindi foi embora justamente quando as duas ansiavam por passar bastante tempo juntas. O resultado da morte de Lyn foi tão terrível quanto eu havia imaginado. Steve ficou inconsolável e Bob não conseguia fazer absolutamente nada. Joy e Mandy tentavam segurar a barra, mas para elas era também muito difícil. Todos no zoológico se sentiam desolados. Eu sabia que precisava fazer alguma coisa, mas me sentia triste, perdida, impotente.

Coube a Mandy, a irmã mais nova de Steve, a triste tarefa de recolher o que havia sobrado na picape. Um dos objetos que Lyn havia embalado era o bule de chá de Steve. Não havia nada que Steve gostasse mais do que uma xícara de chá. Quando Mandy foi lavar o bule, ela notou que havia algo dentro. Lá estava Sharon, a aranha, a única sobrevivente do acidente. Embora seu tanque tivesse sido totalmente destruído, ela conseguira entrar no bule para se proteger.

Depois do funeral, parecia que o tempo andava muito devagar até que parou totalmente. Steve começou a falar em mudança para Ironbark Station. Parecia que ele não estava conseguindo organizar seus pensamentos. Não via mais razão para continuar com todos os projetos nos quais havia trabalhado com tanto empenho. Bindi estava triste, mas não entendia por quê. Era pequena demais para compreender. Ela simplesmente chorava quando via o pai chorando.

Demorou muito tempo até que a vida voltasse à normalidade. Steve jamais superou a morte de Lyn. Sua ligação com a mãe, como ocorre com muitas mães e filhos, era muito forte. Lyn Irwin foi pioneira no trabalho de reabilitação de animais selvagens. Ela deixou ao filho um grande legado e, no final, esse dom seria maior do que a morte. Mas como conseqüência do acidente, sentíamos todos uma enorme sensação de perda.

Steve foi sozinho para o agreste, só com Sui e seu saco de dormir. Voltou ao seu tempo de juventude, aos seus solitários anos de formação. Mas a dor da perda o acompanhou. Ver o sofrimento de meu marido era muito doloroso. Eu não estava muito certa se ele, algum dia, poderia encontrar seu caminho novamente.

CAPÍTULO QUATORZE

O Retorno

Quando as coisas ficam difíceis, às vezes o melhor que se pode fazer é estar pronto para ajudar. Tudo o que eu queria era tornar as coisas melhores, mas isso era algo que eu simplesmente não conseguia resolver. Não sabia se ficava pensando no que havia acontecido ou se devia me concentrar no futuro. Foi esse o dilema que enfrentei com Steve depois da morte de Lyn. Eu queria muito voltar no tempo; era impossível.

Steve lidou com a situação mergulhando no trabalho de terraplanagem do terreno. Sentado no banco do motorista de uma escavadeira, ele ficava sozinho com seus pensamentos; trabalhava na propriedade ao redor do zoológico, preparando-o para expansão. Sua idéia era criar um mini Madagascar, habitat insular para o zoológico. Iríamos desenvolver uma ilha mágica com tartarugas terrestres gigantes e com árvores cheias de lêmures.

Fiel ao seu sonho de levar a beleza da vida selvagem até o coração das pessoas, Steve achava que visitantes de zoológicos não deveriam ficar apenas observando os animais de longe, separados pela água. Eles deveriam tomar um barco e se aventurar, desembarcando entre as tartarugas e os lêmures. Se os lêmures sentissem vontade de descer das árvores para brincar, poderiam fazê-lo. Se quisessem ficar lá em cima, nas árvores, poderiam fazê-lo, também. Na ilha eles teriam um lugar para andar livremente.

Usando equipamento pesado, Steve lavrou nossa propriedade, além do que era então a fronteira norte do zoológico. Lá haveria também uma reserva para guepardos, além de espaço para um novo hospital para animais selvagens resgatados. Entretanto, vendo-o de longe operando uma escavadeira, eu sentia que Steve não estava pensando no futuro; estava tentando lidar com o passado imediato.

Foi exatamente nesse período que Hollywood chamou. Se fosse possível apontar o local mais distante das questões reais da vida em momentos de dor e perda, Hollywood seria esse local. Ninguém notou que um Steve emocionalmente assustado apareceu na premiação Daytime Emmy Awards daquele ano. A maioria deles estava ocupada demais com seus próprios problemas para se preocupar com os problemas dos outros.

Croc Files foi um show divertido; cada episódio levava crianças para uma nova aventura com uma variedade incrível de animais selvagens. Ele havia sido indicado na categoria Outstanding Children's Series (Série Crianças Notáveis). As premiações foram concedidas em maio de 2000 no Century Plaza, em Los Angeles.

A agitação da festa de entrega do Emmy não impressionou muito Steve. No estado de espírito em que se encontrava no momento, ele detestava ter de sair. Não era na cidade grande que queria estar, nem mesmo nos grandes momentos e muito menos agora, já que ele nunca mais poderia compartilhar suas vitórias com a mãe.

Por falar em vitória, a noite pertenceu a *Bill Nye, the Science Guy*, do Disney Channel, que levou para casa um total de quatro Emmys, inclusive o de Outstanding Children's Series. Eu senti muito por John Stainton e Judi Bailey, que, como produtores de *Croc Files*, estariam, na verdade, recebendo o prêmio. Achei que já havia sido muito bom negócio ser indicado para o prêmio.

Ainda havia muito mais em Hollywood para nós.

Começamos as conversações iniciais, exploratórias, com a MGM, um dos maiores estúdios de Hollywood, sobre um filme com o Caçador de Crocodilos.

Equipar-se para fazer um filme acabou se configurando uma experiência completamente diferente daquela de preparar toda a tralha e partir para o meio do mato e fazer um documentário lá. Muito trabalho se desenvolve atrás do cenário, antes que as câmeras entrem em ação: contratos, logística, preparação do script e orçamento. Na primavera de 2000, estávamos ainda na fase do quem, o quê, quando, onde e como fazer um filme. Ainda estávamos muito longe do fazer propriamente dito. Embora as negociações fossem entediantes, conduzidas em salas cheias de figurões de Hollywood, Steve nunca vacilou em sua convicção de que o filme se constituiria em uma forte mensagem em prol da defesa do meio ambiente.

Ele convenceu John Stainton de que não haveria quaisquer CGI (imagens geradas por computador) da vida selvagem no filme. Não queríamos simular reação a um animal diante de uma câmera verde e depois deixar a cargo de um técnico em computação gráfica o restante da cena. Essa seria a opção normal de Hollywood, mas não era a de Steve.

– Todos os animais têm de ser reais – insistia ele com os executivos da MGM. – Eu vou ser meu próprio dublê. Se não for assim, não estou interessado.

Sempre acreditei que Steve se daria bem em qualquer coisa que se propusesse a fazer – e em um filme não seria diferente. A câmera o amava. Enquanto as negociações se arrastavam na MGM, criamos um título: *Caçador de Crocodilo: Rota de Colisão*. Porém, o que mais fazíamos era receber ligações telefônicas e participar de reuniões.

O principal ponto de fricção nas negociações era que nenhuma companhia de seguros nos daria suporte. Nenhuma seguradora faria uma apólice para um projeto que exigisse que Steve trabalhasse com crocodilos reais.

Como as negociações pareciam estar chegando a um impasse, estávamos todos nos sentindo frustrados. Steve olhava para John, para Judi e para os outros. Ele percebeu que todos os nossos vários projetos criavam alguma dificuldade para eles; então, ele chegou à conclusão de que precisávamos de um tempo.

Dessa vez, ele não nos levou para o agreste. Em vez disso, Steve disse uma palavrinha mágica: "Samoa".

– Para ver cobras marinhas? – perguntei.

– Para surfar – ele disse. Ele planejava uma viagem de dez dias para fazer um documentário sobre surfe.

Steve adorava surfar da mesma forma como adorava animais selvagens. Os atritos que seu corpo havia sofrido jogando rúgbi, lutando com crocodilos e fazendo trabalho pesado no zoológico lhe trouxeram problemas nos joelhos e nos ombros. Ele achava que seus dias de glória, brigando com algumas das maiores ondas, estavam chegando ao fim.

Em Samoa, Steve não ficava algumas horas brincando nas ondas; ele ficava lá de 12 a 14 horas por dia. Eu não surfei, mas fiquei fascinada de ver a habilidade com que ele desafiava uma onda mais alta do que um prédio. Ele tinha uma capacidade de resistência que ia além daquela de qualquer outro surfista que eu conhecia. Steve tinha um barco de apoio por perto; assim, ele poderia nadar, hidratar-se ou pegar uma barra de proteína. Mas isso era tudo. Ele não parava para o almoço. Tomava o café da manhã, surfava durante todo o dia e depois comia um jantar reforçado.

Eu sabia que essa era a melhor terapia para ele. Surfar em Boulders era extremamente perigoso, mas Steve se deleitava com o desafio. Surfou com Wes, seu melhor amigo. Eu me sentava em uma rocha, com os olhos colados na câmera, para não perder uma única onda. Enquanto Bindi juntava conchas e brincava na praia com a babá, eu ficava observando Steve com seus braços longos e ombros largos conquistando com energia onda após onda.

Nem mesmo o Oceano Pacífico com suas ondas mais poderosas conseguia fazer com que sua energia arrefecesse. Ele apanhava os tubos mais incríveis que já vi e rasgava as ondas de uma forma tão radical, que eu não queria que a câmera perdesse um único movimento que ele fazia.

Na praia de Samoa, enquanto Bindi ajudava o pai a encerar a prancha, notei um fiozinho de alegria nos olhos que andavam tão tristes.

Juntamente com John e Judi, assumimos um grande risco e começamos a filmar antes de assinarmos o contrato com a MGM. Acho que não havia outra escolha. Eu imaginava todas as seguradoras do mundo reagindo à frase "crocodilos vivos". Essas duas palavras eram suficientes para expulsá-los de seus cubículos. Assim, começamos as filmagens com os crocodilos de nosso zoológico, mas sem o aval nas linhas pontilhadas, autorizando o filme.

Uma cena em particular no script – e um bom exemplo de pesadelo para um agente de seguro – mostrava um crocodilo tentando saltar para dentro de um barco. Só a perícia de Steve poderia fazer isso acontecer, já que a ação requeria que ele e eu estivéssemos no barco nesse momento. Se o crocodilo, ao dar o bote, prendesse a cabeça na beirada do barco, ele faria o barco virar e nós dois cairíamos na água. Seria uma viagem de mão única.

– Como você vai fazer isso? – perguntei a Steve.

– Primeiro, vou fazer com que os crocodilos se acostumem com o bote – ele disse. Depois, vou tentar fazê-los interagir comigo enquanto estou no barco.

Primeiro ele tentou com Agro, um dos maiores crocodilos-macho de nosso zoológico. Agro estava muito atento ao barco. É um crocodilo esperto. Acho que ele ainda se lembrava de quando foi capturado. Não queria mais saber disso. Resolvemos, então, usar nosso amigo Charlie.

Charlie chegou bem perto de ser levado para uma fazenda de criação de crocodilos e ter sua pele transformada em botas, bolsas e cintos. Era definitivamente um crocodilo cheio de pose. Por um bom tempo, tentou acabar com tudo o que estava ao seu alcance. Steve gostava da idéia de fazer uma tentativa com Charlie.

Como estava rodando um filme e não um documentário, John tinha equipamentos mais complexos do que aqueles que normalmente carregava, utilizando três câmeras de 35 milímetros. Cada câmera filmava em sucessão escalonada, para que as trocas de filme nunca acontecessem todas de uma só vez. Haveria sempre um filme rolando. Não daria para pedir a um crocodilo que esperasse enquanto inseríamos novo rolo na câmera

– Tome cuidado para ficar longe do âmbito de visão de Charlie – disse Steve. – Quero que Charlie focalize somente eu. Se ele mudar de foco e começar a atacar você, será difícil controlar a situação.

Tudo bem. Não tenho como contra-argumentar. Nem de longe me passava pela cabeça chegar perto daquelas mandíbulas estraçalhantes. E eu não estava nem um pouco ansiosa por cair na água com um imenso crocodilo tentando me pegar. Eu tinha de confiar totalmente em Steve para me manter em segurança.

Entramos no bote, ancorado no cercado de Charlie, amarrado com cordas na frente e atrás. Imediatamente, Charlie veio investigar o que estava acontecendo. Não levou muito tempo para ele, cheio de coragem, investir contra Steve. Steve agarrou logo uma corda para prender a mandíbula superior dele. Enquanto as câmeras rolavam, ele prendia a mandíbula de Charlie.

Inúmeras vezes Charlie se arremessou em direção a Steve – meia tonelada de carne reptiliana irrompendo da água, a pouca distância de mim. Eu tentei me segurar precariamente e manter o barco em equilíbrio. Não queria que Steve perdesse nem a filmagem e nem o equilíbrio. Charlie virou um crocodilo enfurecido. Tudo o que ele queria era cravar os dentes em Steve.

Quando usou sua potente cauda como impulsão para fora da água, ele arqueou o pescoço e abriu totalmente as mandíbulas, movimentando a cabeça violentamente para frente e para trás, mordendo e rangendo os dentes. Com muito cuidado, Steve lançou a corda para prender a mandíbula, mas, na verdade, ele não queria impedir Charlie de se movimentar. Em seguida, ele teria de retirar a corda sem estressar o crocodilo e isso seria complicado.

As câmeras continuavam trabalhando. Charlie tentou atacar. Eu me encolhi. Steve continuou a lançar a corda. Então, de repente, Charlie tentou abocanhar a corda em vez de Steve, e ela foi parar bem na mandíbula superior do crocodilo. Um lance perfeito, se fosse isso o que Steve estivesse tentando fazer. Mas não era. Tínhamos agora nas mãos um crocodilo amarrado – e isso realmente não era o que queríamos.

Steve afrouxou imediatamente a corda. Charlie a mantinha presa em seus dentes. Graças à agilidade de pensamento de Steve e as suas manobras rápidas, a corda se soltou. Respiramos aliviados.

Steve olhou para as câmeras. – Acho que vocês entenderam.

John concordou. – Acho que sim, meu chapa.

A equipe toda aplaudiu. A filmagem durou vários minutos, mas dentro do barco, eu não sabia dizer se havia durado segundos ou horas. Ver Steve lidar com Charlie tão próximo dele havia sido emocionante – um animal imenso, imprevisível em seus processos mentais, capaz de levar a melhor sobre sua presa; um animal que vivia no planeta havia milhões de anos; ainda assim, Steve sabia como lidar com ele e conseguiu garantir tomadas fantásticas.

Com os aplausos da equipe, Steve me ajudou a sair do barco e me abraçou bem apertado. Sentia-se muito feliz. Era isso o que ele mais amava: poder interagir e trabalhar com os animais selvagens. Nunca antes uma cena como aquela havia sido filmada em qualquer formato, muito menos em um filme de 35 milímetros para uma sala de cinema. Realizamos o filme, e os agentes do seguro continuavam sem entender.

Steve queria retratar crocodilos como os poderosos predadores que eram, mas mantendo todos ao redor em segurança, conforme ele trabalhava. Em nenhum momento ele quis parecer como se estivesse dominando o crocodilo ou se exibindo muito perto do animal. Queria que a estrela do show fosse o crocodilo, não ele.

Fiquei orgulhosa dele naquele dia. A filmagem representava Steve Irwin no que de melhor ele podia mostrar, sua verdadeira personalidade e seu desejo de fazer as pessoas entenderem o quão incríveis são esses animais, para que tudo fosse testemunhado por platéias de cinemas ao redor do mundo. Filmamos muitas outras seqüências e Steve trabalhou sempre com profissionalismo e a cada vez melhorava as tomadas. Ele estava, sem dúvida alguma, fazendo aquilo que gostava.

Com as filmagens do crocodilo ao vivo garantidas, o pessoal do seguro veio a bordo e, finalmente, pudemos assinar um contrato com a MGM. Iríamos começar a filmar pra valer. Primeira parada: Deserto de Simpson, com o lagarto-monitor e a serpente feroz.

O dia anterior a nossa partida foi muito quente. Shasta sofreu com isso. Bindi a enrolou em toalhas molhadas para que ela não sentisse tanto calor. A cada pequeno espaço de tempo ela levantava a cabeça e latia um pouquinho.

Nos últimos anos, as costas de Shasta andavam tão ruins que, quando eu saía com ela, eu a levava dentro de um carrinho de mão. Ela gostava de dormir no carro. Acho que viajar a deixava feliz. Naquela noite, ela estava tão agitada que eu a coloquei no carro e dei-lhe um beijo de boa-noite. Eu sabia que lá ela se sentiria melhor.

Pela manhã, partimos para nosso primeiro dia oficial de filmagem. Steve cuidou do que faltava no zoológico e eu fui até a casa de uma amiga que ficaria cuidando de Shasta. Shasta ainda estava dormindo.

– Bom dia, dona preguiçosa! – eu disse. Debrucei-me para dar-lhe um beijo na testa. Então, percebi que ela não estava mais lá. Shasta havia morrido durante a noite. Ela tinha 17 anos e meio, a única cadela que eu já havia tido. Passou por nove meses de quarentena para se encontrar comigo na Austrália. Havia sido uma companheira leal e um excelente cão de guarda.

Bindi e eu dissemos adeus a Shasta. Conversamos sobre o ciclo da vida e juntamos alguns objetos favoritos de Shasta. Ela seria enterrada com seu cobertor favorito. Eu sabia que nunca mais teria outro cão. Agora, Sui era o único cão da família.

Naquele Dia de Ação de Graças, enquanto estávamos ainda produzindo nosso próprio filme, Steve fez uma ponta em *Dr. Dolittle 2*, de Eddie Murphy.

Era uma cena divertida. Steve representa a si mesmo e Eddie representa Dolittle. Embora tenha sido filmado em Los Angeles, os dois aparecem como se estivessem em pleno agreste, e Steve está explicando como brigar com um jacaré.

– Estou aqui com o Dr. Dolittle, que realmente conversa com animais – diz Steve. – Estamos aqui nos preparando para capturar esse jacaré, que está atrás de nós. A melhor maneira de pegá-lo é agarrando-o assim...

Enquanto isso, o jacaré tem lá suas próprias idéias. Em um extravagante sotaque australiano, ele dá uma dica para Eddie: – O que estou fazendo é deixar Steve pensar que eu não o estou ouvindo. Quando ele vier me pegar, vou me virar e – veja que beleza! – arrancar-lhe o braço!

Steve – diz Eddie. – Acho que ele sabe que estamos aqui.

Fique quieto! – diz Steve. – Não quero estragar o elemento surpresa.

Ele salta sobre o jacaré, que o abocanha rapidinho. – Opa! – grita Steve. – Meu braço!

Steve julgava as pessoas de acordo com os próprios méritos delas. Ele nunca se deixava dominar ou impressionar por alguém que fosse famoso. Poderia ser o dono de um pub em Windorah ou uma estrela de cinema em Los Angeles – não importava. Ele reagia às pessoas como indivíduos.

– Gostei de Eddie – ele disse quando lhe perguntei como havia sido a filmagem. – Ele tem talento e é muito profissional; é fácil trabalhar com ele.

Porém, depois de passar alguns dias no mundo de Eddie Murphy, Steve começou a se perguntar como ele lidava com o fato de estar sempre no centro das atenções. Para Murphy, isso não tinha fim. As pessoas queriam algo dele o tempo todo – uma foto, um autógrafo, algumas palavrinhas. Steve não entendia como uma pessoa podia levar uma vida como aquela. Com o crescente número de telespectadores americanos sintonizando Animal Planet, ele iria descobrir como.

Acho que é por isso que Steve se sentia tão seguro vivendo na Austrália. O país tem 20 milhões de habitantes espalhados sobre uma área do tamanho dos Estados Unidos. Há ainda muitos lugares no vasto agreste australiano onde ele podia ficar longe de tudo aquilo, lugares onde ele poderia dirigir durante vários dias sem encontrar vivalma. Embora Steve compreendesse a importância de trabalhar e filmar nos Estados Unidos, ele sempre jurou que jamais deixaria a Austrália.

Ironicamente, quando voltamos para o zoológico, seu trabalho como ponta em *Dr. Dolittle* quase se tornou realidade. Tínhamos de transferir uma grande fêmea de crocodilo, chamada Toolakea, para outro cercado. Como sempre fazia, Steve preparou tudo para a mudança.

– Nem pense em pegar Toolakea – ele disse, orientando a equipe –, eu inclusive, antes mesmo que chegássemos perto do cercado. – Se vocês estiverem muito concentrados na sua captura, ela saberá. Nunca conseguiremos prender sua mandíbula superior com a corda. Os crocodilos pressentem quando estão sendo caçados.

Há milhões de anos, animais selvagens vêm evoluindo e passam a usar todos os seus sentidos para entrar em sintonia com o mundo ao seu redor. Steve compreendia que a sobrevivência deles dependia disso. Assim, quando eu me aproximei do cercado, pensei em cortar a grama, apresentar o show do crocodilo, ou colher flores de hibisco para alimentar os lagartos. Qualquer coisa, menos capturar Toolakea.

Tudo funcionou como um relógio. Steve prendeu a mandíbula superior de Toolakea com a corda, e todos nós pulamos sobre ela. Ele havia decidido que, já que ela não chegava aos três metros, conseguiríamos levantá-la por cima da cerca e carregá-la para o outro cercado.

Steve nunca construía cercados com portões. Ele sabia que mais cedo ou mais tarde, alguém poderia cometer um erro e não aferrolhar um portão corretamente. Tínhamos de saber pular cerca muito bem. Ele pegou Toolakea em volta dos ombros com o pescoço dela firmemente preso em seu braço. Isso protegeria o rosto dele, caso ela começasse a lutar. E nós lhe demos suporte, ajudando-o a levantar Toolakea por sobre a cerca.

De repente ela explodiu, torcendo-se e retorcendo-se nos braços de todos.

– No chão, no chão, no chão – gritou Steve. Era essa a deixa para colocarmos o crocodilo no chão antes de pegá-lo. Nem todos reagiram com a mesma rapidez. Quando Steve se encaminhou para o chão, os que estavam na cauda ainda estavam de pé. Isso deu a Toolakea a chance de virar a cabeça e agarrar a coxa de Steve.

A enorme fêmea mergulhou as presas na coxa de Steve. Só percebi isso mais tarde. Steve não pestanejou. Ajeitou o crocodilo no chão, mantendo os olhos dela cobertos para acalmá-la. Novamente nós a levantamos, e dessa vez, ela passou pela cerca com facilidade. Notei, então, que escorria sangue pela perna de Steve.

Chegamos ao outro cercado antes de eu saber o que havia acontecido, e ele me mostrou. Seu short estava todo rasgado. Meia dúzia das presas de Toolakea haviam perfurado em vários pontos a parte superior de sua coxa.

Como de costume, Steve não se preocupou com o ferimento; limpou-o e continuou a trabalhar, mas mesmo depois que o ferimento cicatrizou, ele não sentia muito bem a temperatura da perna. Um dia, cerca de um mês após o incidente, tirei uma bebida do refrigerador e a coloquei na sua coxa.

– Consigo sentir alguma coisa aí – ele disse.

– Quente ou fria? – indaguei.

– Não sei – ele disse.

O short que ele usou naquele dia e que foi rasgado pelo crocodilo acabou virando um incrível souvenir para um afortunado patrocinador do zoológico. Aqueles que doavam determinada quantia de dinheiro para nossos esforços de conservação recebiam um bônus em retribuição: um dos uniformes de Steve e uma foto dele usando-o. Steve se sentia muito orgulhoso de ter seu short cáqui com as marcas dos furos feitos por dentes do crocodilo como presente para um fã generoso.

Steve sempre teve um pressentimento de que não viveria muito tempo. Algumas vezes dizia que esperava não ser atacado por um crocodilo, porque isso destruiria todo o seu árduo trabalho tentando convencer as pessoas de que os crocodilos são animais maravilhosos que merecem ser protegidos. Após a morte da mãe, Steve parecia ainda mais dedicado a aproveitar o máximo possível do tempo que lhe restava na Terra. Ele tinha a convicção de que quando sua hora chegasse, seria tudo muito rápido, como acontecera com a mãe no acidente de carro.

Ele não temia a morte. Talvez isso fosse parte de seu segredo de ter o dom especial de lidar com a vida selvagem. Ele amava tanto cada animal, especialmente os crocodilos, que não parecia haver espaço algum para o temor. Porém, isso não significava que Steve não tivesse sua cota de momentos de grande perigo.

Um dia, eu estava alimentando Cookie, Wes estava alimentando Mary e outro membro de nossa equipe, Jan, estava dando cobertura a Wes. Steve conversava com os visitantes do zoológico sobre Agro, nosso crocodilo – macho grandalhão, que estava parcialmente submerso na água, perto dele.

Steve estava tão concentrado em sua fala sobre os crocodilos, que se distraiu um pouco. Havia chovido muito naquele dia, o que deixou a grama muito escorregadia. Steve dava as costas para a água e Agro se aproveitou do momento. Ele se projetou da água como um míssil em direção a Steve. Wes gritou.

Agro comprimiu Steve contra a cerca. Steve não podia se mover. Do outro lado do cercado, vi a expressão no olhar de Steve – não era de medo; era de determinação. Um enorme crocodilo de água salgada estava pronto para agarrá-lo. Entretanto, por alguma razão desconhecida, Agro hesitou por um décimo de segundo. Talvez ele não conseguisse acreditar na sua sorte. Ou talvez ele tivesse sido distraído por Wes, que correu para salvar o melhor amigo.

Steve desviou rapidamente e correu pela linha da cerca. Estava a salvo. A platéia explodiu de entusiasmo diante do que havia acontecido. – Um milagre! – disse alguém a respeito da escapada de Steve. Fora mesmo um milagre? Fora seu sexto sentido? Ou fora seu amigo Wes?

Naquela noite, quando nos deitamos, acariciei o rosto de Steve, passando meus dedos pelas linhas que começavam a se formar ao redor de seus olhos, esperando até que sua respiração se tornasse mais regular e ele adormecesse. – Por um minuto, achei que, dessa vez, ele fosse me pegar – disse Steve baixinho, no escuro.

Steve não era pessoa de entrar em pânico, e esse tipo de atitude equilibrada permitiu a ele que retribuísse o favor de Wes em outra situação de maior perigo ainda, durante um período de ciclones, em março de 2001. Durante todo o dia persistiu um forte sistema de baixa pressão ao longo da costa de Queensland. A luz do dia se tornou amarelada. Às 4 horas, a chuva começou.

Steve entrou em contato com toda a equipe. Pediu a todos aqueles que não estavam trabalhando do lado de fora com os animais que fossem para casa, inclusive o pessoal da contabilidade, do departamento de marketing e da rede. Às 4:15, Steve anunciou um alerta oficial sobre a tempestade, o que significava que todo o pessoal restante teria de se preparar para uma enchente potencial.

Durante uma tempestade, precisávamos inspecionar as cercas. Como corria água pelos cercados do zoológico, detritos eram arrastados pela correnteza e se depositavam nas cercas, colocando nelas uma pressão que elas não haviam sido feitas para resistir. Com a pressão da água, as cercas podiam ceder, liberando crocodilos e outros animais dos cercados.

Por volta de 4:30, Steve anunciou que a situação havia mudado de “alerta de tempestade” para “alerta de ciclone”. Bindi caminhava ao meu lado. Ela ainda não tinha três anos e as águas chegavam até seu peito. Eu a levei de volta ao complexo residencial.

– Volto em um minuto! – gritei para Steve. Ele não me ouviu. Os ventos uivavam e um dilúvio caiu do céu.

Nossa casa ficava em um terreno elevado. Levei Bindi de volta para lá, deixei-a segura sob os cuidados de Thelma, a babá, e voltei correndo para o zoológico.

Todos os cursos de água no zoológico haviam sido projetados com grades contra tempestade. Steve os havia aberto para liberar a água. Agora havia chegado o momento de dividir a equipe em grupos para que rapidamente removessem os detritos que haviam se acumulado nas cercas, que estavam se abaulando.

Os animais que estavam nas áreas mais inundadas tiveram de ser removidos. Levamos os cangurus para um terreno mais alto e colocamos os dingos em alojamentos noturnos especiais. Examinamos Harriet e as outras tartarugas-gigantes para nos certificarmos de que elas haviam conseguido chegar à parte superior de seus cercados, longe da correnteza.

Era hora do crepúsculo. Logo escureceria, o que tornaria nosso trabalho ainda mais difícil. A chuva caía como cascata e os ventos eram absolutamente ensurdecedores.

Quando escureceu no zoológico, vimos que era impossível manter nossos equipamentos secos. Os rádios foram os primeiros que pifaram; os walkie-talkies se tornaram inúteis. Dividimo-nos em pequenos grupos. Depois foram as lanternas que pifaram. Até mesmo a iluminação projetada para ser utilizada na água sucumbiu à chuva. Vi alguns membros da equipe usando lanternas presas às cabeças; a luz acendia e apagava.

Juntei-me a Rebecca, da equipe de educação, que se apresentou como voluntária para ficar e ajudar. Retiramos os detritos do cercado dos dingos. Embora eles estivessem seguros em seus alojamentos noturnos, queríamos ter certeza de que a cerca de seu território não havia se dobrado e não necessitava de nenhum conserto no dia seguinte.

Posicionamo-nos ao longo da cerca. Caminhando pela correnteza, com água até a cintura, retiramos grande quantidade de folhas, galhos de árvores e detritos. Algumas pedras ornamentais do cercado estavam completamente submersas e, com a água cobrindo tudo, foi difícil manter nosso senso de direção.

Nossos esforços valeram para os cercados que estavam vazios ou tinham animais inofensivos, tais como os cangurus. Porém, havia vários cercados onde era uma questão de segurança não deixar as cercas arquearem. Os cercados dos crocodilos eram prioridade absoluta. Se um se dobrasse e um crocodilo escapasse, todos os que estavam trabalhando no zoológico correriam perigo.

A tempestade não era uma situação completamente nova. Havia inundação no zoológico quase todo ano. Entretanto, aquela foi terrível. O caos completo era iluminado por relâmpagos e pelos faróis dos veículos da equipe, estacionados nas proximidades, tentando manter visíveis as áreas que exigiam cuidados.

O cercado próximo ao dos dingos pertencia ao crocodilo Graham. Wes, Steve e outro membro da equipe lutaram com a inundação na casa de Graham. Um membro do grupo ficou de pé na cerca para localizar o crocodilo. Ele deveria alertar Wes e Steve enquanto eles limpavam a linha da cerca dentro do cercado, com a água suja chegando até a cintura. Com os faróis dos veículos lançando suas estranhas luzes, ele teria de prestar muita atenção na água suja e discernir o crocodilo no meio dos detritos flutuantes.

Uma vez que tivesse localizado o crocodilo, ele deveria mantê-lo sob suas vistas. Se Graham submergisse, Wes e Steve teriam de ser imediatamente avisados. O vigia teve de se esforçar muito para não perder Graham de vista em momento algum. Steve e Wes trabalhavam em absoluta sincronia. Eles haviam trabalhado assim durante anos. Para se comunicarem, eles nem mesmo precisavam falar um com o outro.

Não havia espaço para erro, já que o tempo gasto no cercado de Graham se limitou ao mínimo. Eles pularam no cercado, retiraram uma, duas, três cargas de detritos, pularam para fora e reavaliaram a situação.

A linha da cerca de Graham estava arqueada, mas não corria risco de cair. Steve e Wes estavam trabalhando direitinho e eu não precisava ficar lá com eles. Era mais importante que eu mantivesse intacta a linha da cerca dos dingos, que ficava ao lado.

A fêmea de Graham, chamada Bindi, estava chocando, o que adicionava uma dimensão perigosa ao serviço, já que Graham estava se sentindo especialmente protetor. Os homens tinham plena consciência de que o período noturno era a hora dos crocodilos – e Graham estaria à espreita com propósitos bem firmes.

Eles se abaixaram para apanhar as três cargas de detritos. Steve pegou a primeira, lançou-a para fora e juntou a segunda. De repente,

Wes bateu na cerca com tanta força, que seu corpo foi arremessado em forma de arco por cima de Steve.

Num décimo de segundo Steve percebeu o que havia acontecido. Quando Wes se curvou para apanhar o punhado de detritos, ele foi atingido por trás por quase quatro metros de réptil, pesando mais de 400 quilos.

Graham agarrou Wes; mergulhou suas presas superiores no traseiro dele e suas presas inferiores fisgaram a parte traseira da sua coxa, logo acima do joelho. Em seguida, o crocodilo fechou a boca, exercendo uma incrível pressão mandibular de uma tonelada, puxando e rasgando tecido.

O ataque do crocodilo foi violento. Instintivamente, Wes deu uma guinada e se liberou das mandíbulas de Graham, mas dois grandes nacos de carne foram arrancados de seu traseiro. No mesmo momento, Graham se preparou para outro ataque. Wes empurrou a cabeça dele para trás, porém não antes que Graham lhe abocanhasse um dedo. Eles caíram na água. Wes gritou quando foi atacado, mas ninguém o ouviu porque o barulho da tempestade era muito grande.

Na escuridão quase completa, Steve agarrou o cabo de uma picareta que estava perto da cerca. Virou-se na direção de Graham, que se preparara para arrancar mais um pedaço de Wes. Wes, agora, estava ao lado de Steve, na água, com cerca de um metro de profundidade. Com as luzes da picape acesas, dava para ver o crocodilo – o contorno escuro do osteoderma ao longo das suas costas.

Conforme Graham se movia, Wes sabia que a próxima mordida seria no crânio. Aí seria o fim. Wes se preparou para o inevitável – que não aconteceu.

Steve agarrou as patas traseiras de Graham. Ele não percebera que Graham havia soltado Wes para se preparar para o ataque final. Ele achou que Graham estava segurando Wes debaixo da água. Steve puxou com toda a sua força e conseguiu fazer o crocodilo virar-se e concentrar-se nele.

Quando Graham avançou em direção a Steve, Steve enfiou o cabo da picareta na sua boca e começou a martelar em sua cabeça. Wes viu o que estava acontecendo e pulou para fora da cerca.

– Já saí, cara, já saí! – gritou Wes com o sangue escorrendo da perna.

Steve olhou e viu Wes no alto da cerca. Percebeu que mesmo ferido, Wes se preparava para pular novamente na água para tentar salvar seu melhor amigo.

– Saia daí! – gritou Steve. – Está tudo bem comigo. – Wes pulou por sobre a cerca, conforme o crocodilo se virava novamente para agarrar Steve. Ambos tombaram do outro lado da cerca e estatelaram no chão.

Sob a luz opaca, Steve notou que Wes estava bastante ferido. – Cara, vou lhe ajudar – disse Steve. – Deixe-me carregar você até o complexo residencial.

– Não se preocupe! Está tudo bem! – gritou Wes debaixo da chuva torrencial. – Eu consigo ir andando. – E ambos, no meio do aguaceiro, voltaram ao bloco residencial. Ninguém mais viu o que havia acontecido. Continuamos trabalhando debaixo da chuva.

De alguma forma, Frank levou a notícia ao cercado dos dingos. Chegou uma mensagem: – É melhor voltar para casa. Graham atacou Wes.

Senti um calafrio nos braços e mãos. Graham era grande o suficiente para engolir com facilidade uma presa do tamanho de um homem. Lutei contra a água até chegar ao bloco de residências. *Estou tendo um pesadelo*, pensei comigo mesma. Parecia que eu estava tendo um sonho ruim, tentando desesperadamente correr com água até a cintura e, ao mesmo tempo, sentindo-me como se estivesse me movimentando em câmera lenta, tentando seguir adiante.

Fiquei chocada quando vi Wes. Porém, ele estava consciente e de pé. Dei uma olhada em seus ferimentos. Os enormes buracos em seu traseiro e na perna eram horríveis. Eram ferimentos maiores do que meu pulso. Ele estava muito ferido.

Não sabíamos se chamávamos uma ambulância ou não; decidimos que nós mesmos o levaríamos para o hospital. Wes oscilava entre felicíssimo por estar vivo e louco de raiva por ter sido atacado. Estava entrando em choque e havia perdido muito sangue.

Steve tomou o volante. Uma viagem que normalmente levaria meia hora levou menos de 20 minutos. A emergência do hospital estava tendo um dia pesado. Agora o rosto de Wes estava entre pálido e cinza – a dor estava ficando forte de verdade. Dissemos a uma enfermeira que ele necessitava de cuidados imediatos, mas como ele estava debaixo de um cobertor para se manter aquecido, ela levou um bom tempo até perceber a gravidade de seus ferimentos.

Quando ela olhou debaixo do cobertor, ficou muito assustada. Wes estava gravemente ferido; eu me preocupava porque ele ainda perdia muito sangue.

Steve e eu nos sentimos muito vulneráveis e sensíveis diante daquela situação. Muitos pensamentos passaram por nossa cabeça. Por que Wes? Por que Graham não atacou Steve? Que sorte foi aquela que fez Graham atacar Wes da única forma em que ele não teria matado Wes instantaneamente?

Percebemos então o quanto gostávamos de Wes. A idéia de que quase o havíamos perdido nos apavorava. Foi uma sexta-feira terrível. No decorrer do final de semana, ficamos sabendo pelos médicos que Wes poderia se recuperar plenamente. Manteria a perna e recuperaria boa parte dos movimentos. Ficou somente a dúvida sobre se necessitaria de algum enxerto de pele.

Steve arriscou a vida para defender Wes. E gravemente ferido como estava, ainda assim, Wes parou na cerca para voltar e ajudar Steve. Isso é que era amizade; isso é que era afeição. Pensei no que diz a

Bíblia: *Não há amor maior do que esse, um homem arriscando a vida pelos amigos*. Steve e Wes tinham sorte, pois eram amigos de verdade.

Naquela noite não perdemos um único animal. Todos os patos, todos os coalas, todos os cangurus estavam lá – e em perfeitas condições.

Três meses mais tarde, quando Wes já havia se recuperado totalmente, Steve lhe fez uma proposta: – Wes, que tal? Está preparado para uma reunião surfística?

Eles apanharam suas pranchas de surfe e todos nós partimos para as Ilhas Fiji. Tavarua era um atol lindo, ótimo para surfistas. Steve e Wes também surfaram em Namotu, onde pegaram ondas inacreditáveis.

Um dia, a face das ondas que vinham devia ter mais de cinco metros. Só o fato de remar na arrebentação era algo épico. Só percebi o quanto de esforço isso implicava quando apareceu uma visitante, uma exímia esquiadora da Europa.

Steve remava para apanhar algumas ondas e ela seguiu atrás dele. Depois de alguns minutos, ficou claro que ela estava com problemas. Aproximamos o barco e a puxamos para dentro. Ela desmaiou de exaustão. A corrente era tão forte, que mesmo remando com toda a sua energia, ela mal conseguia se manter na água.

De dentro do barco, tentei fotografar Steve. Peter, o capitão, muito gentilmente dirigiu o barco para o lado da onda, na zona de arrebentação. Consegui ângulos excelentes de Steve pegando cada onda. Porém, todo o processo me amedrontava. O barco se levantava muito com os vagalhões. Quando as águas verdes da crista começavam a lamber o topo do barco, subíamos, batíamos nas ondas e escorregávamos para o outro lado.

– Ok. Já chega! – gritei para o capitão Peter.

– O quê? – gritou ele, que não conseguia me ouvir, com o barulho do barco batendo contra as vagas. – O que é que já chega?

Gesticulei de volta em direção à praia. – Não preciso dessas... fotos... maravilhosamente boas – gaguejei.

Acontece que eu não me sentia confiante o bastante para tirar fotos enquanto surfava em um barco. Resolvi que seria melhor ficar com segurança na praia e de lá filmar as ondas se quebrando ou o pessoal surfando.

Entretanto, mesmo em terra seca, o tapete seria puxado de sob nossos pés novamente.

CAPÍTULO QUINZE

O Bebê Bob

Depois da tempestade e do acidente com Wes, fizemos uma reavaliação dos procedimentos de segurança do zoológico. Entretanto, as circunstâncias haviam sido tão incomuns naquela noite, que não nos pareceu que havia outra forma de agir diferente daquela que adotamos. Wes ficou com cicatrizes espetaculares – lembranças do ataque de Graham.

Os laços de amizade entre Steve e Wes se fortaleceram ainda mais. Acho que não existe no resto do mundo um conceito semelhante àquele do ideal australiano de "companheirismo" ideal. "Melhores amigos" não é suficiente para defini-lo. O termo *mateship* é mais do que isso. Significa alguém que está com você todo o tempo e para sempre. Se uma tempestade está se formando no horizonte, seu primeiro pensamento é: *Será que essa tempestade vai afetar meu melhor amigo?* Não importa o que aconteça, você pensa logo nele.

Era assim com Wes e Steve. Wes começou a trabalhar no zoológico quando tinha 14 anos e Steve já passava dos 20. Wes lhe dava cobertura quando Steve ia capturar crocodilos. Foi uma amizade testada e comprovada no agreste australiano. Com o passar dos anos, ambos tiveram várias oportunidades de salvar a vida um do outro, mas nada se comparava àquela dramática noite da inundação.

Mesmo depois do completo restabelecimento de Wes e da chance de um período de descontração no safári surfístico das Ilhas Fiji, aquele momento de grande perigo pareceu sacudir Steve, emocionalmente falando. O duro golpe da perda da mãe e depois a quase perda do melhor amigo pesaram muito em sua mente. Steve não se preocupava com sua própria mortalidade e era muito aberto quanto a isso. Porém, os eventos recentes só serviram para fazê-lo pensar ainda mais sobre a vida e a morte.

– Não posso nem pensar que algo possa acontecer a você ou a Bindi – Steve disse um dia. – Eu simplesmente não conseguiria lidar com isso.

Ver Wes em uma cama de hospital afetou Steve emocionalmente. Era sempre uma surpresa para mim perceber que Steve era durão por fora, mas muito afetuoso por dentro. Ele demonstrava seus sentimentos com mais clareza do que qualquer outro homem que eu havia conhecido. Muitos anos depois que sua cadela Chilli morreu com um tiro acidental (um cidadão local a matou acidentalmente quando saiu para caçar porco-do-mato), Steve ainda lamentava sua morte.

– Não se pode querer duas coisas ao mesmo tempo – eu costumava dizer a ele docemente.

Quando Steve via coisas ruins acontecerem com pessoas bondosas, ou animais inocentes serem vítimas da crueldade humana, ele se desestruturava totalmente. Seus sentimentos fortes exigiam respostas espirituais profundas, e ele as procurou durante toda a sua vida.

Ouvir os passos de sua mortalidade fazia Steve pensar ainda mais na família. Tínhamos uma filha linda. Agora queríamos um garoto.

– Um casalzinho seria perfeito – disse Steve um dia. Quando via a maneira como ele brincava com Bindi me dava mais vontade de ter outro filho. Bindi e Steve brincavam juntos sem parar. Steve era, ele próprio, uma criança grande e sempre se podia contar com ele para momentos de muita diversão.

Eu havia lido a respeito de como, por meio de gerenciamento nutricional, se podia controlar as probabilidades de ter ou um filho do sexo masculino ou feminino. Voei para Melbourne para me encontrar com uma nutricionista, que me deu todas as informações de que eu precisava para a "dieta do baby-boy".

Tive de parar de ingerir leite e derivados – ou seja, não tomar leite, não comer queijo, iogurte, queijo cottage, nem requeijão. Na verdade, era melhor cortar cálcio por completo; também não podia comer nozes, moluscos, nem – oh, Deus! – chocolate. Essa foi difícil. Afinal de contas, ter duas meninas talvez não fosse tão mal assim.

De sua parte nesse esforço para garantirmos nossa chance de ter um menino, Steve tinha de manter sua genitália o mais resfriada possível. Ele ficou muitíssimo entusiasmado com tudo.

– Vou usar um saco de cebola, em vez de cuecas, baby – ele disse. – Vou deixar tudo muito bem ventilado. – Era verdade que manter suas "partes" fresquinhas era uma parte importante do processo; por isso, ele fez o sacrifício e deu o melhor de si.

Sempre, nos momentos difíceis e nos momentos felizes de nossas vidas, se precisávamos escapar de algo, rumávamos para o agreste. Era muita sorte que nós dois compartilhávamos a mesma paixão pela vida selvagem. A Tasmânia, a linda ilha-estado além da costa sul da Austrália, tornou-se um dos nossos locais favoritos quanto a ambiente de vida selvagem.

Além das espetaculares regiões remotas e desabitadas da Tasmânia, gostávamos tanto da sua fauna e flora, que resolvemos estabelecer um território de proteção ambiental lá. Wes e Steve vasculharam toda a ilha (e nesse ínterim conferiam os melhores pontos secretos de surfe), para encontrar o lugar ideal para comprarmos.

Parte de nossa motivação prendia-se ao fato de que não queríamos que acontecesse com o diabo-da-tasmânia o que havia acontecido com o tilacinídeo, também conhecido como lobo-da-tasmânia, o extinto tigre da região. Um animal bizarro – parecia um cachorro grande

– com uma cauda e uma bolsa semelhantes às de um canguru. Ele havia sido expulso do território australiano (provavelmente pelo dingo) milhares de anos antes, mas ainda sobreviveu na Tasmânia até a década de 1930.

Ainda existe um filme de 1936, em preto-e-branco, de cortar o coração, mostrando o único remanescente do tigre-da-tasmânia, o último dos tilacinídeos, enquanto ele caminha em seu cercado. Assistir ao filme é suficiente para nos convencer de que devemos nos dedicar à proteção dos animais selvagens.

Depois que o tigre-da-tasmânia foi extinto, seu parente, o diabo-da-tasmânia, tornou-se o maior carnívoro marsupial do mundo. Qualquer pedaço de terra que comprássemos nessa ilha-estado teria de incluir um habitat para ele – um ponto crucial do projeto. Queríamos ter a certeza de que eles ficariam conosco por muitos séculos ainda.

O diabo-da-tasmânia é um animal pequeno, bem divertido, intenso e selvagem. O personagem Taz do desenho Looney Tunes é um exagero, sem dúvida, porque eles só giram como Taz se forem mantidos confinados demais. No zoológico, nossos diabos-da-tasmânia patrulham as fronteiras de seus cercados, da mesma forma como fazem em liberdade, verificando constantemente seu gramado e protegendo-o de invasores potenciais.

O nome "diabo" veio do som que o animal faz. Quando eles ficam agressivos porque estão com fome, eles se tornam extremamente vocais e começam a gritar, rosnar, uivar e silvar, fazendo os ruídos mais terríveis no meio da noite em cima de uma carcaça.

O diabo-da-tasmânia é uma espécie ameaçada por um tipo de câncer chamado de "doença tumoral facial do diabo", também conhecida pela sigla DFTD (em inglês). Trata-se de uma condição chocante, em que parece que o animal foi atingido por um tiro no rosto. Tumores enormes surgem ao redor das mandíbulas e o animal afetado acaba morrendo de inanição.

O DFTD é um de apenas dois tipos de câncer contagiosos do mundo, e nesse sentido, ele é contagioso apenas entre os próprios diabos-da-tasmânia. A doença estava se alastrando a tal ponto que, em algumas regiões da Tasmânia, 100% da população de diabos fora aniquilada.

Steve andava muito preocupado com o futuro do animal. Estava determinado a ajudar na preservação da espécie, mantendo uma população deles saudável no Australia Zoo. Essa abordagem "Arca de Noé" poderia garantir que o diabo-da-tasmânia não tivesse o mesmo fim que teve o tigre-da-tasmânia.

No meio de todo o nosso trabalho, toda vez que íamos para a Tasmânia, Steve sempre dava um jeito de achar algum tempo para surfar. Havia um lugar favorito, já que ele dizia que aquele havia sido o melhor local em que surfou em sua vida. Enquanto Bindi e eu observávamos da praia, Steve saía remando a partir das rochas e pegava uma onda que se estendia por quase um quilômetro. Em vez de remar todo o caminho de volta, ele saía da água, juntava-se a nós para uma xícara de chá e voltava às rochas para o próximo percurso. Para ele era fácil demais!

Naquele inverno alugamos um chalé, que nos agradou muito; acendíamos uma lareira e, à noite, Steve contava histórias para Bindi. Nada de TV, nada de videogames – só nós três juntos –, ar puro e um bom surfe. Pela manhã, levantávamos antes do sol nascer. Bindi e eu raspávamos o gelo do pára-brisa, enquanto Steve prendia suas pranchas e, em seguida, partíamos.

Na praia havia poucos surfistas. O surfe na Tasmânia pode ser excelente, mas a água é muitíssimo fria. Steve gostava muito do fato de que nunca havia muita gente lá e os habitantes locais, que enfrentavam corajosamente a água, eram pessoas adoráveis. Compartilhávamos com eles almoço e histórias muito interessantes.

Eu era leitora assídua da revista *Surf Life*, e me surpreendi quando topei com uma reportagem sobre nossa visita à Tasmânia. Senti orgulho de ler e ver como aqueles sujeitos se impressionavam com a habilidade de Steve com o surfe. Um incidente que não foi publicado foi quando Steve chegou perto da praia enquanto eu o observava de lá. De repente, ele tirou a roupa molhada. Era inverno e estava muito frio.

– O que você está fazendo? – gritei.

Ele ficou de pé na água gelada. – Isso é para mostrar como estou empenhado em ter um filho, um menino – ele disse, com um sorriso maroto.

Eu disse: – Acho que você deve manter tudo resfriado, não congelado.

Ele deu uma risada. Porém, eu sabia que aquele era o jeito que Steve tinha de me encorajar a manter a dieta do "baby-boy". Já contei que não podia comer chocolate? Ah! Quantos sacrifícios não fazemos por amor!

Nossa educação continuada de Hollywood ensinava que fazer um filme não termina quando as filmagens terminam. Depois disso, é preciso promover o filme, porque se não há público para vê-lo, todo o trabalho perde o sentido.

Entretanto, antes de vendermos *O Caçador de Crocodilos: Rota de Colisão* para as platéias, tínhamos de vendê-lo para os produtores de cinema, que iriam mostrá-lo para o público. Assim, o primeiro contato que fizemos em nossos esforços promocionais foi com um grupo de exibidores de filmes chamado Show West, em Las Vegas. Iríamos nos juntar a Bruce Willis, que tinha interesse em produzir nosso filme.

Bindi e eu havíamos viajado para o Oregon por alguns dias, para visitar a família; combinamos de encontrar Steve em Las Vegas. Porém, tivemos um incidente bem desagradável quando chegamos ao aeroporto. Em Las Vegas, um homem com cara de meliante se aproximou de nós; tinha o chapéu enterrado na cabeça, enormes óculos de sol cobrindo-lhe o rosto e exibindo a dentição mais horrível que já vi.

Ele nos encarou com um olhar de maldade; estava obviamente bêbado ou era louco; tentou me beijar. Afastei-me rapidamente e procurei por Steve. Eu sabia que podia contar com ele para cuidar de qualquer pegajoso que aparecesse a minha frente.

Foi então que me dei conta de uma coisa: o "pegajoso" *era* o próprio Steve. Para se movimentar pelo aeroporto sem ser reconhecido, ele colocou dentes falsos e mudou de roupa. E eu não reconheci meu próprio marido sem sua rotineira roupa cáqui.

Caí na risada. Bindi ficou boquiaberta. – Veja só! É o papai! – Ela precisou de algum tempo para ter certeza de que era mesmo seu pai.

Em nossa apresentação no Show West, mostramos a vida selvagem ao vivo, maravilhosamente organizada por Wes. Bruce Willis estava lá e participou do encontro. – Às vezes eu também dou uma de herói em ação – ele disse –, mas vocês verão que Steve é um herói em ação na vida real.

Bindi trouxe uma píton real para o palco. No camarim, ela e Bruce se entrosaram rapidamente. Ele tem três filhas e de imediato afeiçoou-se a Bindi. Acabaram brincando com os filhotes de leão e outros animais que Wes havia trazido para o encontro.

Embarcamos em um pacote promocional que incluía uma excursão por 12 cidades americanas e depois fomos para Londres, Dublin e Glasgow. Para nos levar para lá e para cá, a MGM forneceu um de seus jatos, com um crocodilo pintado em um dos lados. Foi um tour muito rápido, com "visitas-relâmpago" aos vários locais. Bindi entrava em uma van em uma cidade, nós a carregávamos dormindo para o avião e ela acordava em outra van em uma cidade diferente. Era coisa contínua; não havia parada.

Minha irmã, Bonnie, veio conosco para cuidar de Bindi enquanto Steve e eu dávamos entrevistas, uma após outra, desde os shows da manhã até as apresentações na televisão, à noite. Falamos também com repórteres de jornais, revistas e programas de rádio. No decorrer de seis semanas, fizemos 1.200 entrevistas.

Nosso agente de publicidade, Andrew Bernstein, fez a Steve um de seus cumprimentos favoritos: – Nunca vi ninguém promover um filme com mais empenho do que você, exceto, talvez, Tom Cruise.

Steve e Andrew se deram muito bem, mas Steve ficou preocupado porque Andrew era solteiro e não tinha namorada. – Vamos sair juntos – disse Steve a ele uma noite no avião. – Vamos cair na balada e você vai se divertir muito.

Com um sorriso, Steve ainda disse: – Sabe de uma coisa, Andrew, por alguma razão, as garotas gostam de mim. Não sei por que, pois sou um grandalhão bem feio, mas elas vêm até mim e querem falar comigo. Cara, posso arranjar umas garotas para você; não vai ser nenhum problema.

– Steve – disse Andrew com toda a delicadeza –, gosto de mulheres, mas não *gosto* de mulheres.

– Ah! Não se preocupe com isso – continuava Steve, fanfarrão, sem ainda ter se tocado. – Vamos nos divertir para valer.

Andrew se levantou para ir à toalete do avião. Inclinei-me em direção a Steve. – Andrew está tentando dizer a você que ele é gay – eu disse.

Steve arregalou os olhos. Assim que Andrew saiu da toalete, Steve veio com essa: – Andrew, não se preocupe; os caras também gostam de mim. Vamos sair e eu vou apresentar alguns a você.

Quase morri de constrangimento, mas Andrew riu e depois nós três caímos na risada. Andrew e Steve acabaram se tornando grandes amigos.

Mais uma vez, Wes trouxe animais para a estréia de *O Caçador de Crocodilos*. O tapete vermelho se abriu para nós como nunca acontecera antes. Steve, Bindi e eu aparecemos lá montados em um elefante. Wes trouxe uma girafa, alguns guepardos e um jacaré. Steve subiu sozinho no elefante e o treinador o fez levantar a parte traseira para o ar. As fotos ficaram impagáveis.

Todo nosso trabalho promocional valeu o esforço. Na primeira semana, *O Caçador de Crocodilos: Rota de Colisão* arrecadou mais do que custou o filme. A promoção havia sido bem cansativa e difícil; por isso, quando voltamos para casa, planejamos uma escapulida para Singapura e Ilhas Maldivas.

Steve adorava o Zoológico de Singapura e sempre o considerou como zoológico-irmão do nosso. Bindi e eu nos divertimos muito com Steve, porque ele havia passado muito tempo no sudeste da Ásia e conhecia muito bem a região.

Toda manhã Steve saía para as ruas para descobrir um tipo novo de curry, bem saboroso para o café da manhã. Bindi ficava observando o pai com muita atenção. Ela comia seu curry suave, enquanto Steve comia o apimentado. Ela acompanhava tudo o que ele fazia.

Uma manhã, no hotel, Bindi apareceu de pijamas e eu queria vesti-la. Ela apareceu, toda saltitante, usando apenas a parte superior do pijama.

De repente, ela viu o aparelho de chá na sala e resolveu fazer um chá. Eu a ajudei. Fez chá verde para nós três, despejou-o cuidadosamente em uma xícara e, sem roupa da cintura para baixo, levou-o para Steve com um lindo sorriso.

Rindo, perguntei a Steve: – Quando foi a última vez que uma garota sem roupa de baixo preparou um chá para você?

Sem pestanejar, Steve respondeu: – A última vez foi quando eu estava em Singapura.

– Seu tolo! – eu disse, sabendo que a última vez que Steve esteve em Singapura foi antes de nos casarmos. Bindi não captou a brincadeira, mas Steve e eu demos boas risadas.

Partimos para as Ilhas Maldivas para um pouco de surfe. As ilhas ficam bem na linha do Equador e o calor estava insuportável. Bindi não conseguia entender as vestes tradicionais dos muçulmanos. As mulheres usavam burcas escuras, apenas com uma pequena abertura para os olhos, e Bindi ficou preocupada com elas por causa do calor.

Em algum lugar durante a viagem, ela havia captado algum palavreado que ecoou bem alto na rua quando passamos por uma muçulmana enrolada em pesadas vestes.

– Mamãe, aquela mulher é uma mulher oprimida? – Sem querer provocar um incidente, peguei Bindi e saímos de lá bem depressa. Tentei explicar a ela as diferenças entre culturas e religiões e de que forma algumas vezes aquilo que a gente usa é sinal de modéstia, mais do que de opressão. Porém, lá no fundo, meu pensamento era *Criança diz cada coisa...*

Mesmo com o pé na estrada, continuamos com nossa tentativa de conceber um menino. Parte de nosso esforço decorria da necessidade de aproveitar o dia da ovulação. Eu carregava um kit de ovulação comigo por toda a parte. Quando a tira ficasse azul, significava que tínhamos de 24 a 48 horas para entrar em ação.

No início, convenci Steve de que as mulheres ovulavam de 20 a 30 vezes por mês, mas não podia enganá-lo para sempre. Chegou uma hora em que ele percebeu que isso era impossível.

Retornando à Austrália, rumamos para o Brigalow Belt (Cinturão de Brigalow), um habitat selvagem ameaçado, que se estende de New South Wales até Queensland. Seu nome vem de uma espécie de acácia, mas devido ao intenso desmatamento, toda a região enfrentava problemas.

Havíamos comprado 80.000 acres para ajudar a proteger esse frágil ambiente. Steve queria inspecionar nossos açudes, que haviam sido construídos mais de 100 anos atrás. Tais açudes nunca haviam secado antes. Agora estávamos lutando com uma grande seca, algo que a região não via há muito tempo. Por décadas, sedimentos e lodo haviam se acumulado nos açudes, e em alguns locais chegavam a mais de quatro metros.

Enquanto havia água parada no meio dos charcos, os animais tentavam alcançá-la atravessando o lodo, mas acabavam atolando. Dia após dia inspecionamos açudes e encontramos entre oito e dez animais, sobretudo *wallabies* e cangurus, atolados em todos eles.

Tínhamos de chegar aos açudes bem cedo. Alguns dos cangurus haviam passado a noite toda tentando sair de lá. Steve construiu pranchas e providenciou correias para salvar os animais. O lodaçal nos sugava rapidamente; então tínhamos de tomar cuidado durante o resgate dos cangurus. Por causa do acúmulo de ácido lático nos seus tecidos (produto de seus intensos esforços durante a noite para se libertarem), alguns cangurus não conseguiam sobreviver. Entretanto, conseguimos salvar vários.

Uma ocasião, Bob veio nos ajudar. Eu estava na casa da propriedade quando a tira ficou azul. Corri para o leito do riacho, onde Steve e o pai estavam trabalhando.

Fiz sinal para Steve: – A tira ficou azul. – Nervoso, ele olhou ao redor.

– Estou trabalhando com meu pai – ele disse. – O que você quer que eu faça?

– Quero que você venha comigo – sussurrei, impaciente.

– Mas meu pai está aqui do meu lado!

Sorri e peguei a mão dele. Subimos o leito do rio e, entre picadas de formigas e espinhos, tivemos nossos momentos de convivência íntima.

Foi depois dessa viagem a nossa propriedade para proteção ambiental no Brigalow Belt, que descobri que estava grávida. Tentei contar a Steve, sentando-me à mesa, me empanturrando de sorvete e pickles.

– O que você está fazendo? – perguntou-me Steve, completamente aturdido. Contei a ele; ficamos radiantes e fizemos figa para termos um garotinho para fazer um par com nossa adorada garotinha.

Com a notícia de que logo seria pai novamente, Steve parecia inspirado a trabalhar ainda com mais afinco. Nosso zoológico estava cada vez mais movimentado e tínhamos dificuldade de administrar as cifras grandes. A maior atração eram os crocodilos. As arquibancadas ficavam lotadas para os shows.

Steve teve um plano monumental. Ele era grande fã das arenas do Coliseu no tempo dos gladiadores romanos. Em um pedaço de papel, fez um esboço de sua idéia e mostrou-o a mim.

– Dê uma olhada nisso; é um coliseu – afirmou ele com os olhos brilhando de entusiasmo. Desenhou um objeto grande em forma oval; em seguida, fez uma série menor atrás do objeto maior. – Depois podemos fazer lagos para os crocodilos. Todo dia um crocodilo diferente pode sair para o show nadando por um sistema de canais – fez um rápido esboço – e depois surgir na área principal.

– Canais – eu disse. – E você acha que eles surgiriam no momento certo?

– Claro! É a coisa mais fácil! – ele disse. – E tem mais! Vamos chamá-lo de... Crocoseu!

Seu entusiasmo era contagiante. Idéia desse tipo jamais havia surgido, mas isso não era nenhum problema. Steve estava decidido a resgatar o entusiasmo e a badalação que existia em torno dos gladiadores romanos e combiná-los com a necessidade de mostrar às pessoas quão incríveis eram os crocodilos.

Entretanto, esse era um projeto muito ambicioso. Nada se comparava a ele, porque ninguém havia pensado ou tentado fazer algo semelhante antes. Fiz uma pesquisa de preço: o orçamento para construir a arena ficaria perto de oito milhões de dólares, uma despesa imensa. Wes, John, Frank e eu sabíamos que teríamos de confiar no conhecimento de Steve para fazer o serviço.

O entusiasmo de Steve nunca arrefecia. Ele estava realmente decidido. Essa seria a maior construção do zoológico. A arena teria espaço para acomodar 5.000 pessoas e, debaixo dela, haveria museus, lojas e uma praça de alimentação. No centro da arena haveria trechos de terra, grandes o bastante para que se pudesse trabalhar perto dos crocodilos com segurança e trechos com água, grandes o bastante para que os crocodilos pudessem acessá-los com facilidade.

– Como é que isso vai funcionar, Steve? – perguntei, depois de avaliar os custos com cuidado. E se investirmos mais de oito milhões de dólares e os crocodilos resolverem não cooperar? – Como você irá convencer um crocodilo a aparecer exatamente na hora do show, tentar matar e comer o seu cuidador e depois voltar para sua casa novamente?

Mordi a língua quando percebi o que estava falando: dando conselhos sobre crocodilos para o maior conhecedor do comportamento de crocodilos do mundo. Steve tinha razão em sua filosofia: *Vamos construí-lo e eles virão.*

Foi um período estonteante. Enquanto o Crocoseu subia, minha barriga crescia cada vez mais com nosso novo bebê. Parecia que eu crescia na mesma rapidez do novo projeto.

O Crocoseu debutou durante uma apresentação ao vivo do Animal Planet com transmissão direta para todo o mundo. Foi um enorme sucesso. Mais uma vez, Steve deixou os céticos perplexos.

Decidimos não querer saber se iríamos ter um menino ou uma menina. – Por que querer saber? – eu disse. – E o esforço que você faz no trabalho de parto? Pelo menos há alguma coisa para justificá-lo – uma grande surpresa, uma recompensa no fim.

– Ah, eu nunca achei trabalho de parto coisa difícil de jeito nenhum – disse Steve com um sorrisinho maroto. – Algumas vezes senti dor, como, por exemplo, quando você apertou minha mão um pouco mais forte, mas exceto isso...

Não o deixei terminar a frase. Ataquei-o. Ele rolou no chão de tanto rir.

Uma vez, estávamos na cozinha conversando, quando, não mais que de repente, Steve mudou de assunto. – Se tivermos outra menina – perguntou-me Steve –, você topa tentar de novo um menino?

– Claro! – eu disse, sem a menor hesitação. – Bindi é a alegria de nossas vidas. Tenho certeza de que esse bebê será também. Seja menino ou menina, topo novamente.

Era um domingo, final de novembro, o que significava verão na Austrália. Minha bolsa rompeu durante a noite, e dessa vez eu sabia o que iria acontecer. Lembro-me de ter pensado: *Agora não tem volta.* Imediatamente, as contrações começaram. Eu estava dormindo no quarto de Bindi porque me sentia tão desajeitada e desconfortável, que acabava acordando todo mundo. Além disso, Bindi adorava se aconchegar na cama junto do pai. Arrastei-me para o quarto deles em silêncio. Fiquei de pé ao lado da cama e me inclinei em direção ao ouvido de Steve. Dava para sentir sua respiração. Ele tinha um cheirinho gostoso, doce e familiar. *Ele vai ser papai de novo*, pensei, *sua tarefa preferida no mundo.*

Quando cochichei "Steve", ele abriu os olhos sem se mexer. Bindi dormia ao seu lado. Era mais ou menos meia-noite e eu disse a Steve que não precisávamos ir para o hospital imediatamente, mas que teríamos de ir logo. Steve sentiu que eu estava tranqüila com relação ao meu estado; voltei para o quarto de Bindi para descansar mais um pouco.

No decorrer de nossa vida em comum, eu nunca sabia o que Steve iria dizer em seguida. Dito e feito: logo que me deitei novamente, ele veio até mim e disse: – Já resolvi e não vou mudar de idéia.

– Resolveu o quê?

– Se for menino, o bebê irá se chamar Robert Clarence Irwin – ele disse. Robert, em homenagem ao seu pai, Bob, e Clarence em homenagem ao meu pai.

– Não precisa ser tão incisivo – eu disse baixinho. – Gosto do nome. Acho bonito.

Quando eu estava tendo contrações a cada quatro minutos, fomos para o hospital. Eram cinco horas da manhã. Steve já tinha organizado tudo. É claro que ele pegou uma câmera. Ele havia decidido que iríamos filmar tudo. Ligamos para Trevor, nosso amigo e cinegrafista, que havia filmado o nascimento de Bindi, e pedimos a ele que nos encontrasse no hospital; ligamos para Thelma, a babá de Bindi, para que viesse aprontá-la para a escola.

Dentro do carro, a caminho do hospital, Steve, sentado no banco do motorista, me filmava. De repente, a picape deslizou devagar para fora da estrada. Rapidamente ele agarrou o volante e trouxe o carro de volta para a pista. Depois voltou a filmar e tudo aconteceu novamente. Depois de três guinadas, eu perdi a paciência.

– Quer parar de filmar, por favor? – gritei. Imediatamente, ele colocou a câmera no banco. Acho que ele percebeu que agora não era hora de brigar com a mãe ursa.

No hospital, uma atendente trouxe uma cadeira de rodas para mim. Não sei como, mas Steve conseguiu, sem precisar recorrer a uma empilhadeira, me retirar do carro e me colocar na cadeira de rodas. O parto se desenrolou muito mais rápido do que o de Bindi. Eu não estava nem um pouco preocupada, porque Steve estava lá comigo, e eu sabia que tudo correria bem enquanto estivéssemos juntos.

Fiz força como se estivesse participando de uma olimpíada. Acho que mereci a medalha de ouro pelo meu esforço. Acho que empurrei tanto o bebê, que quase me virei do avesso.

O bebê chegou. Steve disse: – É menino! – e o trouxe para me mostrar. Lembro-me da sua boquinha rosada. Ele parecia um passarinho com os olhinhos fechados e a boquinha aberta. Começou imediatamente a mamar. Steve chorou de tanta felicidade.

Depois que as coisas se acalmaram, Steve foi até a Sunshine Coast Grammar School, a escolinha de Bindi, para dar a notícia a ela. – Você ganhou um irmãozinho – disse. Bindi ficou exultante, embora tivesse rezado toda noite para ganhar uma irmãzinha. Steve a levou ao hospital; ela pegou o irmãozinho no colo e olhou para ele com amor.

– Como vocês sabem que é menino? – perguntou.

– Bindi – disse Thelma –, os bebês nascem sem roupa.

– Acho que vou chamá-lo de Brian – disse Bindi.

– Ele se chama Robert – disse Steve.

– Ah, tudo bem – disse Bindi. – Mas para mim, o apelido dele vai ser Brian.

Era um domingo, primeiro de dezembro de 2003; havíamos acabado de receber o melhor presente de Natal de nossas vidas. Robert Clarence Irwin. Bebê Bob.

Steve adorava exibir seu novo filho. Quando o trouxemos para casa, todo o pessoal do zoológico veio dar as boas-vindas a ele.

Sempre tivemos um bom relacionamento com um grupo de monjas budistas do Tibete. Elas haviam abençoado Bindi quando ela ainda era recém-nascida. Quando Robert completou seu primeiro mês, resolvemos promover um evento beneficente para ajudar um convento de freiras budistas, cujo poço havia secado.

Um novo poço custava perto de 40 mil dólares. Achamos que essa quantia poderia ser arrecadada em uma série de eventos beneficentes. Convidamos as freiras para ficarem uns dias no Australia Zoo e planejamos um evento em nosso recém-construído Crocoseu, dando nossa contribuição para ajudá-las a conseguir a verba para a construção do novo poço.

As freiras nos perguntaram se queríamos que elas abençoassem os animais enquanto estivessem no zoológico. – Queríamos que vocês abençoassem Robert – dissemos.

Bindi havia sido abençoada juntamente com os crocodilos quando tinha um mês de vida. Agora queríamos fazer a mesma coisa com Robert. As freiras vieram até o Crocoseu para a cerimônia. Eu trouxe um pequenino e dorminhoco Robert, envolto em sua bandeira de oração e em um cachecol. Convidamos a imprensa para divulgar a situação das freiras. Robert estava muito tranqüilo. As freiras cantaram, entoaram hinos e deram sua bênção especial.

Terminada a cerimônia, estava na hora de começar o show de crocodilos. Steve queria que Robert compartilhasse seu primeiro show com todos os que estavam no Crocoseu, vendo-o alimentar o crocodilo Murray.

Exatamente como havíamos feito com Bindi, quando tinha a mesma idade, trouxemos Robert para o show. Steve falou com os visitantes sobre o orgulho que estava sentindo por ser pai de Robert. Mostrou o crocodilo para Bob. Embora Robert já tivesse estado com os crocodilos antes, e estaria novamente, esse era um evento que podíamos compartilhar com todos.

Quando o show terminou, Steve trouxe Robert de volta para a parte inferior do Crocoseu e eu o coloquei em seu carrinho. Seus olhos estavam bem abertos e ele agitava os bracinhos. Esse evento marcaria o início de uma vida trabalhando com o pai como defensor da vida selvagem. Steve e Bindi eram presenças regulares nos shows de crocodilos, e agora tudo indicava que Robert iria se juntar a eles.

Naquele mesmo dia, um pouco mais tarde, recebemos uma mensagem. Um dos canais de televisão que haviam coberto o evento no Crocoseu havia decidido dar um enfoque distorcido na história.

– Como podem ser tão loucos assim? – comentei com Steve. – Que aspecto negativo poderia haver em uma cena tão bonita?

Ter filhos crescendo dentro de um zoológico levava algumas pessoas a acharem que, de alguma forma, nosso estilo de vida não era lá muito apropriado. Já havíamos ouvido isso antes e sempre respeitávamos a opinião do grupo do contra; portanto, não nos preocupamos com a questão.

O dia se foi. Steve preparava o jantar. Eu estendia roupas no varal. Robert dormia no carrinho. Bindi estava lá fora, visitando suas amigas fadinhas, escondidas nos arbustos.

Foi então que a notícia explodiu. E explodiu como se fosse um maremoto. Não era apenas um canal de televisão que havia registrado o fato. Pareceu-me que havia sido uma decisão coletiva crucificar Steve por ele ter levado Robert consigo para o show dos crocodilos.

Tudo parou. O jantar parou. Nós paramos. E os telefonemas começaram.

A história havia se espalhado pelo mundo. Steve foi descrito como um monstro horrível que estava explorando o filho em algum tipo de golpe publicitário. É difícil captar a verdadeira atmosfera no centro de um ataque da mídia, a menos que isso tenha acontecido com você. Eu sentia como se uma multidão estivesse lá fora, do outro lado do portão, com suas tochas acesas.

Parte do problema tinha a ver com o infame incidente com Michael Jackson e seu filho recém-nascido, que ocorrera pouco mais de um ano antes: ele havia balançado o bebê para fora da janela de um hotel em Berlin, mostrando-o para os fãs lá embaixo. A imprensa relacionou as duas histórias. Steve e Michael, uma dupla de "balançadores de bebês".

Ficamos sem saber o que fazer. Era como se estivéssemos sendo caçados. Steve saiu e foi para o bloco dos fundos do zoológico para refletir sobre tudo o que estava acontecendo. Acendeu uma fogueira e ficou olhando para ela.

Eu não pensei muito a respeito. Eu tinha absoluta certeza de que a coisa mais importante para Steve era sua família. Seus filhos significavam tudo para ele. De repente, meu marido maravilhoso, solidário e protetor, estava sendo condenado. Seu crime: compartilhar com Robert as suas experiências com a vida selvagem, exatamente como havia feito nos últimos cinco anos e meio com Bindi.

O circo da mídia aumentava em proporções vertiginosas. Helicópteros começaram a sobrevoar o zoológico, tentando registrar qualquer movimento da maluca família Irwin. Steve colocou coberturas de lona no pátio para preservar nossa privacidade. Logo percebemos que não podíamos ir a parte alguma. Não haveria visitas ao zoológico, não atenderíamos o telefone, não haveria shows com os crocodilos. As críticas continuavam.

Fiquei ao lado de Steve o tempo todo e vi o quanto isso o fazia sofrer. Eu não conseguia acreditar que houvesse tanta gente maldosa, mesquinha e horrível no mundo. Os editores manipularam o filme, tentando fazer com que o crocodilo parecesse ainda maior ou mais próximo de Robert do que ele realmente estava. Para que serviria tudo aquilo?

Já vi diabos-da-tasmânia brigando por uma carcaça. Já vi leoas se amontoando sobre uma presa, dingos indo atrás de um porquinho do mato, um crocodilo adulto estraçalhando sua presa, mas nunca, no mundo dos animais, presenciei algo que pudesse ser comparado com a crueldade gratuita do ser humano.

E ia ficar pior ainda. Descíamos em um despenhadeiro muito escuro.

CAPÍTULO DEZESSEIS

Antártida

Naquela noite da controvérsia a respeito do bebê Bob, ainda estávamos sob o impacto do que havia acontecido, quando um policial passou por lá. O governador-geral, ele disse, exigia que Steve entrasse em contato com ele imediatamente.

– Não tenho certeza de onde Steve possa estar – eu disse. Eu sabia apenas que ele estava em algum lugar no bloco dos fundos do zoológico, pensando nos eventos daquele dia.

– Seria muito bom se Steve fizesse a ligação ainda hoje – disse o policial.

Quando Steve entrou em casa e ligou para o número que o policial havia deixado, a secretária do governador-geral atendeu. Ela foi muito seca e objetiva. Insinuou que seríamos investigados pelo Children's Services (Serviço de Assistência à Infância).

– Não entendo por que você está me ligando às 10 horas de uma sexta-feira à noite para me dizer isso – disse Steve. Mesmo sendo Steve quem estava ao telefone, dava para eu ouvir a cáustica voz da mulher.

– Tome muito cuidado, senhor Irwin – ela disse. – Podemos muito bem tirar seus filhos de vocês.

Jamais vou me esquecer do que aquela mulher disse ou da maneira como ela disse. Será que as assistentes sociais viriam e levariam nossos filhos embora? Filhos que eram tão amados, tratados com tanto carinho e tão bem cuidados?

Esse havia sido um ataque da mídia da pior espécie. Todas aquelas autoridades, reagindo ao que a mídia chamou de "O Incidente com o Bebê Bob", não haviam compreendido a família Irwin. O que fizemos foi ensinar, desde cedo, a nossos filhos sobre os animais selvagens. Foi algo natural; não foi nenhum golpe publicitário. Pelo contrário, tratava-se de uma respeitada tradição de família, que eu acatei integralmente.

Éramos assim. O fato de a imprensa ter visto a prática como irresponsável nos fez sentir que nossa própria capacidade como pais estava sendo atacada. Não fazia sentido algum.

Foi por isso que Steve nunca se desculpou publicamente. Para ele, dizer "sinto muito" significaria dizer que ele sentia muito que Bob e Lyn o tivessem educado da maneira como o fizeram, e isso era simplesmente impossível. O melhor que poderia fazer era se desculpar se tivesse deixado alguém preocupado. O fato era que ele teria sido relapso como pai se não ensinasse aos seus filhos como viver em harmonia com os animais selvagens. Afinal de contas, seus filhos não tinham de enfrentar apenas estradas movimentadas ou fogões quentes. Eles, literalmente, tinham de aprender como viver com crocodilos e serpentes peçonhentas no quintal.

Com tudo isso, a situação das freiras tibetanas foi totalmente ignorada. A mídia mundial não emitiu uma única palavra sobre um poço seco do qual dependiam centenas de pessoas. Durante meses, sempre que Steve encontrava a imprensa, as freiras tibetanas eram o que havia de mais distante da cabeça dos repórteres. As perguntas eram sempre as mesmas: "Olá, Stevo, o que você tem a dizer sobre o Incidente do Bebê Bob?"

– Se eu pudesse voltar a viver aquela sexta-feira, meu chapa, eu iria surfar – disse Steve, quando apareceu em um canal de televisão nos Estados Unidos, em uma entrevista muitíssimo divulgada. – Não posso retornar àquela sexta-feira, mas quer saber de uma coisa, meu amigo? Não pense nem por um segundo que eu colocaria em risco a vida de meus filhos, meu chapa, porque eles são a coisa mais preciosa que tenho, exatamente como aconteceu com minha mãe e meu pai.

Steve e eu lutamos muito para retomar nossa vida normal. Patrocinadores falavam em rescindir contratos. Membros da equipe de nosso próprio documentário procuravam se distanciar de nós, e nossas relações com o Discovery Channel ficaram estremecidas.

Entretanto, gradativamente conseguimos ignorar a estática e ouvir o que as pessoas andavam dizendo. Não a imprensa, mas o povo. Líamos os e-mails que chegavam aos montes, além de faxes, cartas e mensagens telefônicas; pessoas de verdade nos ajudaram a entrar de novo nos trilhos. Os filhos cresciam junto com eles em fazendas de gado e já dirigiam tratores, ou viviam em fazendas de cavalos e ajudavam a cuidar de garanhões indóceis. Outras crianças se exercitavam para serem ginastas, esporte fisicamente rigoroso e que envolvia o risco de contusões. Recebemos mensagens de apoio de muitos pais.

"Não fique triste, Steve", escreveu um garoto de 11 anos de Sydney. "Não é o mundo dos animais selvagens que é perigoso." Uma mãe escreveu: "Tive outro bebê e se você quiser levá-lo ao show dos crocodilos, tudo bem por mim".

Muitos pais usavam a mesma frase: "Eu deixaria meus filhos com Steve a qualquer dia e confiaria plenamente nele".

Notei que Steve estava começando a superar o incidente quando ele propôs a John um de seus documentários mais ambiciosos. Eles viajariam literalmente para o fim do mundo – a Antártida – para documentar as condições de vida selvagem lá. Steve sabia que a Antártida funcionava como um canário em uma mina de carvão: era um mecanismo de alerta antecipado para problemas ambientais com o planeta Terra como um todo.

Era verão no hemisfério sul e aquela seria a única época prática para viajar para a Antártida, mas o continente ainda não era lugar para crianças pequenas. Foi muito difícil ficar longe de Steve nesse período tão tumultuado, mas o documentário *Icebreaker* já havia sido planejado havia muito tempo. Steve foi para o sul com John Stainton e uma equipe de filmagem. Eu fui para a Flórida e para a Disney World com o restante da família: Robert e Bindi.

Como havia ocorrido com a fauna de Galápagos, Steve descobriu que os animais selvagens da Antártida temiam bem pouco os humanos. Lá não havia grupos de caça aterrorizando os animais; portanto, eles não viam as pessoas como uma ameaça. Os pingüins eram os mais simpáticos de todos. De fato, ele achou que se imitasse as ações deles, eles as repetiriam como resposta. Steve escorregou de barriga pelas ladeiras de gelo e os pingüins o imitaram.

Ele procurou manter uma distância respeitável, mas os pingüins vinham até ele com freqüência. Steve realmente tinha interesse em aprender mais a respeito dos maiores predadores de pingüins, as focas-leopardo. Elas tinham a reputação de serem ferozes. Um relatório descrevia o encontro recente e fatal de uma pesquisadora com uma foca-leopardo. Porém, depois de visitar a Antártida, Steve mudou de opinião.

Aconteceu que, naquela ocasião, a pesquisadora estava mergulhando com *snorkel* e a foca parecia estar brincando com ela. Em seguida, ela agarrou o pé-de-pato da cientista e a puxou para debaixo d'água. Depois a soltou e ela voltou à superfície, mas logo a puxou novamente, e novamente, como se fosse uma brincadeira. No final das contas, a pesquisadora perdeu o fôlego.

Os fatos não tornavam o acontecido menos trágico, mas deram uma nova perspectiva à interação humana com focas-leopardo. Steve observava bem quando as focas-leopardo emergiam de buracos no gelo.

– Elas se parecem com lagartas grandes – contou-me ele. Como acontece com crocodilos, elas podiam ser perigosas na água, ou se arremessando da beira d'água. Porém, uma vez fora d'água, elas pareciam enormes lagartas mede-palmos que vêm em sua direção. Quanto a virem atrás de um humano, elas não ofereciam qualquer ameaça.

A melhor forma de abordar uma foca-leopardo era evitá-la. Steve conseguia falar sobre o comportamento da foca-leopardo enquanto ficava sentado no gelo e uma delas estava por perto. A foca não o atacou. Na verdade, ela ouviu Steve contar a história dela; depois escorregou de volta para dentro d'água.

A Antártida tinha regras definidas sobre como se aproximar de animais selvagens. Os pingüins, por exemplo, tinham uma restrição de distância específica, significando que os humanos tinham de ficar pelo menos àquela distância deles – a menos que o próprio pingüim tomasse a iniciativa de se aproximar. Essa era a regra.

A realidade era um pouco diferente. Os pesquisadores tinham de passar por uma grande quantidade de pingüins, se precisassem apenas ir à toalete. Barcos de turistas, que chegavam à Antártida em grandes números, passavam como um arado sobre pingüins, e quando chegavam aos portos, matavam muitos no caminho.

Steve estava determinado a se concentrar nos aspectos positivos de sua experiência. Baleias-corcundas se aproximavam do barco, levantavam suas enormes cabeças para fora da água e espiavam ao redor. Não havia necessidade de procurá-las – a curiosidade natural das baleias-corcundas fazia com que elas viessem até você. Steve vestiu seu fato seco para filmar na água. As baleias se aproximaram. Como o fato de Steve tinha um pequeno furo, ele subiu em um pequeno iceberg e conseguiu completar a filmagem.

O resultado representou tudo o que Steve significava. Ele conseguiu trazer sua experiência com essas lindas baleias para dentro da sala de estar das pessoas. Foi para isso que ele fez o que fez – trazer a vida selvagem para dentro de nossos corações.

As águas da Antártida são oficialmente consideradas protegidas por acordo internacional. Todo ano, entretanto, frotas japonesas lá chegam para realizar "pesquisa" sobre baleias, sob os auspícios da JARPA (Programa Japonês de Pesquisa da Baleia na Antártida). Trata-se de uma pesquisa curiosa: os barqueiros matam as baleias, voltam para o Japão e colocam a carne delas no mercado; ou seja, não há qualquer contribuição à pesquisa sobre baleias.

O governo japonês parece ter feito da matança das baleias uma questão de orgulho nacional. O tráfico de carne de baleia nem mesmo é negócio lucrativo – apenas 40 milhões de dólares por ano no mundo como um todo. Na verdade, a maioria dos japoneses é contra a caça às baleias e preferiria não comer a sua carne. Mas a matança continua, mesmo que os japoneses não mais dependam de baleias para a alimentação, como aconteceu durante a Segunda Guerra Mundial.

Como defensor da vida selvagem, Steve lutou contra as antigas práticas que destruíam espécies inteiras. Ele achava que havia chegado o momento para um enfoque no uso dos animais selvagens que não envolvesse seu consumo. Caçadores ainda perseguiam tigres para usar seus ossos, e ursos por causa de sua vesícula biliar – tudo para fabricar medicamentos tradicionais que foram superados de longe por produtos farmacêuticos modernos.

Deveria ser tudo simples. Deveríamos poder tomar uma aspirina em vez de pó de chifre de rinoceronte, ver a caça à baleia como algo que lemos em livros de história, e dar um basta em nosso apetite voraz por sopa de barbatana de tubarão, que está levando uma das espécies mais antigas e importantes do mundo a desaparecer dos oceanos.

Enquanto não chegar o dia em que essa matança sem sentido tenha um fim, teremos todos de lutar como guerreiros para proteger nosso precioso planeta.

Steve voltou de sua viagem à Antártida com determinação ainda maior. Em seu último documentário, ele mostrou como os pingüins realmente brincam. Tentou desmistificar a reputação da foca-leopardo como animal feroz. Mostrou como as baleias-corcundas têm uma estrutura familiar semelhante a nossa: são mamíferos que amam os filhotes e que se comunicam entre si.

Porém, na esteira do incidente do Bebê Bob, parecia que os repórteres estavam de tocaia para pegar Steve. Dessa vez, ele foi atacado por filmar a vida selvagem na Antártida. Ao mostrarem Steve escorregando pelos declives com os pingüins, os comentaristas disseram que ele era um "intruso". Quando o mostraram sentado ao lado de uma foca-leopardo, em uma demonstração de que elas não são monstros terríveis, disseram que Steve estava "desalojando a vida selvagem". E o mais ridículo de todos os comentários foi o de um repórter que afirmou que, ao se sentar em um pequeno iceberg, Steve estava cavalgando uma baleia.

As autoridades australianas abriram uma investigação oficial. Havia leis reguladoras de procedimentos de filmagem da vida selvagem na Antártida, e as acusações, se provadas, incluíam eventual prisão. Poucos meses depois de se sentir arrasado com a acusação de que não era um bom pai, Steve teve de enfrentar outra: a de que estava interferindo e prejudicando a vida selvagem; não era um guerreiro que a defendia. Fomos obrigados a gastar com advogados dinheiro que poderia ter sido gasto na conservação do meio ambiente.

A controvérsia realçou a maneira como a vida dos animais selvagens é priorizada. Steve e eu acreditávamos que nos tempos modernos, a vida selvagem compete com esportes e política nas manchetes. Vê-la com lentes de longo alcance ("Está vendo aquele pontinho no centro daquele iceberg?") simplesmente não funciona mais. Isso não vai trazer os animais selvagens para dentro do coração das pessoas e nem vai dar a eles prioridade na imprensa, que é onde eles devem ficar para poderem ter alguma chance de sobrevivência.

Steve amava realmente os animais e tinha tanta experiência e dom para cuidar deles, que podia compartilhar a beleza deles sem recorrer a dispositivos controladores. Por exemplo, as baleias passavam um décimo de sua vida na superfície do oceano. Observá-las não causa dano algum, mas é muito eficaz em convencer as pessoas a terem as baleias em seu coração.

Mais do que isso, Steve queria que todos vissem como se estivessem compartilhando da experiência e não apenas observando-a. – Quero vocês lá comigo, meus amigos – dizia Steve a sua platéia. – Vou levá-los até lá. – Ele queria que todos fossem lá com ele, nessa sua jornada de descoberta, para se juntarem à vida selvagem, exatamente como ele fazia.

No fim, a investigação concluiu que Steve nada havia feito de errado quanto ao documentário sobre a Antártida. Mais uma vez, os pensamentos e as preces de gente comum ao redor do mundo, que acreditava em Steve, nos serviram de conforto. Eu não o teria criticado se ele tivesse desistido de tudo. – Estou fechando os portões – ele poderia ter dito. – Desisto de lutar. – Entretanto, ele não estava disposto a desistir ou a se render.

Steve continuou lutando, mas desde a morte de sua mãe, nunca o vi tão abatido. Dois golpes seguidos o haviam atingido profundamente: primeiro, o caso Bebê Bob e, depois, as acusações a respeito da Antártida.

– É fácil lidar com os crocodilos – dizia Steve. – Eles tentam matá-lo e comê-lo. As pessoas são mais difíceis. Algumas vezes elas fingem primeiro que são suas amigas.

Steve foi um guerreiro no sentido literal da palavra, mas brigar com os destruidores da vida selvagem era bem diferente de um combate à moda antiga. Como os joelhos de Steve continuavam a se deteriorar, sua agilidade com o surfe ficou seriamente comprometida. Em vez de se entregar ao desespero, Steve procurou outra saída para dar vazão as suas energias represadas.

Por meio de Dan Higgins, nosso chefe de segurança, Steve descobriu a luta de artes marciais mistas (MMA). Steve era um pugilista natural. Sua estrutura física era incrível – como a de um gorila: peito espesso, braços compridos, uma força fabulosa para abraçar coisas (crocodilos, por exemplo). Uma vez que ele abraçava algo, não havia como escapar. Seu soco equivalia ao coice de um cavalo Clydesdale; ele conseguia levantar uma pessoa do chão com um gancho e encontrou na luta corpo a corpo uma válvula de escape maravilhosa. Steve não era de deixar as coisas pela metade.

Lembro-me de uma vez quando os rapazes estavam dizendo a ele que um bom soco na barriga poderia realmente deixar alguém sem fôlego. Steve disse subitamente: – Ninguém jamais me deu um soco na barriga. Tentem me derrubar com um bem forte para eu poder sentir como é. – Steve abriu os braços e Dan simplesmente agiu como uma máquina bate-estaca. Tentando recuperar o fôlego, Steve disse: – Obrigado, cara. Foi ótimo. Entendi direitinho.

Eu me juntava a ele em um treino ou rolar no chão até me sentir exausta. Steve continuava até sentir enjôo. Eu nunca havia visto nada igual. Alguns atletas da MMA chegam até esse lugar escuro, esse ponto de total exaustão – eles o vêem, enfrentam-no e algumas vezes passam ao largo. Steve ia atrás disso todos os dias. Ele não tinha medo. Tentava chegar àquele ponto de exaustão para que, talvez, no dia seguinte, pudesse ir um pouco mais além.

Não demorou muito e estávamos recrutando a equipe, qualquer um que tivesse alguma experiência com luta corpo a corpo. Gente do departamento do tigre ou da construção se apresentou para uma tentativa e Steve derrotava os caras um após outro. E eu adorava tudo aquilo.

Outra coisa que Steve e eu fazíamos juntos e era muito divertido: algumas vezes ele resolvia preparar o jantar; eu entrava na cozinha e, com um sorriso maroto, dava-lhe uma palmadinha no bumbum. O que acontecia a seguir era um *clinch* e eu ia para o chão. Rolávamos, dando risada e tentando lutar um com o outro. É como o velho adágio quando você está vendo um documentário sobre a vida selvagem: “Eles estão brigando ou acasalando?”.

Pode parecer estranho que essa luta sem limites realmente nos tornava mais íntimos um do outro, mas nos divertíamos muito. Steve acabou construindo seu próprio *dojo* em uma plataforma de concreto, com uma pista, uma tela de sombreamento, ventiladores, tapetes, sacos e todos aqueles equipamentos incríveis. Seis dias por semana, ele começava a sua luta corpo a corpo ao nascer do sol, assim que a turma começasse a trabalhar. Ele tinha seu próprio conjunto de técnicas e era muito briguento, e se defendia sozinho em algumas das mais remotas e áridas regiões do cerrado australiano.

Ninguém o intimidava. Dan Higgins trouxe uma turma dos Estados Unidos, inclusive Keith Jardine e outros profissionais, e Steve mal podia esperar para enfrentá-los. Ele era tão bom quanto os melhores lutadores de MMA do mundo. Sempre achei que se ele tivesse escolhido ser lutador profissional, ele seria perigoso. E a turma toda concordava plenamente.

Steve partiu para outra viagem – dessa vez, foi para Washington, D.C. Ia fazer uma palestra para o pessoal do Discovery Channel – 4.000 pessoas – como parte da festa de aniversário de 20 anos do canal a cabo. Ele ficou feliz com a viagem, já que era um evento importante para o Discovery, e era motivo de orgulho para Steve ser convidado a falar com a sua equipe. Porém, foi difícil para ele ficar longe de casa.

Parecia que agora, mais do que nunca, ele tinha um prazer especial em estar com a família. Agora que Robert estava crescendo, Steve adorava passar mais tempo com as crianças e parecia entender melhor nossa relação, que estava muito mais tranqüila. Fiquei surpresa e feliz quando o telefone tocou e era Steve, chamando da distante Washington, D.C.

Ele me pareceu preocupado. – Minha querida, quando me despedi de você no aeroporto, senti como se houvesse alguma coisa errada.

Sempre me impressionou a maneira como Steve percebia meus sentimentos. – Quanto mais tempo ficamos juntos, mais eu me preocupo quando estamos separados – confessei a ele.

– Temos de fazer valer cada dia, cada minuto em que estamos juntos – respondeu Steve.

– Sei disso – eu disse. – Sinto tanto sua falta!

– Não se preocupe, querida – ele disse. – Volto para casa em poucos dias. Cidades grandes não são a minha praia.

Quando ele finalmente voltou para casa, encontrou novos filhotes de tigre-de-sumatra; podíamos brincar com eles no zoológico. Tínhamos também novas aventuras a nossa espera no agreste. O Professor Craig Franklin, da Universidade de Queensland, havia montado com Steve uma sociedade de pesquisa sobre crocodilos. A idéia era prender transmissores e registros de dados em crocodilos para anotar suas atividades em seu ambiente natural. Entretanto, para prender os transmissores, era necessário primeiro pegar os crocodilos, e era aí que entravam os conhecimentos de Steve.

Steve era o mais feliz dos homens quando ia com a família para a savana. – Não há nada mais valioso do que a vida humana, e essa pesquisa ajudará a proteger tanto os crocodilos quanto as pessoas – disse-nos ele. O interior, a savana, era onde Steve se sentia mais em casa. Era lá que ele se sentia em sua melhor forma. Naquela viagem, ele capturou 33 crocodilos em 14 dias.

Ele queria fazer mais. – Eu gostaria de poder fazer pesquisa sobre o oceano e sobre os rios – ele disse. – Se eu tivesse um barco-pesquisa, faria muito mais pelos crocodilos e pelos tubarões.

Percebi o que ele estava pensando. Eu não era muito fanática por barcos.

– Vou entrar em contato com uma companhia em Perth, a Western Australia – ele disse. – Quero trabalhar em um barco-pesquisa feito sob encomenda.

Conforme sua mente trabalhava pensando nisso, ele ia se tornando cada vez mais entusiasmado. – O céu é o limite, minha cara. Podemos ajudar os tubarões-tigre e entender por que os crocodilos vão para o mar. E também não há nenhuma razão por que não podemos ajudar as baleias também.

– Diga-me como podemos ajudar as baleias – eu disse, esperando ouvi-lo falar de um projeto de pesquisa que ele e Craig tinham em mente.

– Será incrível – explicou ele. – Vamos construir um barco com casco quebra-gelo e nos juntar à Sea Shepherd – a ONG de proteção aos mares – na Antártida para bloquear o caminho daqueles barcos de caça à baleia.

Assim que voltamos de nossa primeira viagem à Península de Cape York, com Craig Franklin, Steve começou a esboçar o desenho do barco. Ele queria que o barco fosse o mais confortável possível. Conforme ele o imaginava, o barco ficaria entre um barco de pesquisa científica e um cruzeiro de luxo.

Ele projetou três cabinas, uma televisão de plasma para as crianças e ar-condicionado sob o convés. Colocou uma grande plataforma na parte traseira, para jet skis, gaiolas de tubarões, ou para puxar grandes crocodilos. De uma coisa ele não abria mão: uma plataforma para pouso de helicóptero. Ele projetou o barco de maneira a permitir o pouso de um helicóptero no seu teto. Os esboços de Steve iam para Perth e voltavam – um vaivém que durou vários meses.

– Quero que a função principal desse barco seja de pesquisa e de resgate de crocodilos – disse Steve. – Portanto, vou chamá-lo de *Croc One*.

– Por que não o chamamos de *For Sale* (*À Venda*)? – sugeri.

Acho que Steve não captou o humor do que eu disse. *Croc One* era seu bebê. Porém, por alguma razão, senti uma grande agitação interna com relação ao barco. Atribuí essa preocupação a Bindi e Robert. Sempre que se tem crianças a bordo de um barco, as regras mudam

– nada de brincadeiras de esconde-esconde, nada de caminhar no convés sem colete salva-vida. Não me fazia bem pensar em ficar em alto-mar, a 300 quilômetros da costa, com duas crianças pequenas.

Tínhamos tantas aventuras pelo interior do país, juntos como uma família que, no fim das contas, eu confiava em Steve. Entretanto, meu apoio ao projeto *Croc One* sempre foi, para dizer a verdade, na melhor das hipóteses, meio tíbio. Eu não conseguia me livrar de um pressentimento ruim com relação a ele.

No decorrer de dois anos, de junho de 2004 a junho de 2006, duas mortes, ocorrendo em diferentes períodos, contribuíram para aumentar minha ansiedade. Sui, a cadela *bull terrier* Staffordshire, que Steve adorava, morreu de câncer em junho de 2004. Ele havia se deitado em seu saco de dormir, ao lado dela, durante toda a noite, falando com ela, consolando-a, lembrando-se dos velhos tempos, quando, no meio do mato, iam caçar crocodilos.

Perder Sui despertou memórias de Chilli, que havia morrido dez anos e meio antes. – Não quero mais ter animal de estimação – disse Steve. – É muito doloroso.

Wes, o mais leal amigo que alguém poderia ter, estava lá para consolar Steve quando Sui passou para o outro lado. Wes sofreu junto com Steve. Ambos haviam convivido com Sui mais do que eu e Steve estávamos juntos.

Em junho de 2006, dois anos depois da morte de Sui, perdemos Harriet. Com 175 anos, Harriet era a criatura mais velha do mundo. Ela havia conhecido Charles Darwin e velejado no *Beagle*. No zoológico, ela era a nossa ligação com o passado, e mais do que isso, nossa ligação com o próprio grande cientista. Harriet era um museu vivo e um ícone de nosso zoológico.

As crianças e eu estávamos indo para Fraser Island, ao longo da costa sul de Queensland, com Joy, irmã de Steve, e seu marido, Frank, o administrador do zoológico, quando recebemos a notícia. Um exame de ultra-sonografia confirmou que Harriet sofrera um ataque cardíaco.

Steve telefonou e me disse: – Acho melhor você vir para casa.

– Preciso conversar com as crianças – eu disse.

Bindi ficou horrorizada. – Quanto tempo Harriet vai viver? – perguntou ela.

– Talvez horas, talvez dias, mas não muito tempo.

– Não quero ver Harriet morrer – ela disse, decidida. Ela queria se lembrar de Harriet como uma tartaruga saudável e feliz, junto da qual havia crescido.

Quando Bindi ainda era bebê, ela entrava no cercado de Harriet, punha os bracinhos ao redor da enorme tartaruga e encostava o rosto na carapaça, sempre quente por causa do sol. A comida favorita de Harriet eram flores de hibisco, e Bindi as colhia aos montes para alimentar sua amiga querida.

Fiquei preocupada com Steve, mas disse a ele que Bindi não iria agüentar ver Harriet morrendo. – Tudo bem – ele disse. – Wes está aqui comigo. – Mais uma vez, coube a Wes dividir com o melhor amigo a dor de mais uma perda.

Uma de minhas lembranças favoritas de Harriet foi quando John Edward, o médium psíquico, veio visitar o zoológico. Ele descobriu, quase casualmente, que conseguia ler a mente de animais vivos. Tudo o que Harriet lhe comunicou estava absolutamente certo.

Embora John não tivesse ido ao zoológico antes, Harriet contou a ele que ela costumava ficar em outro cercado e que gostava mais desse último. Fazia sentido, porque o atual cercado era maior. Harriet também contou que gostava do seu cuidador com sotaque, mas ele não era australiano nem americano. John estava tendo problemas para localizar o sotaque, e então achou Jan, que era inglês. – Aí está o sotaque – disse. Acontece que Jan estava cuidando de Harriet desde antes de minha primeira visita ao zoológico. John também disse que haviam colhido sangue da cauda de Harriet – o que estava correto, pois havíamos feito um teste de DNA para conhecer o perfil genético dela.

John, entretanto, errou em uma coisa: – Harriet sente saudade de seu cobertor – ele disse.

– Sabe de uma coisa, John? – eu disse. – Harriet não pode ter um cobertor, porque ela tenta comer tudo.

– Ela sente falta de seu cobertor – insistiu John, educadamente.

Depois que ele foi embora, perguntei a Steve: – Harriet tinha um cobertor?

Steve riu. – Que nada, minha amiga; se tivesse um, ela o teria comido.

Passaram-se semanas. Fui visitar Bob, o pai de Steve, e contei a ele sobre tudo o que John Edward havia dito, até chegar ao cobertor. – Ele acertou tudo perfeitamente até chegar ao cobertor – eu disse.

O rosto de Bob se abriu em uma grande risada. – Na verdade, na década de 1980 –, ele disse – uma mulher fez um cobertor de tricô para Harriet. À noite, quando fazia muito frio, antes de darmos a Harriet uma lâmpada de aquecimento, colocávamos o cobertor sobre a sua carapaça, na esperança de que ele pudesse mantê-la aquecida durante a noite.

Caí na risada. Era inacreditável! Bob disse: – Pusemos o cobertor em Harriet por várias semanas, até que um dia ela tentou comê-lo. Por isso, tivemos de retirá-lo dela.

Mesmo em meio às perdas, Steve conseguia se concentrar em projetos futuros. Um deles incluía planos de trabalhar em um documentário chamado *Ocean's Deadliest* (*Os Animais Mais Mortais do Oceano*), com Philippe Costeau Jr., neto de Jacques Cousteau, o oceanógrafo pioneiro, um dos heróis de Steve.

CAPÍTULO DEZESSETE

Educação no Agreste

No dia 25 de julho de 2006 – um dia depois que Bindi completou oito anos e fizemos uma festa para ela, em pleno inverno na ensolarada Queensland –, partimos para uma viagem de cinco semanas à Península de Cape York, para pesquisar sobre crocodilos.

Mais uma vez, juntamo-nos ao professor Craig Franklin, da Universidade de Queensland. Os instintos, a experiência e a curiosidade científica de Steve sobre crocodilos se casavam muito bem com o mundo acadêmico.

Ele, com certeza, aplicou seu dinheiro de Caçador de Crocodilos onde achava que devia fazê-lo. Gastamos centenas de milhares de dólares com equipamentos científicos, custos de viagem, material para capturar os animais e infra-estrutura, para dar apoio à enorme equipe de pesquisadores. Pela primeira vez, empregamos medidores de tempo e profundidade de mergulho (TDR), bem como rastreamento via satélite, para registrar o comportamento de crocodilos.

Embora os crocodilos se mantenham praticamente os mesmos há cerca de 65 milhões de anos, é chocante o quão pouco conhecemos de seus hábitos. Pouco se sabe a respeito deles. Não há dados científicos, por exemplo, sobre que percentual de crocodilos chega à vida adulta nos seus próprios habitats. Um em cada 50? Um em cada 100? Um em cada 200? A última parece ser a melhor hipótese, mas é apenas uma hipótese.

Parecia que quanto mais estudávamos a respeito dos crocodilos, mais perguntas surgiam. Por exemplo, sabemos que eles comem peixe, além de mamíferos que se aventuram a chegar muito perto da água. Porém, muitos crocodilos vivem em água salgada, aonde mamíferos não iriam, em busca de água para beber. Então, o que eles comem?

Essa seria a primeira viagem de pesquisa de que tanto Bindi quanto Robert tinham idade suficiente para participarem. Robert estava com dois anos e meio, andando e falando sério como um pequeno adulto. Bindi, claro, já havia se envolvido em viagens de pesquisa anteriores. Agora, porém, ela tinha uma nova motivação. Estávamos no meio das filmagens de seu próprio show da natureza *Bindi, the Jungle Girl* (*As Aventuras de Bindi*).

Isso era importante para Steve. – Nada me faria mais feliz do que ver Bindi assumir as filmagens, eu assumir a administração do zoológico, levar uma vida mais tranqüila, continuar com meu trabalho de ambientalista e deixar os holofotes para ela – dizia ele.

Poderia parecer uma coisa estranha dizer isso a respeito de uma criança de apenas oito anos, mas Bindi não era uma garotinha comum. Ela realmente tinha vocação. Eu sentia isso quando estava perto dela, da mesma forma como senti quando conheci Steve.

Embora Bindi fosse uma criança normal a maior parte do tempo – brincando e tornando-se tolinha, eu forçando-a a comer legumes, escovar os dentes e ir para a escola sem se atrasar –, muitas vezes era como se eu a visse como alguém que já havia estado aqui antes. Bindi participava das filmagens de tal maneira, que sempre queria transmitir uma mensagem sobre conservação do meio ambiente, ou queria refazer uma tomada de cena para ter certeza de que suas palavras passassem a mensagem de maneira adequada.

Eu não me cansava de me maravilhar com esse pequeno e sábio ser. Continuei a captar vislumbres, como flashes através da janela de um trem em movimento, dessa pessoinha que sabia que estava trabalhando para um mundo melhor. Observar seu crescimento era algo verdadeiramente especial.

E ali se encontrava nosso espaço para treinamento; ali fazíamos nosso curso sobre o agreste australiano: Península de Cape York, Lakefield National Park, um de nossos lugares favoritos. Bindi e Robert já o haviam conhecido, de uma viagem de pesquisa que havíamos feito no ano anterior; assim, eles voltaram lá e se comportaram como se estivessem visitando um velho amigo.

Embora Steve não gostasse muito de dirigir em cidades, assim que chegamos ao agreste, ele assumiu a direção. Ele tinha olhos de lince e, como conseguia enxergar tudo, era sempre uma aventura emocionante.

Assim que chegamos ao acampamento, de onde lançamos o barco e onde iríamos começar a preparar os alçapões, Steve se entregou totalmente ao trabalho. Rastreou o rio para cima e para baixo por uma hora e meia, quilômetros e mais quilômetros, tentando descobrir onde ficavam os crocodilos. Conseguiu ligar cada crocodilo a cada rastro, marca de barriga e de patas na lama. Lembrou-se até mesmo de crocodilos do ano anterior, inclusive se referindo a eles pelo nome.

Conforme preparava os alçapões, Steve estabelecia em sua mente alvos específicos, considerando animais de diferentes tamanhos que ele e os outros cientistas haviam decidido capturar: machos grandes, fêmeas reprodutoras e subadultos. Preparava gaiolas flutuantes e redes de malha fina. A equipe de pesquisa não conseguia dar conta do número de crocodilos que Steve capturava por dia.

Alguns dos crocodilos tinham ferimentos enormes. Um deles havia sido atingido por uma besta. A flecha penetrou tão profundamente na parte traseira de sua cabeça, que nenhuma das sondas que usamos conseguiu encontrar o local onde o ferimento terminava.

Outros crocodilos haviam lutado entre si. Um deles, carinhosamente chamado de Trevor, quebrara duas pernas. Quando tentamos segurar suas pernas dianteiras e reposicioná-las, sentimos apenas pedaços frouxos de osso quebrado, que se retorcia em ângulos incomuns.

– Vou levar esse crocodilo para casa – eu disse.

Steve riu. – Esse crocodilo é grande e gordo e ainda está lutando para se manter em forma – ele disse. – Não se preocupe com ele.

Por pura sorte, capturamos Trevor pela segunda vez. – Vamos combinar uma coisa – eu disse a Steve. – Se pegarmos esse crocodilo novamente, vou levá-lo para casa. – Ele percebeu que eu estava falando sério. Talvez tenha sido de propósito que Steve nunca mais pegou Trevor de novo.

Com os alçapões, pegamos várias fêmeas menores, todas chegando perto de três metros. Foi então que Steve se afastou e deixou o time de garotas assumir: todas as mulheres do acampamento, principalmente aquelas que trabalhavam no zoológico, eu inclusive, e outras. Pulamos sobre os crocodilos, ajudamos a colocar neles o dispositivo de rastreamento e os soltamos.

Em um dado momento, Steve capturou uma fêmea muito pequena e calma. Ele se virou para Bindi: – Quer pular na cabeça desta?

Os olhos de Bindi brilharam. Era por isso que ela esperava havia um bom tempo. Quando Steve retirava o crocodilo do alçapão e prendia sua mandíbula, era chegado o momento em que a pessoa indicada deveria pular sobre a cabeça do animal. Todos os outros membros da equipe iam adiante e prendiam o corpo do crocodilo.

– Fique tranqüila – eu disse a Bindi. – Dou cobertura a você. – Ou talvez eu estivesse, na verdade, falando com Steve. Ele estava nervoso quando fez o crocodilo escorregar da rede de malhas. Ficou no comando de toda a operação, sabendo que se algo desse errado, ele estaria lá para ajudar.

– Tudo pronto! Preparar! Saltar! – ele disse. Bindi se lançou sobre a cabeça do crocodilo. Pulei logo atrás dela. E o restante das garotas pulou imediatamente após e, assim, prendemos o nosso crocodilo.

– Vamos tirar uma foto com toda a família – disse o Professor Franklin. Bindi sentou-se, muito orgulhosa, perto da cabeça do crocodilo, deixando as mãos caírem descontraidamente sobre os olhos dele. Steve estava no meio de nós, segurando as pernas dianteiras do animal. Eu era a próxima na fila e Robert estava na cauda. Essa foto acabou sendo nosso cartão de Natal da família, em 2006.

Quando a vejo agora, ela me faz rir alto. Famílias que capturam crocodilos juntas, vibram juntas – lema da família Irwin.

Steve, Bindi e eu estamos todos sorrindo. Mas veja a carinha tão séria de Robert! Ele está com a corda de prender a mandíbula do crocodilo toda enrolada em seu corpo, cheia de nós. Ele levou seu serviço muito a sério. Segurava a corda e estava pronto para dar cobertura. Estava sobre a cauda do crocodilo. Tratava-se de capturar crocodilos com segurança, meu amigo. Nada de marcar bobeira aqui.

Conforme voltávamos sem pressa para o acampamento, Robert disse: – Por favor, me deixe pilotar o barco!

– Imagine! Você só tem dois anos, carinha! – disse Steve. – No ano que vem deixo você pilotar o barco, ok?

Entretanto, muito de repente, e sem dizer uma única palavra, Steve pegou Robert e o colocou sentado ao lado do motor. Colocou o leme nas mãos dele.

– É assim que se faz, meu amigo – disse Steve e começou a explicar como se pilota um barco. Parecia estar com pressa de ensinar o máximo possível ao filho.

Robert passou a viagem toda pulando sobre caudas de crocodilos, pilotando o barco e fazendo nós. Steve fez um crocodilo com galhos de árvore e o colocou em um banco de areia. Puxou o barco até o lado dele e ele, Robert e Bindi testaram todas as formas de pular o crocodilo-de-galhos.

– Vou dizer duas palavrinhas – gritou Robert, imitando o pai. – "Pronto!" e "Já!" – A primeira equipe preparada para agir em "Pronto!" e a segunda preparada para agir em "Já!" Depois ele gritou: "Já!"

o mais alto que conseguiu. Ele e Steve pularam como se o crocodilo-de-galhos fosse virar e arrancar os braços deles.

– Outro crocodilo capturado com êxito total, meu chapa – disse Steve, muito orgulhoso. Robert também resplandecia de tanto orgulho.

Quando voltou para o *Croc One*, Robert teve uma discussão com seu grande crocodilo-brinquedo de *plush*. Ouvi, sem querer acreditar, meu filho de menos de três anos dando ordens, em voz baixa, como se fosse um adulto acostumado a capturar crocodilos. Ele usava perfeitamente o mesmo jargão.

– Passe-me uma corda de 12 milímetros – ordenava Robert. – Preciso de mais uma. Passe essa corda debaixo desse dente... isso mesmo... o dente canino, prenda-o. Vamos precisar de uma terceira corda para este aqui. Quem tem uma corda de seis milímetros? Passe-me a minha Leatherman. Corte essa corda aqui. Prepare o rastreador por satélite.

Com o animal empalhado, totalmente amarrado, Robert fez como se estivesse limpando suas mãozinhas. – Professor Franklin – anunciou ele na voz mais adulta que pôde –, o crocodilo é todo seu.

Observar Steve se movimentando pelo acampamento era testemunhar um homem completamente à vontade em seu ambiente. Steve havia passado toda a vida aperfeiçoando suas habilidades em relação à vida no agreste, primeiro aprendendo com o pai ao seu lado, quando era ainda garoto. Bob era seu grande herói; finalmente ele ficou igual ao pai, e depois mais do que isso.

Steve usava todo o conhecimento que havia adquirido com o passar dos anos e acrescentou a eles sua própria experiência. Nada parecia intimidá-lo – formigas-tecelãs, mosquitos, mosquitos-pólvora, sanguessugas ou tempo úmido constante. Em Cape York enfrentamos os óbvios perigos da vida selvagem, inclusive javalis, serpentes venenosas e crocodilos enormes. Jamais vi Steve com medo de qualquer coisa, exceto de que algo ruim pudesse acontecer com alguém que ele amava.

Durante o período em que viveu sozinho no meio do mato, ele aprendeu a cuidar de si mesmo, mas como sua vida mudou drasticamente quando ele passou para o território desconhecido do naturalista-celebridade, ele se viu, de repente, com toda uma equipe de filmagem sob sua responsabilidade.

Filmar documentários sobre a vida selvagem não teria sido possível sem nosso produtor, John Stainton. Steve sempre se referia a John como o gênio atrás da câmera – e era verdade. A orquestração musical, a edição, o discernimento do que seria bom ou não na televisão – essas eram áreas que John dominava muito bem.

Entretanto, no chão, debaixo da água, ou nas remotas savanas, enquanto filmávamos, era tudo 100% Steve. Ele cuidava da equipe e também da família, enquanto filmava em uma das mais remotas, inacessíveis e perigosas regiões da Terra.

Steve mantinha o cameraman vivo contando-lhe exatamente quando filmar e quando correr. Ele planejava o que filmar e onde filmar, além de localizar os animais selvagens. A primeira regra de Steve, que ele repetia sem parar para a equipe, era simples: *Filmar tudo, não importa o que aconteça.*

– Se alguma coisa der errado – dizia ele à equipe –, vocês não serão úteis para mim arrastando uma câmera e balançando o outro braço tentando ajudar. Apenas continuem a filmar. Por mais perigosa que seja a situação, vou sair dela.

Não parem de filmar. O mantra de Steve.

Em todas as nossas viagens de documentários, Steve embalava os alimentos, montava as barracas do acampamento, alimentava a equipe de filmagem. Sabia como carregar os pneus sobressalentes, o combustível extra, água, equipamentos. Previu as necessidades de seis adultos e duas crianças em cada viagem que fizemos.

Conforme eu o observara em Lakefield, a situação não foi nada diferente. Nossas equipes iam e vinham, os guardas do parque iam e vinham e Steve acabou coordenando entre 20 e 30 pessoas.

Cada uma delas fazia a sua parte para ajudar. Porém, na primeira noite, vi um dos membros da equipe abrindo lonas para cobrir e proteger a área da cozinha. Um ou dois dias depois as lonas escorregaram, as cordas se soltaram e a cozinha de nosso acampamento ficou alagada com a chuva.

À noite, após um dia inteiro capturando crocodilos, Steve voltou ao acampamento. Não criou muita confusão sobre o que havia acontecido. Viu o que estava se passando. Eu fiquei observando quando ele, sem dizer uma palavra, subiu em uma árvore, refez os nós e prendeu novamente a lona protetora. O que havia sido uma série de lonas frouxas, soltas, agora havia se transformado em uma proteção bem segura.

Steve tinha os movimentos suaves e firmes de alguém que tinha confiança no que fazia, depois de anos de prática. Ele entrava no barco, ligava o motor e partia imediatamente; não hesitava nunca. Sua força física era incomparável. Cortava madeira, retirava água de poço e construía coisas variadas com uma facilidade estranhamente óbvia, quando qualquer outro (eu, por exemplo) tentava várias vezes sem sucesso.

Porém, quando penso em todas as suas habilidades no campo, a que eu mais apreciava era a maneira como ele lidava com o mundo natural. Naquela viagem científica para estudo dos crocodilos, no inverno de 2006, Steve me mostrou uma série de memórias mais valiosas do que qualquer jóia.

Toda as manhãs e todas as noites em Lakefield, os morcegos frugívoros iam e vinham das árvores próximas ao acampamento. Durante o dia, era possível ouvir o ruído que eles faziam. Cada morcego brigava pela melhor posição em um galho de árvore, mas quando a noite caía, como se por um acordo tácito, todos eles resolviam voar de lá ao mesmo tempo.

Um dia, ao cair da tarde, Steve me chamou e, com as crianças, fomos para o rio ver os morcegos. Eu diria que naquela noite tive uma das mais incríveis experiências de minha vida, bem lá no rio, perto de crocodilos e nadando com peixes-bois.

Sentados lá, com as crianças no barco, de repente vimos as árvores adquirirem vida. Os morcegos alçaram vôo, dando rasantes sobre a água e delicadamente bebericando um pouco, voando diretamente sobre nossas cabeças. Era como se tivéssemos voltado no tempo e pterodáctilos estivessem voando novamente.

Era tudo tão incrível, que ficamos lá calados, inclusive as crianças. A água estava totalmente parada – um espelho escuro como petróleo. Nenhum peixe pulava, nenhum crocodilo se movia. Tudo o que ouvíamos era o bater das asas daqueles mamíferos primitivos no céu, que escurecia.

Deitamos calmamente no fundo do barco e ficamos flutuando no meio daquele paraíso. Sabíamos que estávamos completa e totalmente seguros. Sentimos completa e total segurança. Estávamos em um pequeno bote no meio de uma das regiões aquáticas mais populosas de crocodilos; ainda assim, sentíamo-nos muito tranqüilos porque sabíamos que Steve estava lá conosco.

– Um dia, querida – disse Steve docemente para mim –, vamos nos lembrar de nossos projetos para defender os animais selvagens, coisas como fazendas de crocodilos, da mesma maneira como nos lembramos da escravidão e do canibalismo. Será simplesmente uma inacreditável parte da história humana. Iremos tão além, que tudo se tornará algo a que jamais – jamais – voltaremos.

– Mas ainda não chegamos lá – eu disse.

Ele suspirou. – Não, ainda não.

Lembrei-me da tabuleta que Steve tinha em sua escrivaninha. Tinha a palavra “guerreiro” e uma definição: “Aquele que está envolvido em batalha”.

E era realmente uma batalha. Era uma batalha proteger ecossistemas frágeis como o Lakefield dos inimigos da vida selvagem, daqueles que procuravam matar qualquer animal que pudesse lhes trazer algum lucro. Essas mesmas pessoas saíam recolhendo ovos de crocodilo ou participavam de um safári de caça a ele. E elas estavam trabalhando para legalizar uma longa lista de atividades ilícitas e destrutivas. Estavam fazendo lobby para poderem criar em fazendas ou exportar qualquer coisa que andasse, desde os bonitos morcegos frugívoros que estávamos observando, a gansos-pega, tartarugas e até mesmo baleias.

A viagem foi épica. A cada dia uma nova aventura. Bindi sentou-se para sua educação formal em uma pequena mesa debaixo das frondosas árvores à margem do rio, com os *kookaburras* – aves australianas gregárias – que cantavam por perto; um ou outro lagarto ou cobra passava por ali. Bindi tinha os melhores cientistas da Universidade de Queensland ao seu alcance para responder às suas perguntas.

Eu percebia que Steve não queria que aquilo terminasse. Estávamos no acampamento já havia cinco semanas. Bindi, Robert e eu tínhamos programado uma viagem à Tasmânia. Conosco iria a professora deles, Emma (as crianças chamavam-na de "senhorita Emma"), e Kate, irmã dela, que também trabalhava no zoológico. Era uma viagem que eu já havia planejado muito tempo antes. Emma iria comemorar seu trigésimo aniversário e Kate veria a neve pela primeira vez em sua vida.

Steve e eu iríamos para lugares diferentes. Ele iria para Lakefield no *Croc One* e depois seguiria diretamente para um encontro com Philippe Cousteau para as filmagens de *Os Animais Mais Mortais do Oceano*. Tentamos resolver como poderíamos ficar todos juntos para o filme, mas simplesmente não havia espaço suficiente no barco.

Ainda assim, Steve veio até mim uma manhã, enquanto eu cuidava de Robert. – Por que vocês não ficam por mais dois dias? – perguntou ele. – Podemos mudar seu vôo. Valeria a pena.

Quando conheci Steve, fiz um acordo comigo mesma. Sempre que Steve sugerisse uma viagem, atividade ou projeto, eu toparia. Era muito fácil inventar uma desculpa para não fazer alguma coisa. "Ah! Puxa vida, Steve! Não estou a fim de escalar aquela montanha, ou de atravessar aquele rio", eu poderia ter dito. "Estou um pouco cansada, está bastante frio, ou está muito quente e eu estou sentindo calor."

Sempre poderia haver algum motivo. Em vez disso, decidi topar tudo o que Steve propusesse. Inevitavelmente, agindo assim, vivi as melhores aventuras de minha vida.

Entretanto, por alguma razão, dessa vez eu não disse sim. Fiquei calada. Fiquei pensando em como tudo iria funcionar e na logística de tudo aquilo. Mil preocupações passaram pela minha cabeça. Enquanto eu pensava a respeito, percebi que Steve já estava longe.

Pela primeira vez, eu não havia dito: "Sim, ótimo, vamos em frente". E, realmente, eu não sabia por quê.

Steve nos levou de carro até a pista de pouso da estação da guarda-florestal. Um dos jovens guardas imediatamente começou a matraquear sobre a questão da vida selvagem. Levei Robert para fazer xixi em uma moita antes de embarcarmos no avião. Tratava-se de um pequeno monomotor e não haveria toalete enquanto não chegássemos a Cairns.

Quando voltamos, a conversa geral sugeria que não havia muito tempo para nos despedirmos. Bindi pôs um bilhete nas mãos de Steve e disse: – Só leia depois que embarcarmos. – Dei um grande beijo e um longo abraço em Steve. Depois o beijei uma vez mais.

Eu queria adverti-lo para que tomasse cuidado quando estivesse mergulhando. Era sempre o mesmo e velho medo e a sensação de desconforto que eu sentia com relação as suas aventuras debaixo d'água. Poucos dias antes, quando Steve saiu de um bote, sua bota se enroscou em uma corda.

– Cuidado com a corda – eu disse.

Ele me fuzilou com um olhar que dizia: *Capturei 45 crocodilos em três semanas e você ainda acha que vou cair por causa de uma corda*?

Ri, muito encabulada. Parecia absurdo lembrar Steve que ele precisava tomar cuidado.

Como sempre, ele mostrava o ser entusiástico que era, conforme subíamos no avião. Sabíamos que nos veríamos novamente em menos de duas semanas. Eu voltaria para o zoológico, trabalharia lá um pouco e depois partiria para a Tasmânia. Steve viajaria para as filmagens. E depois estaríamos todos juntos novamente.

Havíamos atingido um patamar incrível em nossa relação. Nossa viagem para Lakefield havia sido um dos períodos mais especiais de toda a minha vida. As crianças se divertiram muito. Estávamos todos juntos no mesmo lugar, não apenas fisicamente, mas emocional, mental e espiritualmente.

Estávamos todos lá.

O piloto ligou o motor. Robert pôs o cinto de segurança e, assim, não conseguia chegar até a janela e olhar para fora. Eu não podia levantá-lo sem liberá-lo do cinto; por isso, ele não pôde ver seu papai acenando adeus. Bindi, porém, pôde vê-lo bem claramente; ele havia estacionado a picape bem ao lado dos sinalizadores e estava lá, de pé, na carroceria, com as pernas abertas, um enorme sorriso no rosto, acenando com as mãos acima da cabeça.

Eu vi o bilhete de Bindi em suas mãos. Ele o havia lido e estava querendo dizer isso a Bindi. Ela acenou freneticamente pela janela. Quando o avião ganhou velocidade, passamos voando ao lado dele e decolamos.

CAPÍTULO DEZOITO

Em Batt Reef

Era uma linda manhã de setembro quando comecei a fazer as malas para a viagem. Eu me sentia sempre muito feliz quando viajava para a Tasmânia, pois é um dos lugares mais belos do mundo. Éramos cinco: as crianças, Kate, Emma e eu.

A viagem incluía escala em Melbourne; a partir daí, e até a Tasmânia, era uma viagem sacolejante, cheia de turbulências. Entre a extremidade da América do Sul e a Tasmânia, não há nada exceto o oceano, azul e cristalino; isso faz com que haja muito vapor. Os infames ventos *Roaring Forties* – entre os graus 40 e 50 de latitude norte do equador – sacodem o lado oeste da ilha-estado. Do nosso pequeno monomotor, olhei para baixo e vi algumas das ondas de que Steve tanto gostava.

Cerca de 300 quilômetros da costa oeste da Tasmânia fica Shipstern's Bluff, um dos melhores locais para surfe no mundo. Lá tem surfe radical, e os surfistas têm de ser rebocados e não é incomum ter ondas com faces de 18 metros.

Provavelmente, apenas 5% dos surfistas no mundo ousariam se aproximar de Shipstern's Bluff. Conforme nosso avião se aproximava, eu vi séries e séries de ondas disformes e espumantes indo em direção à praia. Eu mesma não era uma pessoa de curtir a água, mas gostava muito de fotografar ou filmar Steve em ação.

Temos de voltar, pensei comigo. *Agora, Steve e Bindi já podem surfar juntos aqui.*

Entretanto, essa viagem era para ver o diabo-da-tasmânia e a neve. Estávamos indo para Cradle Mountain para mostrar a neve a Kate. Sunshine Coast nunca tem muita neve; portanto, havia várias pessoas lá que ainda não haviam tido qualquer experiência com neve. A caminho da montanha, perto de Launceston, paramos em um pequeno e lindo parque de animais selvagens.

O parque fazia a sua parte, abrigando filhotes de diabo-da-tasmânia órfãos. Suas mamães haviam morrido de DFTD, tumor que estava devastando toda a população da espécie. O objetivo do parque era determinar se as mães haviam transmitido a doença para a geração seguinte. Essa viagem era para ver a geração dos filhos que haviam sobrevivido.

Aterrissamos em Launceston e senti como se estivéssemos embarcando em uma grande aventura, mostrando as minhas amigas a bela paisagem do interior da Tasmânia. Havíamos alugado dois pequenos chalés. Fazia frio, mas o ar estava puro e fresco. Bindi, Robert e eu nos acomodamos em um chalé, enquanto Emma e Kate ficaram em outro chalé bem próximo.

O dia seguinte era domingo. Na Austrália, o Dia dos Pais é celebrado em setembro; assim, tentamos entrar em contato com Steve. Eu sabia que ele estava filmando em algum lugar além da costa de Queensland.

A bordo do *Croc One*, junto com Steve e Phillipe Cousteau, estava um toxicologista chamado Jamie Seymour. Eles planejavam estudar várias espécies de criaturas marinhas perigosas, além de compreender o lugar delas no meio ambiente e ensinar às pessoas como freqüentar as águas australianas com mais segurança.

Tentamos contatar Steve pelo telefone, mas, claro, ele estava fora, filmando. Falei via satélite com outra Kate – Kate Coulter – uma antiga funcionária do zoológico, e com seu marido, Brian. Cada um de nós falou um pouquinho com ela.

– Steve capturou uma enorme serpente marinha – disse Kate. – Ele disse que é a maior que ele já viu. Ele disse também: – Grossa como meu braço, ou melhor, grossa como minha perna.

Kate conhecia Steve muito bem e conseguiu transmitir o entusiasmo dele com perfeição. Disse-nos que iria transmitir as nossas mensagens a ele.

– Diga ao papai que eu o amo e que estou com saudade – disse Bindi. Kate prometeu que diria a Steve. Robert queria ir ver imediatamente a grande serpente marinha que seu pai havia capturado. Ele não entendia muito bem que Cape estava a milhares de quilômetros de distância.

No parque de Launceston, vimos uma nova geração de diabos-da-tasmânia. Eram filhotinhos bem pequenos, menores do que porquinhos-da-índia, apenas começando a sair das bolsas de suas mães. As mães haviam tido sorte por terem sobrevivido ao DFTD. Toda uma geração de diabos-da-tasmânia poderia ter sido aniquilada.

O parque me fazia lembrar de nosso Australia Zoo em seu começo. Era um negócio de família, administrado por Dick e Judi Warren. Ambos eram simpáticos, agradáveis e loucos por um bate-papo. Judi preparou sanduíches e bebidas quentes para nós, enquanto Dick contou histórias satirizando o incidente "Baby Bob".

– Eu me vesti como Steve e pus uma peruca loira – disse Dick. – Depois peguei uma pequena boneca e fui até os diabos-da-tasmânia e os alimentei enquanto segurava a boneca.

Ele olhou para se certificar se eu estava achando graça, e eu estava. – Acabou virando vídeo em uma das balsas aqui da ilha! – disse Judi. Os australianos gostam de rir de si mesmos e de fazer troça dos outros. Sempre achei isso estimulante.

Circulamos pelo parque, vendo papagaios, vombates e cobras-tigre. – Coalas e primatas – disse Dick. – Vamos arranjar alguns coalas e alguns primatas e aí estaremos bem.

Lembrei-me de quantas vezes Steve e eu havíamos dito algo semelhante. – Apenas mais uma nova espécie e aí nosso zoológico estará completo. – Eu estava começando a compreender que o Australia Zoo nunca ficaria completo. Havia muitas espécies no mundo que precisavam de nossa ajuda.

Steve havia tentado entrar em contato conosco depois de nossa ligação no Dia dos Pais. Não havia como ter percebido isso, pois não havia recepção para celular no chalé. Ele havia voltado para o *Croc One* e tentado nos telefonar via satélite. Eu não sabia. Eu não estava na faixa de recepção senão no dia seguinte. Curtimos nosso jantar, acendemos uma enorme fogueira e nos acomodamos para passarmos a noite.

No dia seguinte, não havia necessidade de nos apressarmos. Serpenteamos pelo lado oeste, parando em uma fazenda de framboesas e na Honey Factory em Chudleigh. Eles exibiam uma colméia atrás de um vidro; adoramos ver as abelhas construindo o favo. Elas nunca paravam para dizer: "Qual será o sentido da vida?" Apenas trabalhavam sem parar.

A Honey Factory também tinha uma série de produtos temáticos com motivos de abelhas: botas de borracha, massageadores, guarda-chuvas e um carrinho no qual as crianças podiam andar. Bindi provou todos os sabores de mel que eles tinham. Comprou um relógio de pulso com uma abelha cravada nele. Robert escolheu uma mochila.

– Robert – eu lhe disse –, essa mochila é linda. Ela está cheia de abelhas.

– Só tem uma abelha nela – ele disse, corrigindo-me.

– Oh! Ok, só uma abelha – eu disse, achando graça na seriedade de meu filho.

Passamos a última parte da manhã na Honey Factory. Quando saímos, Bindi olhou para o relógio que acabara de comprar e disse: – É meio-dia. – Paramos por um momento e vimos que era mesmo meio-dia. Entramos no carro e fomos embora.

Nosso destino naquele dia era o Parque Nacional de Cradle Mountain. Ainda não estávamos dentro da zona de alcance de telefonia móvel; então, planejei que iríamos fazer o check-in quando chegássemos ao resort, onde havíamos alugado acomodação. Pretendíamos subir a montanha até chegarmos à neve.

Chegamos ao resort de Cradle Mountain comendo framboesas. Emma e Kate ficaram no carro com as crianças.

– Volto em um minuto – eu disse. – Vou fazer o check-in e iremos para nossos quartos. – Os *currawongs* – pássaros australianos semelhantes ao corvo – estavam cantando e um *padymelon* – versão reduzida de um canguru – pulou de um muro na beira do estacionamento, conforme eu entrava.

– Onde está a neve? – perguntei à mulher da recepção.

– Nevou esta manhã – ela disse.

– Ainda bem – eu disse. – Então há esperança.

Em seguida ela me passou uma mensagem. Disse: – Frank ligou do zoológico.

– Não me surpreende – eu disse. – Não liguei para o zoológico hoje e Frank está sempre tentando saber onde estou.

– Por que você não vem até o escritório para fazer a ligação? – ela disse. Achei aquilo um pouco estranho, pois já havíamos estado lá antes e eu sempre usava o telefone público perto do chalé. Mesmo assim, entrei no escritório e me sentei em uma poltrona grande e confortável. Dava para ver o estacionamento lá fora. Emma e Kate ainda estavam dentro do carro. Robert havia adormecido e Kate estava lá com ele. Bindi e Ema estavam rindo.

– Tudo bem, Frank? – perguntei ao telefone.

Ele disse: – Olá, Terri. Já faz um bom tempo que estou tentando entrar em contato com você. – Sua voz tinha um tom pesado, sério.

– Bem... acabei de chegar. Desculpe, mas já estou aqui. O que houve?

– Sinto dizer que Steve teve um acidente enquanto mergulhava – disse Frank. – Ele foi atingido no peito pelo ferrão de uma arraia...

Tenho certeza de que não houve pausa, mas eu senti o tempo parar. Eu sabia o que Frank iria dizer em seguida. Apenas fiquei repetindo na cabeça a mesma coisa sem parar.

Não diga, não diga, não diga.

Então Frank disse as três palavras que eu não queria que dissesse: – E ele morreu.

Respirei bem fundo e olhei para fora da janela. Lá estava Bindi, tão feliz por ter finalmente chegado a um de seus lugares preferidos. Íríamos nos divertir muito. Ela havia trazido sua professora e Kate. Estava tão feliz. Mas o mundo havia parado. Respirei fundo novamente.

– Muito obrigado por ligar, Frank – eu disse. Eu não sabia o que estava dizendo. Eu estava arrasada, já no piloto automático. – Você precisa cancelar o restante de nossa viagem, precisa entrar em contato com minha família no Oregon e precisa providenciar nossa volta para casa.

Então, tudo começou.

Havia uma coisa que eu queria fazer mais do que qualquer outra: chegar até Steve. Eu precisava levar as crianças para casa o mais rápido possível; não conseguia compreender o que estava acontecendo no resto do mundo. O acidente com Steve havia ocorrido às 11 horas da manhã. A morte oficial foi registrada como sendo meio-dia, o exato momento em que Bindi havia olhado em seu relógio e dito sem qualquer razão aparente: – É meio-dia.

Agora eu tinha de ir até o carro e contar a Bindi e a Robert o que havia acontecido com o papai deles. Como contar a uma criança de oito anos que seu pai está morto? E a um garotinho de dois anos?

A pessoa que eles mais amavam no mundo havia ido embora para sempre; a pessoa que eles respeitavam, em quem confiavam, que imitavam, que brincava com eles no banho de bolhas, que lhes contava histórias sobre quando ele era um garoto travesso, que os levava para andar de motocicleta, que comprava sorvete para eles, que os levava em aventuras para capturar crocodilos e lhes mostrava os animais selvagens.

Tive de contar a eles que haviam perdido essa pessoa tão importante, nesse dia tão lindo.

Emma veio até mim e eu lhe contei o que havia acontecido. De repente, comecei a me sentir muito mal. Não conseguia me levantar e pedi para ir à toalete. Foi então que percebi que agora eu precisava ser forte. Durante anos eu havia contado com a força de Steve. Com 1,80 m, e 90 quilos, Steve era uma força em que se podia confiar. Mas ele sempre me dizia que havia diferentes tipos de força; dizia que podia contar com minha força quando os tempos fossem difíceis.

Pensei a respeito de tudo isso e, de repente, compreendi que deve haver uma razão por que eu estava aqui e por que ele havia ido embora. Eu precisava ajudar seus filhos; precisava estar lá para nossos filhos. Tudo o que eu queria era correr, correr e correr – mas tinha de ficar.

Com Emma ao meu lado, saí, caminhei em direção ao carro e entrei dentro dele. Bindi havia aberto o saco de framboesas novamente. Coloquei-as de lado e pedi a ela que se sentasse. No mesmo instante ela percebeu, pela expressão de meu rosto, que havia algo de errado.

– Aconteceu alguma coisa com um dos animais do zoológico? – perguntou.

– Aconteceu uma coisa com seu papai – eu disse. – Ele estava mergulhando e teve um acidente. – Contei a ela tudo o que sabia sobre o que havia acontecido. Ela chorou. Todas nós choramos. Robert ainda dormia.

Começou então um jogo de entrar e sair do chalé, fazer chamadas telefônicas sem fim. O desafio maior era chegar em casa. Eu não conseguia compreender a forte reação da imprensa – estávamos sendo rastreados como rapina, os helicópteros já sobrevoando o local. Tomar um vôo comercial para casa estava fora de cogitação; conseguimos fretar um avião.

– Podemos ir de carro – Emma disse gentilmente, referindo-se a ela e a Kate. Tínhamos de chegar ao aeroporto e passar pelo corredor polonês da mídia. Subitamente, senti um forte desejo de tomar as rédeas, de assumir o controle e não desmoronar. Sabia que precisava ser forte.

– Posso ir dirigindo o carro – disse.

Foi em uma parte muito estreita e sinuosa da estrada que Robert acordou. Então, enquanto dirigia, contei ao meu filho o que havia acontecido.

– Onde está Cradle Mountain? – ele perguntou.

– Não podemos mais ir para Cradle Mountain, Robert – eu disse. E expliquei a ele que seu pai havia sofrido um acidente. Ele me pediu para explicar tudo novamente; eu o fiz pela segunda vez.

Então, Robert parou de falar. Agarrou-se a Piggy, seu pequeno amigo de *plush*. Ficou freneticamente esfregando seus dedos pelas orelhas de Piggy, olhando para fora da janela. Por meia hora, ele não disse uma única palavra.

Quando estávamos próximos do aeroporto, a realidade da reação pública à morte de Steve começou a tomar forma mais sólida. Havia gente da mídia por toda a parte. Fomos direto em direção aos portões para estacionar bem perto do avião fretado. A última coisa que eu tinha vontade de fazer naquele momento era falar com alguém sobre o que havia acontecido. Eu só queria chegar até Steve.

Conforme caminhava em direção ao avião, virei-me para agradecer aos policiais que nos haviam ajudado. As lágrimas que vi nos olhos deles abalaram minha própria tentativa de proteção de minha dor. Eles estavam indo muito além de suas funções; estavam sofrendo de verdade por nós e sentiam muito a perda de Steve. *Tantas outras pessoas o amavam também*, pensei comigo.

Durante todo o tempo da infindável viagem para Maroochydore – três horas de duração –, fiquei voltando ao tempo de nossos 14 anos de aventuras juntos. Minha mente se concentrou em outra viagem de avião, muito semelhante a essa, quando Bindi e eu tivemos de voltar dos Estados Unidos para a Austrália, depois da morte da mãe de Steve. Parte de mim desejava voar para sempre, nunca aterrissar, nunca enfrentar o que teríamos de enfrentar logo. Concentrei-me em Bindi e em Robert, cuidando para que estivessem bem alimentados e bem acomodados. Mas o pensamento daquele último e triste vôo ficou gravado no fundo de minha mente.

Já estava escuro quando o avião aterrissou em Maroochydore. Taxiamos entre os hangares, longe da visão pública. Acho que estava chovendo, mas talvez não estivesse; talvez fosse eu que estivesse triste. Quando desci os degraus do avião, Frank, Joy e Wes estavam lá embaixo me esperando. Abraçamo-nos. Wes soluçava. Conseguimos ajudar um ao outro até o hangar, onde nos acomodamos, apertados, em dois veículos para a viagem de meia hora de volta ao zoológico.

Liguei o DVD no banco traseiro para as crianças. Eu precisava desesperadamente de um momento sem ter de explicar o que estava acontecendo. Queria falar com Wes, Joy e Frank. Em um determinado momento da viagem, Wes virou-se e fechou o DVD. A luz do aparelho estava dando à imprensa a chance de nos filmar e fotografar dentro do carro.

Esse era um momento de privacidade; só nosso. *Que boa idéia Wes teve*, pensei comigo, bem no meio de tudo.

– Wes – perguntei –, o que vamos fazer agora?

CAPÍTULO DEZENOVE

O Whale One de Steve

Em outubro de 1991, no dia em que conheci Steve, foi por acaso que parei no seu parque de animais selvagens. Eu estava dormindo no banco traseiro do carro, voltando de um churrasco na casa do amigo de uma amiga. No banco da frente, o amigo de Lori sabia que eu gostava de zoológicos. Quando viu a placa desse, ele não sabia se me acordava ou não. Mesmo quando o fez, eu não tinha muita certeza se aquele parque de répteis teria mais do que umas poucas cobras em pequenos tanques de vidro.

Portanto, foi por mero acaso que eu estava naquela rodovia e por mero acaso que parei. E foi também por mero acaso que Steve estava fazendo sua demonstração com os crocodilos naquele dia. Às vezes, quem fazia a demonstração era Wes.

Acaso. Sorte. Destino.

Eram palavras das quais eu me alimentava. Acreditava que minha vida havia sido criada para um propósito especial. Porém, com a morte de Steve, minha fé foi testada. Foi apenas por acaso que Steve, um homem que trapaceou com a mortalidade quase todo santo dia de sua vida adulta, morreu em um acidente tão bizarro?

No decorrer dos 15 anos em que eu o conheci, acho que não houve uma única semana em que ele não levasse uma mordida ou tivesse qualquer tipo de ferimento. Seus joelhos e ombros, de tanto saltar sobre crocodilos, o incomodavam muito. Um dia, quando Steve fazia uma cerca em nossa propriedade de proteção ambiental do Cinturão de Brigalow, um grande fincador de mourão que ele estava usando escorregou e bateu diretamente em sua cabeça, comprimindo o quinto disco da nuca. Mesmo ferido, ele continuou a trabalhar – no zoológico, filmando e fazendo serviço pesado. Ia para o trabalho com a maior rapidez e determinação, subia em árvores com orangotangos; atravessava os desertos mais remotos e as montanhas mais incríveis. Sua vida foi repleta de todo tipo de risco.

– Vivem me chamando de viciado em adrenalina – dizia Steve. – Tudo bem. Não me importo.

Uma hora plena de vida gloriosa vale mais do que toda uma existência sem um nome. Eu não lamentava nada da gloriosa vida de Steve e sei que ele não conseguiria viver de maneira diferente.

Quando Bindi, Robert e eu chegamos em casa na noite da morte de Steve, deparamo-nos com uma cena estranha que nós mesmos havíamos criado. O plano havia sido que Steve voltaria das filmagens de *Ocean's Deadliest* antes que voltássemos da Tasmânia. Assim, havíamos preparado uma surpresa divertida para ele.

Pegamos grandes brinquedos de *plush* e os dispusemos juntos de forma a parecerem uma família. No sofá sentamos um que me representava, um urso de pelúcia quase do tamanho de Bindi e um orangotango de *plush*, representando Robert. Vestimos os bichinhos de brinquedo menores com roupas de criança e a boneca grande com roupas minhas. Fui até o fotógrafo do zoológico e tirei fotos bem de perto de nossos rostos, que colamos nas cabeças das bonecas. Em seguida, nós as organizamos como se estivéssemos em um jantar e eu escrevi uma mensagem para Steve.

– Surpresa – dizia a mensagem. – Não fomos para a Tasmânia! Estamos aqui esperando por você, amamos você e sentimos muita saudade! Logo nos encontraremos. Com amor, Terri, Bindi e Robert.

A surpresa era para Steve, quando ele retornasse e não estivéssemos lá. Em vez disso, as bonecas esperavam por nós, caladas, e nossos dublês de *plush* eram fantasmagóricas lembranças de uma vida mais feliz.

Wes, Joy e Frank entraram na casa comigo e com as crianças. Nunca recebíamos ninguém, nunca convidávamos ninguém, e agora, de repente, nossa sala de estar parecia cheia. Como não tinha o hábito de ver visitas em casa, Robert cumprimentava cada um à porta.

– Tire os sapatos antes de entrar – pedia ele com seriedade. Olhei para ele. Estava claramente confuso, mas se esforçava muito para ser um pequeno adulto.

Tivemos de tomar providências para trazer o corpo de Steve para casa. Tentei manter as coisas o mais privadas possível. Um dos antigos colegas de escola de Steve era gerente da funerária de Caloundra e ele se encarregou de tudo. Ele conhecia a família de Steve havia anos e eu me lembro de ficar pensando em quão doloroso tudo isso era para ele também.

Bindi chegou perto de mim. – Quero dizer adeus ao papai – disse.

– Claro, querida – eu disse. – Mas você precisa se lembrar de quando o papai disse adeus à mãe dele; aquela última imagem dela ficou com ele pelo resto da vida – quando ele estava acordado e também quando ele dormia.

Sugeri que talvez Bindi gostasse de se lembrar do pai da maneira como o viu pela última vez, de pé, em cima da picape, ao lado da pista de decolagem, acenando com ambas as mãos e segurando o bilhete que ela havia lhe dado. Bindi concordou e eu soube que aquela foi a decisão certa, um pequeno passo na direção certa.

Eu sabia que a única coisa que eu queria fazer agora era chegar até Steve. Senti uma grande premência de continuar a viagem a partir do zoológico e ir até Cape. Mas sabia também o que Steve teria dito. Ele estaria preocupado em ver as crianças acomodadas e levadas para a cama e longe do tumulto da mídia.

Nossos amigos decidiram por si mesmos nos deixar sozinhos. Dei um banho nas crianças e preparei alguma coisa para elas comerem. Levei Robert para a cama e fiquei com ele até ele adormecer. Bindi parecia preocupada. Geralmente, eu ficava com Robert na cama, à noite, enquanto Steve ficava com Bindi. – Não se preocupe – acalmei-a. – Robert já está dormindo. Você pode vir para a minha cama.

A pequena Bindi adormeceu logo, mas eu permaneci acordada. Era como se eu tivesse morrido e estivesse começando uma nova vida. Mentalmente, revi meu tempo de criança no Oregon, meu tempo de adulta, administrando meu próprio negócio, depois conhecendo Steve, tornando-me sua esposa e mãe de nossos filhos. Agora, aos 42 anos, eu estava recomeçando.

Fiquei pensando sem parar em tudo o que havia acontecido. Eu precisava falar com alguém que tivesse estado com Steve no dia do acidente. Porém, acabei concluindo que era mais importante me concentrar no tempo em que havíamos vivido juntos. Com freqüência, quando estávamos vivendo uma aventura, parecia-me quase surreal estarmos em uma floresta tropical, por exemplo, ou em uma ilha do Pacífico Sul, visitando Galápagos, ou fazendo caminhadas por regiões remotas dos Estados Unidos, cobertas de gelo. Sentia-me como se estivesse vivendo em um filme.

Fiquei na cama, deitada, ouvindo o tiquetaque do relógio. *Mais um minuto que consegui sobreviver sem Steve.* Eu me consolava com o pensamento de que o tiquetaque do relógio era para todos nós. Nenhum de nós pode saber quando será a nossa vez. Decidi que iria, apesar de tudo, festejar a vida com aqueles que ainda estavam aqui e me dedicar ao trabalho que ainda precisava ser feito. Era uma decisão boa e certa, acreditava eu, mas o que realmente me sustentava naquelas horas sombrias e solitárias da noite era outro pensamento, mais profundo, mais persistente. A cada vez que ouvia o tiquetaque do relógio, eu estava um segundo mais perto de encontrar Steve novamente. Da mesma forma como ele foi forte nesta vida, eu sabia, sem a menor sombra de dúvida, que ele seria uma força com a qual contar na próxima.

A primeira manhã foi particularmente difícil. Geralmente nossa rotina da manhã envolvia ouvir o som de uma motocicleta se aproximando da casa. Steve nunca dormia mais do que algumas horas por noite. Levantava-se sempre antes de nós e saía para seu trabalho no zoológico; depois voltava de moto, irrompendo pela porta. Brincava de lutinha com as crianças e contava a elas sobre alguma coisa nova e emocionante que estivesse acontecendo no zoológico. Depois ele as vestia – eu sempre protestando, dizendo que elas precisavam pegar bonés ou casacos, ou que não haviam escovado os dentes – e, ignorando o que eu dizia, escapulia com elas porta afora e as acomodava na motocicleta.

Naquela primeira manhã, tive de aceitar o fato de que ele nunca mais surgiria de repente por aquela porta.

Usando a conexão telefônica via satélite, finalmente consegui contatar o *Croc One*. Kris, o capitão, estava chorando. Depois consegui achar John Stainton e ele me garantiu que não havia saído do lado de Steve em momento algum.

– Fretei um avião – disse John. – Vou levá-lo para casa, Terri.

Perguntei a ele sobre os pertences de Steve. Steve estava usando sua roupa cáqui e botas de mergulho, mas como ele não tinha nenhuma jóia ou qualquer coisa de valor, o médico legista havia destruído todas as suas roupas.

Fiquei arrasada. É totalmente imprevisível o que alguém guardará de lembrança em um momento de dor, especialmente no caso de um acidente. Lembro de ter pensado: *Preciso me sentar com quem está no comando e mudar essas regras*. É a família quem deve decidir o que deve ser destruído e o que deve ser guardado. Eu precisava me concentrar em algo que não fosse a perda de Steve. Para mim, era muito difícil ter de aceitar e compreender tudo aquilo.

Enquanto John tomava as providências para trazer Steve para casa, a pressão da mídia aumentava sem parar. Eu disse a Wes que queria ir ao aeroporto, mas não levaria as crianças. Era meu momento de ficar com minha alma gêmea e eu tinha de fazer isso sozinha. Fui escoltada pela polícia de Queensland, todos atenciosos e profissionais. Uma policial, chamada Anne, foi designada especialmente para garantir que a massacrante atenção da mídia não interferisse em meu momento privado de dizer adeus a Steve.

Wes me acompanhou. Era noite. Conforme o avião se aproximava, eu o reconheci como o mesmo avião que havia levado Steve em muitas de suas aventuras no Pacífico Sul, à procura de serpentes marinhas, iguanas de crista ou tubarões. Em fileiras, os policiais ficaram em posição de sentido. Muitos deles haviam conhecido Steve. Mais uma vez, senti-me arrasada ao ver a expressão de pesar em seus rostos.

O avião aterrissou e eu pude, por um momento, ficar sozinha com Steve. Foi um pouco difícil subir até a parte traseira do avião. Um esquife simples, de madeira, estava lá, ainda amarrado. Eu sabia que o espírito, a alma de Steve, não estavam mais lá, mas foi estranho eu não ter conseguido chorar.

Sentei-me e inclinei a cabeça contra a caixa de madeira que guardava seu corpo e senti uma estranha paz.

De alguma forma, estávamos juntos novamente.

Conforme escrevo isso, estou ainda esperando que Steve surja à porta. Seu sarongue ainda está sobre a cama, sua escova de dentes, no banheiro.

A realidade desce cada vez mais. Bindi e eu temos muitas conversas bem francas. Isso parece ajudá-la, como quando ela era mais nova e perdeu um coala chamado Wilson. Wilson morreu de insuficiência renal e está enterrado no quintal. Sinto-me gratificada que, com o passar dos anos, eu tenha infundido em Bindi as bases da fé.

– Por mais difícil que seja entender, houve uma razão para tudo o que aconteceu – eu disse. – Um dia tudo ficará mais claro.

Robert é como um pobre filhotinho que ainda espera pacientemente que seu papai volte do céu para casa. Eu não estava preparada para ver o quanto a morte de Steve o afetou. Há noites em que ele se senta na banheira e chora. – Quero o papai – ele diz, sem parar. Isso arrebenta meu coração.

Temos um amigo muito querido, um psicólogo maravilhoso que nos tem ajudado muito; recentemente, ele sofreu uma perda em família e nós dois ficamos muito tristes. Ele me explicou que a dor é um processo muito pessoal. Não é possível compará-la com a dor de mais ninguém. É algo somente seu. Pessoas fora de nosso círculo mais próximo expressaram preocupação com Bindi, no sentido de que talvez ela estivesse lidando um pouco bem demais com sua dor, e eu não fiquei imune aos comentários feitos na imprensa sobre a maneira notavelmente serena como ela falou no enterro de Steve. Foi muito bom ter a opinião de meu amigo psicólogo, pois ele me deixou mais tranqüila.

– Esse é o seu objetivo – ele me disse. – Você está tentando educar filhos que saibam lidar com a vida e não perder o controle dela. Esse é o objetivo. Entender que onde há amor, há dor e onde há vida, há morte, e que o espírito e a alma de uma pessoa nunca morrem e que o amor delas nunca termina – essas são lições importantes que devemos transmitir aos nossos filhos.

Bindi vai indo muito bem. Robert demorará um pouco mais. Notei que, conforme Bindi crescer e chegar à adolescência, poderá haver outro momento em que a dor a visitará. Sabendo disso, posso prepará-la para momentos difíceis à frente.

Por causa da constante vigilância da mídia, não me aventurei a sair para ver as inúmeras homenagens deixadas pelos fãs de Steve à frente do zoológico. Porém, tudo foi recolhido e guardado e agora temos em exposição uma linda seleção de objetos em memória de Steve.

A reação pública à morte dele certamente o teria feito se sentir arrasado – pensamentos gentis, orações, pêsames e lágrimas. A dor não era só minha. Muitas pessoas ao redor do mundo também estavam tentando enfrentar a tragédia. O processo parecia especialmente difícil para as crianças que ainda não haviam vivido a experiência do círculo da vida, como Bindi havia. Achei que seria importante enviar a elas uma mensagem. Mesmo que seu herói morra, tudo aquilo que ele representou não morre com ele. Tudo aquilo que ele representou precisa continuar.

Nunca tive qualquer dúvida de que eu continuaria trabalhando para evitar a destruição de nosso meio ambiente e da vida selvagem, que estava fugindo do controle. Houve tantas vitórias para as quais Steve trabalhou com tanto empenho.

Sentei-me com Wes. – Primeiro, vamos fazer tudo aquilo que Steve queria fazer – eu disse. – Depois, vamos fazer tudo aquilo que, coletivamente, estávamos querendo fazer. E, finalmente, quero continuar com meus próprios objetivos, em termos de proteção ambiental.

Estabelecemos as estratégias com vistas à expansão do zoológico. Eu não queria mantê-lo como ele era; eu queria dar prosseguimento aos planos que Steve tinha para o futuro. Eu sentia que ainda estava tendo uma maravilhosa, insolente e competitiva relação com Steve.

Wes e eu pegamos as pilhas de planos, cópias heliográficas, plantas e papel manilha da escrivaninha de Steve. Juntei tudo e coloquei sobre uma mesa de reunião.

– Esse era o plano de Steve para o Australia Zoo para os próximos dez anos – eu disse. – Quero fazer tudo em cinco.

Teríamos de conseguir mais terreno. Lembro-me dos primeiros dois acres que compramos para expandir o zoológico; de como Steve e eu nos sentamos abraçados, olhando para o terreno vizinho e sonhando com ele. Agora estávamos negociando mais 500 acres de área florestal. Esse pedaço se juntaria ao terreno do zoológico, mais os 500 acres de nossa área de conservação, o que perfazia um total de 1.500 acres acres de Australia Zoo.

Nesse inverno batizamos de *Steve's Whale One* uma excursão de barco para observar baleias, que tornará realidade outro de seus tão acalentados sonhos. Ele sempre quis expandir a experiência do zoológico com a inclusão de baleias. *O Whale One* é uma maneira que as pessoas têm de ver em primeira mão alguns dos animais mais impressionantes da Terra. As baleias-corcundas nas águas australianas se aproximam de barcos de observação com curiosidade e de peito aberto. É uma experiência deliciosa e uma que, acredito, ajudará a inspirar as pessoas e a pôr um fim à prática desumana de caça à baleia.

Bindi the Jungle Girl estreou em 18 de julho de 2007, no ABC (Canal 2) da Austrália. Ficamos tão orgulhosos! A determinação de Bindi de levar adiante o legado do pai foi um testemunho de tudo aquilo em que Steve acreditava. Ele havia combinado de maneira perfeita seu amor pela família e seu amor pelo meio ambiente, tornando o mundo um lugar melhor. Agora esse amor se perpetuava em seus filhos.

O dia do início oficial da carreira de Bindi foi fantástico. Todo o tempo e esforço gastos e a alegria e tristeza do ano anterior culminaram nessa série televisiva maravilhosa. Agora todos estavam convidados a ver a jornada de Bindi, primeiro filmando com o pai e depois assumindo e filmando com Robert e eu. Foi também uma oportunidade de sentir mais uma vez por que Steve era tão especial e incomparável, de segui-lo, de valorizá-lo e de celebrar a sua vida.

Bindi, Robert e eu fizemos o possível para garantir que o talento de Steve não ficasse escondido. Ele continuou a brilhar conforme trabalhávamos juntos para proteger todos os animais selvagens e a natureza.

Depois do lançamento do programa de Bindi, pareceu-me apropriado que outro projeto em que estávamos trabalhando havia meses viesse a se concretizar. Encontramos uma área de 320.000 acres na Península de Cape York, fazendo fronteira, de um lado, com o Rio Dulcie e, do outro, com o Rio Wenlock – uma das melhores regiões de crocodilos do mundo. Era um dos pontos máximos da Austrália e o habitat criticamente mais importante no estado de Queensland. John Howard, o primeiro-ministro, em associação com o governo de Queensland, doou 6,3 milhões de dólares para a aquisição das terras, em memória de Steve.

No dia 22 de julho de 2007, a Steve Irwin Wildlife Reserve (Reserva Ambiental Steve Irwin) tornou-se oficial. Esse pedaço de terra significa muito para a família Irwin e eu sei muito bem o que teria significado para Steve. Basicamente, significou a proteção dos crocodilos, os animais que ele tanto amou.

O que reserva o futuro para a família Irwin? Cada dia é pleno de vitórias incríveis e de momentos de muita dor. E no meio disso a vida continua. Estamos determinados a continuar a honrar e prezar o maravilhoso espírito de Steve, que continua vivo em todos nós. Steve viveu cada dia de sua vida fazendo o que amava e dizia que morreria defendendo os animais selvagens. Suponho que Bindi, Robert e eu iremos fazer o mesmo.

Deus o abençoe, Stevo. Amo você, meu querido.

Junte-se a Nós

Junte-se a nós no esforço de proteger a vida selvagem. Acesse a Wildlife Warriors em www.wildlifewarrior.org, ou escreva para um dos endereços abaixo:

Wildlife Warriors Worldwide, World Headquarters
P.O. Box 29, Beerwah, Queensland 4519, Austrália

Ou

Wildlife Warriors Worldwide USA
P.O. Box 11347
Eugene, OR 97400, USA

E lembre-se: são os crocodilos que ditam as regras!

Condolências

Depois da morte de Steve, recebi cartas de pêsames de pessoas do mundo todo. Eu gostaria de agradecer a todos aqueles que foram tão solidários. Suas palavras gentis e de consolo me deram força para escrever este livro e muito mais. Carolyn Male é uma dessas pessoas queridas, que expressou seus sentimentos depois que perdemos Steve. Foi muito tocante e especial o que ela disse e eu gostaria de expressar-lhe toda a minha gratidão. E fico feliz de poder compartilhar com todos o que ela escreveu:

É ainda com um coração muito apertado que me levanto esta manhã para falar da vida e da morte de um dos maiores ambientalistas de nosso tempo: Steve Irwin. Muitas pessoas descrevem Irwin como um traquinas simpático, talentoso, espontâneo. Para mim, a melhor palavra para descrever Steve Irwin é fantástico. Ele se levantava, brigava, e não sofria derrota quando se tratava de defender nosso meio ambiente. Quando ele queria fazer algo – não importa se fosse seus planos de expansão do zoológico, dar assistência aos animais afetados pelo tsunami e pelos ciclones, organizar pesquisa científica ou comprar terra para conservar seu valor ambiental e habitats –, ele simplesmente ia adiante e tornava isso realidade, e coitado de quem ficasse em seu caminho. Acho que nunca encontrei alguém que fosse mais determinado do que ele em transmitir a mensagem de proteção ao meio ambiente pelo mundo afora, e acredito que ele conseguiu atingir seu objetivo. O que eu mais admirava nele era que ele viveu a mensagem da proteção ambiental todos os dias de sua vida.

Os pais de Steve, Bob e Lyn, transmitiram a ele o seu amor pelas áreas remotas da Austrália e sua paixão pelos animais selvagens, resgatando-os e reabilitando-os. Steve adotou a paixão dos pais e a transformou em uma cruzada mundial. A fundação da Wildlife Warriors em 2002 deu a Steve e Terri outro meio de conscientizar as pessoas da necessidade de proteção do meio ambiente, permitindo que muitas se envolvessem pessoalmente na proteção de espécies feridas e ameaçadas. Ela gerou também um fundo operacional que colabora com o hospital veterinário em zoológicos e patrocina assistência a espécies ameaçadas na Ásia e na África.

A pesquisa sempre foi ponto alto na agenda de Steve e seu trabalho permitiu um entendimento muito maior sobre o comportamento, a população e os padrões de movimentos de crocodilos. Trabalhando com os Parques de Queensland e com o Wildlife Service, na Universidade de Queensland, Steve foi parte integrante do primeiro programa de pesquisa Crocs in Space. *Seu trabalho continuará e nos informará por muitos, muitos anos ainda.*

Nossos corações estão com a família dele e com a família do Australia Zoo. Deve ser muito difícil trabalhar no zoológico todos os dias com essa persona maior do que a própria vida ainda tão presente. Todos devem ainda estar esperando ver Steve atravessar o portão e entrar lá. Sua presença está por toda parte, e eu espero que ela continue nos corações e mentes das futuras gerações de guerreiros defensores da vida selvagem. Steve foi um grande homem e nós o perdemos. É uma perda enorme para o movimento de proteção ao meio ambiente. Meu coração e o coração de todos aqui estão com a família de Steve.

Carolyn Male, Membro da Glass House, Queensland, Austrália.
11 de outubro de 2006.

Agradecimentos

Eu gostaria de agradecer aos meus filhos, Bindi e Robert, a paciência que tiveram enquanto eu passei muitas noites e fins de semana escrevendo este livro (ou como Robert costumava dizer: "Mamãe está fazendo a lição de casa".).

Agradeço também àqueles que ajudaram a entreter, dar comida, banho e a brigar com meus filhos enquanto eu escrevia (é uma vila de gente!); Barry e Shelley Lyon, Emma Schell, Jeanette Covacevich, John e Bonnie Marineau, Brian e Sherri Marineau, April Harvie, Brian e Kate Coulter, Thelma Engle.

Um agradecimento especial para meu querido amigo John Edward. Se não fosse você, este livro nunca teria sido escrito.

Agradeço também a meus queridos amigos e suas famílias, que foram minhas caixas de ressonância: Wes Mannion, Frank e Joy Muscillo, John Stainton, Judi Bailey, Craig Franklin, Bob Irwin.

Um enorme muito obrigado a Kate Schell, que me ajudou a montar o primeiro rascunho – havia 250.000 palavras de histórias que nos fizeram rir e chorar. Você fez a jornada comigo.

Gostaria também de agradecer a Gil Reavill, por pegar 900 páginas e me ajudar a escolher que histórias manter para o texto final.

Natasha Stoynoff, você esteve sempre pronta a ajudar como colaboradora. Espero que um dia realmente possamos trabalhar juntas. E a Ursula Cary, meu muito obrigada por voar até a Austrália para me ajudar a capturar crocodilos para pesquisa e fazer aquelas revisões finais.

Gostaria de expressar meu muito obrigada a todas as pessoas interessantes que nos ajudaram a moldar nossas vidas e que estão incluídas nas páginas deste livro.

E, finalmente, um enorme muito obrigado a meu marido, Steve. Você é agora o anjo que se debruça sobre o meu ombro e sussurra em meu ouvido, dizendo-me que sou capaz de fazer qualquer coisa – você sempre acreditou em mim.

Impressão e acabamento
Imprensa da Fé